R
Pь64m

15-08-86 $26.00/AP

LE MARI DE SA FEMME

D0067258

ÉLAGUÉ

86 - 1001

BIBLIOTHÈQUE MUNICIPALE

AYLMER, QUÉBEC

MU .CI . LIBRARY

DU MÊME AUTEUR

aux Éditions Balland

La dernière séquence

Luigi Pirandello

LE MARI
DE SA FEMME

Traduit de l'italien
par Monique Baccelli

BALLAND

Titre original : Suo marito.

© Droits réservés
© Éditions Balland, 1986.

Avant-propos

Une idée chère à Pirandello c'est que l'œuvre d'art, à un moment donné, échappe au créateur pour vivre de sa propre vie : rien ne pourrait mieux l'illustrer que la longue histoire, riche en rebondissements, de son quatrième roman. Non pas le sujet de ce roman, mais bien les circonstances de sa publication, les conséquences imprévues qui s'ensuivirent et son étrange aboutissement.

En 1911 paraît *Suo marito* retraçant l'ascension d'un jeune écrivain de talent, Silvia Roncella, qui à la suite du succès retentissant de son premier roman *(La maison des nains)*, se voit projetée, presque malgré elle, de sa Sardaigne natale vers la Rome artistique et mondaine. Elle est secondée par un mari aussi lourdaud qu'ambitieux et officiellement protégée par le sénateur Borghi. Mais selon un processus bien pirandellien, l'apothéose s'achève dans le désordre et le scandale.

Ce schéma permet à l'auteur de développer ses thèmes habituels, mais aussi de brosser une fresque humoristique, et cruelle, des milieux littéraires romains qu'il a lui-même récemment découverts. S'agirait-il d'un roman à clés ? Quoi qu'il en soit les familiers de l'Urbs s'empressent d'attribuer des noms et des visages connus aux personnages fictifs et de relever une surprenante ressemblance entre la principale héroïne et la célèbre Grazia Deledda (elle obtiendra le prix Nobel de littérature en 1926) : comme Roncella c'est l'exceptionnelle réussite de *Anime nude* (1895) qui lui fait quitter la Sardaigne pour la Capitale; dotée d'un mari qui n'est pas sans traits communs avec le ridicule Boggiolo, elle est, elle aussi, soutenue par Ruggero Bonghi, sénateur bien connu. Ici s'arrêtent les similitudes, car la romancière sarde ne laisse pas les vanités du monde artistique entamer son austère vie familiale. Il n'empêche qu'à Rome on murmure, on cherche à découvrir la vie secrète de l'irréprochable Deledda, on cancane et on « en rajoute ». Bientôt l'involontaire fautif, autant que la victime, sont indignés de ces bavardages. Mais Pirandello est-il tout à fait innocent ? Il est presque indéniable que l'idée de départ de son récit lui a été fournie par le cas de l'illustre romancière : excellent point d'ancrage d'une étude portant sur la situation de l'artiste de génie (qui de plus est une femme) face à la notoriété, face à son public, à sa famille et surtout face à lui-même. Mais en bon personnage pirandellien, Roncella, la romancière fictive, s'est libérée de son auteur pour mener sa propre existence, perdant tout rapport avec son estimable modèle. Devant les conséquences imprévues de son invention, Pirandello s'incline. Et, contrairement à ce que l'on croit habituellement, ce n'est pas sous l'effet d'une quelconque interdiction, mais de plein gré et par humanité qu'il renonce à la réédition du roman à scandale. Non sans regrets, car sa diffusion eût été assurée par le bruit qui s'était fait autour de lui, mais surtout parce que l'auteur tenait tout particulièrement à cette œuvre de sa maturité dans laquelle il avait mis beaucoup de son expérience d'homme et d'écrivain. La preuve en est qu'après l'avoir laissé dormir pendant plus de vingt ans, il reprend son texte. Il n'y a pas encore « prescription » puisque Deledda ne mourra qu'en 1936 (la même année que lui). Aussi, sous couvert d'améliorations stylistiques, gomme-t-il soigneusement dans cette seconde version tout ce qui pourrait continuer à alimenter le fâcheux parallèle. Comme il mène de front cette refonte avec l'achèvement d'autres œuvres en cours, avec son activité de metteur en scène et ses voyages à travers le monde, il ne peut y consacrer que peu de temps. La mort le surprend alors qu'il en est au milieu du cinquième chapitre.

Sachant combien son père attachait d'importance à ce roman, Stefano Pirandello envisage d'enfin le rééditer, mais le problème n'est pas simple. Dans son Avertissement à *Giustino Roncella nato Boggiolo* (Mondadori 1941), il explique comment quatre possibilités s'offraient à lui : reprendre tout simplement la version initiale de *Suo marito,* sans modifications; s'en tenir au texte de *Giustino Roncella* en l'interrompant au point où l'auteur l'a laissé; publier *Suo marito* avec *Giustino Roncella* sous forme d'appendice, enfin relier artificiellement le début de *Giustino Roncella* avec la fin de *Suo marito.* Curieusement c'est la quatrième solution qu'il adopte. Sans doute correspond-elle à l'intime volonté de son père et ménage-t-elle la susceptibilité des proches de Deledda, mais si l'on exclut ces considérations aujourd'hui périmées, respecte-t-elle l'unité de l'œuvre? Un tel « collage » recèle inévitablement un hiatus.

Pour ma part j'ai délibérément choisi comme base de traduction la version initiale (Quattrini 1911) authentique, spontanée, homogène. Puisque, en fin de compte, les modifications entreprises par Pirandello

9

n'étaient pas tant la conséquence d'un désir profond d'amélioration que celle d'une pression étrangère à la littérature, fût-elle morale.

Est-ce l'existence d'un choix difficile entre ces possibilités qui explique qu'un roman aussi important soit un peu tombé dans l'oubli, même en Italie, et n'ait jamais été traduit en France? S'il comporte des inégalités, il n'en est pas moins remarquablement construit, plein d'humour et très significatif de son auteur. Il rassemble, en les exposant avec plus d'ampleur, les thèmes répétitifs qui circulent de la nouvelle au théâtre et du théâtre au roman : multiplicité du moi, incommunicabilité, pression de la société, difficulté de la création...

Ce roman à deux têtes a finalement subi le sort du Gengé-Moscarda de *Un, personne et cent mille :* il a été détruit par sa propre dualité.

Peut-être l'action unifiante et régénératrice de la traduction réussira-t-elle à lui redonner la vie qu'il mérite?

MONIQUE BACCELLI

1.

Le banquet

Attilio Raceni, depuis quatre ans directeur de la revue féminine (et non féministe) *Les Muses,* se réveilla ce matin-là tard et de mauvaise humeur.

Sous les yeux des innombrables jeunes femmes de lettres italiennes, poétesses, romancières (et même une dramaturge), qui le regardaient du haut de leurs photographies réparties par petits groupes sur les murs, affichant toutes un air particulier, artificiel de grâce piquante ou pathétique, il descendit de son lit – en chemise de nuit, naturellement, mais longue, fort heureusement longue jusqu'à la cheville. Après avoir enfilé ses pantoufles, il alla ouvrir la fenêtre.

Dans sa propre maison Attilio Raceni se connaissait bien peu lui-même, au point que si quelqu'un lui avait dit : – Tu viens de faire ceci ou cela, il se serait rebiffé, rouge comme un coq :

– Moi? Ce n'est pas vrai! C'est impossible.

Et pourtant c'est bien lui, là, assis en chemise au pied de son lit qui s'acharne de ses deux doigts contre un méchant poil profondément enraciné dans sa narine droite. Et il roule les yeux et il fronce le nez et il retrousse les lèvres jusqu'à ce que, brusquement, sa

11

bouche s'ouvre et ses narines se dilatent dans l'explosion subite d'une série d'éternuements.

– Deux cent quarante! dit-il alors. Trente par huit, deux cent quarante.

Parce que Attilio Raceni, tout en pinçant son poil de nez, était plongé dans le calcul suivant : est-ce que trente convives, payant huit lires chacun, pouvaient prétendre à du *champagne,* pour les toasts, ou simplement à quelque autre mousseux plus modeste (c'est-à-dire du nôtre)?

Tout absorbé par les soins qu'il avait l'habitude de prodiguer à sa propre personne, il ne les voyait plus, même en levant les yeux, les images de ces plumitives, généralement vieilles filles, bien que dans leurs écrits elles se montrassent très au courant du monde et pleines d'expérience; il ne pouvait donc remarquer que celles aux moues évanescentes semblaient très affligées de voir faire à leur beau directeur des actes rien moins que gracieux quoique très naturels, ni qu'en souriaient celles aux mines plus mutines que jamais.

Il avait de peu dépassé la trentaine, Attilio Raceni, et n'en avait pas encore perdu la sveltesse juvénile. La pâle langueur de son visage, ses petites moustaches frisées, ses yeux de velours en amande, son ondoyante chevelure de jais lui donnaient l'air d'un troubadour.

Dans le fond il était satisfait de la considération dont il jouissait en tant que directeur de la revue féminine (et non féministe) *Les Muses,* qui lui avait cependant demandé des sacrifices financiers non négligeables. Mais depuis sa naissance il était voué à la littérature féminine, puisque sa « maman », Teresa Raceni Villardi, avait été une éminente poétesse et que dans la maison de « maman » se réunissaient bon nombre d'écrivains, les unes déjà mortes, les autres aujourd'hui très âgées, sur les genoux desquelles il pouvait se vanter d'avoir grandi. Et de leurs cajoleries, de leurs caresses sans fin, lui était restée comme une patine indélébile de toute sa personne. On aurait dit que ces mains de femmes délicates et légères, savantes de tout secret, en le lissant, le polissant, l'avaient définitivement composé et paré de cette beauté artificielle et ambiguë. Il s'humectait souvent les lèvres, s'inclinait en souriant pour écouter, redressait le buste, tournait la tête, arrangeait ses cheveux, absolument comme une femme. Un plaisantin de ses amis était même allé jusqu'à tendre la main vers sa poitrine, faisant mine de chercher :

– Est-ce que tu en as ?

Des seins : grossier personnage ! Il en avait rougi.

Resté orphelin avec un avoir confortable, il avait commencé par abandonner ses études universitaires et, pour se donner une profession, fondé *Les Muses*. Son patrimoine s'en était trouvé allégé et suffisait alors tout juste à lui assurer une existence modeste, mais tout entière dévouée à la revue ; celle-ci, grâce à des abonnements péniblement récoltés, avait acquis sa propre indépendance et, soucis mis à part, ne lui coûtait plus rien : et si elle ne rapportait rien aux très nombreuses collaboratrices qui l'écrivaient, du moins ne leur coûtait-elle rien à elles non plus.

Ce matin-là il n'eut pas même le temps de se lamenter sur les fils de jais que sa coiffure hâtive avait laissés dans le peigne.

Il fallait qu'il se trouve à dix heures via Sistina, au domicile de Dora Barmis, muse numéro un de la revue *Les Muses*, très savante conseillère de la beauté et des grâces naturelles et morales de ces dames et demoiselles italiennes. Il devait s'entendre avec elle au sujet du banquet, de ces fraternelles agapes littéraires qu'il avait imaginé d'offrir au jeune et déjà très célèbre écrivain Silvia Roncella, venue depuis peu de Tarente pour s'installer à Rome avec son mari, « pour répondre (comme il l'avait écrit dans le dernier numéro des *Muses*), *pour répondre au premier appel de la Gloire, après l'accueil triomphal et unanime de la critique et du public à son dernier roman La maison des nains* ».

Il tira de son bureau un paquet de feuilles concernant le banquet, se jeta un dernier petit coup d'œil dans la glace, comme pour se saluer, puis il sortit.

Une clameur confuse et lointaine, un flot continu de gens courant vers la piazza Venezia. Consterné, Attilio Raceni s'approcha d'un gros marchand d'aluminium de la via San Marco qui se dépêchait, en poussant des soupirs de rage, de poser des battants sur les vitrines de sa boutique, et il lui demanda très poliment :

– De grâce, que se passe-t-il ?

– Bah... On dit... Moi je ne sais pas, grogna ce dernier en guise de réponse et sans se retourner.

Un balayeur tranquillement assis sur le montant de sa charrette, tenant son balai sur l'épaule à la manière d'un drapeau, un bras faisant contrepoids sur le manche, ôta sa pipe de sa bouche, cracha et dit :

– *Y'rmettent ça !*

Attilio Raceni se retourna et le regarda avec une sorte de pitié.

– Une manifestation ? Et pourquoi ?

– Uhm...

– Les chiens ! cria le marchand ventru en se redressant, haletant, écarlate.

Un vieux chien pelé aux yeux chassieux à demi fermés était allongé sous la charrette, plus apathique encore

que le balayeur Au « *chiens!* » du marchand, il souleva
à peine la tête de ses pattes, se contentant de redresser
un peu les oreilles, douloureusement. C'est à lui qu'on
disait ça? Il s'attendait à un coup de pied. Le coup de
pied ne vint pas; ce n'était donc pas à lui qu'on le
disait; et il se remit à dormir.

Le balayeur observa :

— *l'z'ont bousillé le meeting.*

— Et ils font la fête aux vitres, ajouta l'autre. Tu
entends? Tu entends?

Un tourbillon de sifflements s'éleva de la place voisine et, aussitôt après, un hurlement qui monta vers
le ciel. Là-bas le tumulte devait être grand.

— *Y'a un barrage, personne passe...* chantonna le pla-
cide balayeur, sans bouger de son montant, et il cracha
encore une fois.

Attilio fort contrarié se dépêcha de partir. Quelle
affaire si on ne passait pas! Tous, il avait tous les
embêtements possibles, ces jours-là, comme si les soucis, les charges et les ennuis qui le travaillaient depuis
qu'il avait eu l'idée de ce banquet ne lui suffisaient
pas! Maintenant il fallait en plus que la canaille choi-
sisse les rues de Rome pour réclamer quelque nouveau
droit; et, bon Dieu, on était en avril et il faisait un
temps superbe : la tiédeur des premiers soleils était
enivrante!

Piazza Venezia, le visage d'Attilio Raceni s'allongea
comme brusquement tendu par un fil intérieur.

Le spectacle de cette violence envahit sa vue et le
laissa un moment bouche bée, accablé et subjugué.

La place regorgeait de monde. Il y avait des cordons
de soldats au croisement de la via del Plebiscito et du
Corso. Quelques manifestants étaient même grimpés
sur le tram arrêté et de là ils hurlaient à gorge déployée.

— Mort aux traîtres!

15

— A mooooort !
— A bas le mi-nis-tèèèère !
— A baaaas !

Attilio Raceni, avec la répulsion haineuse qu'il éprouvait à l'égard de cette lie de l'humanité qui ne consentait pas à se tenir tranquille, eut brusquement l'idée désespérée de traverser la place en jouant des coudes. Et s'il réussissait, il demanderait à l'officier qui était là de bien vouloir le faire passer. On ne pourrait pas le lui refuser, à lui ! Allons ! Mais tout à coup, du centre de la place :

— Pé pé péééé.

La trompette ! Première sonnerie : pagaille, bousculade. La plupart des manifestants, poussés par la foule au plus fort du désordre, tentaient de s'échapper pour aller se battre mais ils ne pouvaient que se démener rageusement, pris qu'ils étaient, pressés et harcelés de tous les côtés par ceux qui étaient à leurs trousses, pendant que les plus violents, de plus en plus excités, voulaient fendre la cohue ou plutôt la refouler devant eux, au milieu de sifflements et de hurlements redoublant de fureur.

— Au palazzo Braschiii !
— Allons ! En avant !
— Forçons les barrages !

Et de nouveau la trompette :

Pe pépééé !

Et d'un seul coup, sans même savoir comment, Attilio Raceni, suffoqué, broyé, haletant comme un poisson hors de l'eau fut rejeté au Forum de Trajan, au milieu d'une foule délirante qui fuyait. Il eut l'impression que la colonne vacillait. Où se réfugier ? Par où passer ? Le gros de la foule semblait se diriger vers Magnanapoli : il choisit ce moment-là pour fuir comme une gazelle par la montée des Tre Canelle.

Mais là aussi il se heurta à des soldats qui se disposaient en cordon en travers de la via Nazionale.

– On ne passe pas!

– Écoutez, je vous en prie, je devrais...

Une furieuse poussée coupa en plein milieu l'explication d'Attilio Raceni, le faisant piquer du nez sur la face de l'officier. Hors de lui, ce dernier le repoussa aussitôt en arrière d'un coup de poing dans le ventre; mais un nouveau choc, énorme, violent, le jeta parmi les soldats qui cédèrent à cet assaut. Venant de la place, un bruit de fusillade se répercuta d'une façon inquiétante. Et Attilio Raceni, noyé dans cette foule folle de terreur, se retrouva au beau milieu de la cavalerie, arrivée au galop d'on ne sait où, peut-être de la Pilotta? Allons! Allons! Avec les autres, à toutes jambes, lui, Attilio Raceni, poursuivi par la cavalerie, Attilio Raceni directeur de la revue féminine (et non féministe) *Les Muses*.

Il s'arrêta, à bout de souffle, à l'entrée de la via Quatro Fontane.

– Salauds! Canaille! Voyous! criait-il entre ses dents en tournant dans cette rue, pleurant presque de rage, pâle, hagard et frémissant. Et il se tâtait les côtes et les flancs et cherchait à remettre ses vêtements en ordre pour effacer immédiatement toute trace de cette violence subie et de cette fuite qui l'humiliait à ses propres yeux. Salauds! Voyous! et il se retournait pour regarder derrière lui si quelqu'un l'avait vu dans cet état. Eh bien oui! il y avait à son balcon un petit vieux qui s'en délectait, sa bouche édentée grande ouverte, grattant d'une main sur son menton, dans sa jubilation, sa barbichette jaunâtre. Attilio Raceni fronça le nez et il fut sur le point de lui vomir des injures, à ce demeuré, mais il baissa les yeux et se retourna pour regarder de nouveau dans la direction de la piazza Nazionale. Il aurait voulu, pour recouvrer le sentiment de sa dignité mortifiée, retourner là-bas, se replonger dans la mêlée, prendre à bras-le-corps tous ces malotrus, l'un après l'autre et les piétiner, gifler cette foule qui l'avait soudainement assailli avec tant de sauvagerie et lui avait fait subir l'humiliation de la fuite, la honte de la peur, la poursuite et jusqu'aux moqueries de ce vieil imbécile !... Ah des bêtes, des bêtes, des bêtes ! Et comme elles se dressaient triomphantes sur leurs pattes de derrière, gesticulant et hurlant pour attraper le « susucre » des charlatans !

Cette image lui plut et le réconforta quelque peu. Mais, comme il regardait ses mains... Oh mon Dieu, les papiers, où étaient les papiers qu'il avait emportés avec lui en quittant sa maison ? la liste des invités... et celle des adhésions... on les lui avait arrachées des mains ou bien alors c'était lui qui les avait perdues dans la cohue. Et maintenant comment allait-il faire pour se souvenir de tous ceux qu'il avait invités ? De ceux qui avaient accepté ou de ceux qui s'étaient au contraire excusés de ne pouvoir assister au banquet ? Et parmi ces réponses l'une d'elles lui tenait plus particulièrement à cœur, vraiment précieuse celle-là, celle qu'il aurait tant voulu montrer à Dora Barmis pour ensuite la conserver et l'exposer, encadrée, dans sa chambre : celle de Maurizio Gueli, du Maître, qui la lui avait envoyée de Monteporzio, entièrement écrite de sa propre main... perdue celle-là aussi ! Ah ! l'autographe de Gueli, là, foulé aux pieds de ces brutes repoussantes... Attilio Raceni se sentit à nouveau complètement désemparé. Quelle pénible épreuve de vivre à une époque aussi horriblement barbare sous son masque civilisé !

D'un pas fier, avec un regard d'aigle méconnu, il rejoignit bientôt la via Sistina, toute proche de la des-

cente de Capo le Case. Dora Barmis habitait là toute
seule, au premier entresol, quatre petites pièces au
plafond très bas et pratiquement obscures.

Cela plaisait à Dora Barmis de faire savoir à qui
voulait l'entendre qu'elle était très pauvre en dépit du
fait que ses toilettes, celles de tous les jours comme les
plus habillées, fussent délicieusement extravagantes.
Son petit salon, qui faisait en même temps office de
bureau, l'alcôve, la minuscule salle à manger et l'entrée
étaient, comme la maîtresse de maison, bizarrement
mais certes pas pauvrement arrangés.

Séparée depuis des années d'un mari que personne
n'avait jamais connu, brune vive et souple, les yeux
légèrement bistrés, la voix un peu rauque, elle disait
clairement par ses regards, par ses sourires, par chaque
mouvement de son corps comment et combien elle
connaissait la vie, les frémissements du cœur et des
nerfs, l'art de satisfaire, d'éveiller, d'irriter les désirs
virils les plus délicats comme les plus brutaux; quitte
à en rire ensuite très fort quand elle les voyait briller
dans les yeux de ceux à qui elle parlait. Mais elle riait
encore plus fort lorsqu'elle voyait au contraire certains
yeux s'alanguir dans la promesse de plus durables sentiments.

Attilio Raceni la trouva donc dans son petit salon,
devant un bureau de fonte nickelée tout en arabesques,
en train de lire, dans un peignoir japonais généreu-
sement décolleté.

— Pauvre Attilio! Mon pauvre Attilio! lui dit-elle,
après avoir beaucoup ri au récit de ses mésaventures.

Asseyez-vous et que puis-je vous offrir pour calmer votre esprit tendu?

Et elle le regarda d'un air de raillerie bienveillante, plissant un peu les yeux et ployant la tête sur son cou outrageusement nu.

— Rien? Vraiment rien? Du reste, savez-vous? vous êtes très bien comme ça... un peu défait. Je vous l'ai toujours dit très cher, une *nuance* * de brutalité vous irait à merveille. Vous êtes trop langoureux et... dois-je vous le dire? Votre élégance est depuis quelque temps... légèrement *démodée* *. Ce qui ne me plaît pas, par exemple, c'est le geste que vous venez de faire en vous asseyant.

— Quel geste? demanda Raceni qui pensait n'en avoir fait aucun.

— Mais vous avez écarté des deux côtés les *basques* * *de votre jaquette*... et puis baissez donc cette main! Toujours dans vos cheveux... On le sait qu'ils sont beaux!

— Je vous en prie Dora, soupira Raceni. Je suis tellement oppressé!

Dora Barmis partit d'un nouvel éclat de rire, posant ses mains sur le bureau et se renversant en arrière.

— Le banquet? dit-elle ensuite. Mais vraiment, vraiment? Pendant que mes frères prolétariens réclament...

— Ne plaisantons pas, je vous en prie, ou je m'en vais! menaça Raceni.

Dora Barmis se leva.

— Mais je vous parle sérieusement, très cher. A votre place je ne me fatiguerais pas autant. Silvia Roncella... Mais avant tout, dites-moi à quoi elle ressemble. Je meurs d'envie de la connaître. Elle ne reçoit pas encore?

---

* En français dans le texte.

20

– Eh non... Les pauvres n'ont trouvé leur logement que depuis quelques jours. Mais vous la verrez au banquet.

– Donnez-moi un peu de feu, dit Dora, ensuite répondez-moi franchement.

Elle alluma sa cigarette en se penchant et tendant son visage vers le briquet que lui présentait Raceni; puis, environnée de fumée, elle demanda :

– Vous en êtes amoureux?

– Êtes-vous folle? éclata Raceni. Ne me faites pas enrager!

– Alors c'est un laideron?

Raceni ne répondit pas. Il croisa les jambes; leva le visage vers le plafond; ferma les yeux.

– Ah non, mon cher! s'exclama Dora Barmis. Comme ça nous n'arriverons à rien. Vous êtes venu me trouver pour que je vous aide; vous devez d'abord satisfaire ma curiosité.

– Excusez-moi, soupira Raceni en décroisant les jambes. Mais vous me posez de ces questions!

– J'ai compris, dit Dora Barmis. De deux choses l'une : ou bien vous en êtes tombé amoureux ou alors elle doit être « joliment laide » comme on dit à Milan. Allons, répondez : comment s'habille-t-elle? Mal, sans aucun doute!

– Plutôt mal. Elle n'a pas l'habitude, vous comprenez.

– Je comprends, je comprends, répéta Dora Barmis. Disons... une petite oie blanche.

Elle ouvrit la bouche, fronça le nez, puis elle émit un rire guttural.

– Attendez, dit-elle ensuite en s'approchant de lui. Votre épingle va tomber... Oh, et comment avez-vous noué cette cravate?

– Mais, fit Raceni, au milieu de...

Il s'arrêta. Le visage de Dora était trop près du sien. Elle, tout appliquée à renouer sa cravate, se sentit regardée; lorsqu'elle eut fini, elle lui donna une pichenette sur le nez et, avec un indéfinissable sourire :

— Donc ? lui demanda-t-elle. Nous disions donc... ah oui, Silvia Roncella! oie blanche ne vous plaît pas? Alors petite guenon.

— Vous vous trompez, répondit Raceni. Je vous assure qu'elle est mignonne. Sans doute rien de bien remarquable; mais elle a des yeux!

— Noirs?

— Non, bleus, très profonds, très doux... Et un sourire triste et intelligent... Elle doit être très bonne.

Dora Barmis bondit :

— Vous avez dit bonne? Mais voyons, celle qui a écrit *La maison des nains* ne peut pas être bonne, c'est moi qui vous le dis.

— Et pourtant... fit Raceni.

— C'est moi qui vous le dis, répéta Dora. Elle est armée d'estoc, j'en jurerais!

Raceni sourit.

— Elle doit avoir au plus profond d'elle-même un esprit affilé comme une lame de couteau, poursuivit Dora Barmis. Et dites-moi un peu, est-ce vrai qu'elle a une verrue poilue, là, au-dessus de la lèvre?

— Une verrue?

— Poilue, là.

— Je ne m'en suis jamais aperçu. Non. Mais qui vous l'a dit?

— Je me le suis imaginé. Pour moi Silvia Roncella doit obligatoirement avoir une verrue au-dessus de la lèvre. Il m'a toujours semblé la lui voir en lisant ce qu'elle écrit. Et dites-moi : le mari? Comment est son mari?

– Laissez donc cela! répondit Raceni avec impatience. Il n'est pas pour vous.

– Merci beaucoup! dit Dora. Et moi je veux savoir comment il est! Je me l'imagine tout rond... Il est tout rond, n'est-ce pas? Par pitié dites-moi qu'il est tout rond, blond, rubicond et... sans malice.

– Ça va, il est comme ça si ça vous fait plaisir. Et maintenant parlons sérieusement, je vous prie.

– Du banquet? Écoutez : Silvia Roncella, très cher, n'est plus pour nous. Votre petite colombe a désormais pointé son vol trop haut, beaucoup trop haut; elle a franchi les Alpes et la mer, et elle ira faire son nid, loin, très loin, avec des brindilles d'or, dans les grandes revues de France, d'Allemagne ou d'Angleterre... Comment voulez-vous qu'elle dépose le moindre petit œuf bleu, même tout petit petit, comme ça, sur l'aire de nos pauvres *Muses?*

– Mais quels petits œufs! Quels petits œufs? fit-il en se secouant. Ni de petits œufs de colombe ni de gros œufs d'autruche... Elle n'écrira pour aucune revue, Silvia Roncella. Elle veut se donner tout entière au théâtre.

– Au théâtre? Vraiment? s'exclama Dora, intriguée.

– Mais pas pour jouer! dit Raceni. Il ne manquerait plus que ça! Pour écrire.

– Oui. Parce que son mari...

– Ah justement! le mari. Comment s'appelle-t-il?

– Boggiolo.

– Oui, oui, je m'en souviens. Boggiolo. Et il écrit lui aussi?

– Si l'on veut! Aux archives notariales.

– Notaire? Oh mon Dieu, il est notaire!

– Archiviste. Un brave jeune homme... Mais finissons-en, je vous en prie. Je voudrais sortir au plus vite du tracas de ce banquet. J'avais sur moi la liste des invités et ces chiens... Mais essayons plutôt de la refaire.

Écrivez. Oh, savez-vous que Gueli a accepté? C'est la preuve la plus évidente qu'il estime réellement Silvia Roncella autant qu'on le dit.

Pendant un moment Dora Barmis sembla tout absorbée par ses pensées; puis elle dit :

— Je ne comprends pas... Gueli... Il me paraît si différent...

— Ne discutons pas, trancha Raceni. Écrivez donc Maurizio Gueli.

— Et moi j'ajoute entre parenthèses, si vous n'y voyez pas d'inconvénient : *avec la permission de Livia Frezzi.* Ensuite?

— Le sénateur Borghi.

— Il a accepté?

— Eh pardi... C'est lui qui présidera! C'est lui qui a publié *La maison des nains* dans sa revue. Écrivez : donna Francesca Lampugnani.

— Ma très sympathique présidente, oui, oui, dit Dora Barmis tout en écrivant. Chère, chère, très chère...

— Donna Maria Rosa Borné-Laturzi, continua à dicter Raceni.

— Oh mon Dieu, pouffa Dora Barmis. Cette brave pintade!

— Elle est décorative, écrivez, dit Raceni. Ensuite Filiberto Litti.

— Bien, bien! De mieux en mieux! approuva Dora Barmis. A côté de l'antiquité, l'archéologie! Eh, dites donc Raceni, le banquet, nous allons le faire dans les ruines du Forum?

— Oui, à propos! s'exclama Raceni. Nous devons encore fixer l'endroit. Où le verriez-vous, vous?

— Mais avec cette sorte d'invités...

— Oh, mon Dieu, non, parlons sérieusement, je vous le répète! Moi j'avais pensé au *Caffé di Roma.*

— Le soir? Mais non! Nous sommes au printemps.

24

Il faut le faire le jour et dans un bel endroit, dehors...
Attendez : au *Castello di Costantino*. C'est ça, délicieux.
Dans la salle vitrée avec toute la campagne devant
nous... Les monts Albins, les Castelli... et en face, le
Palatin... oui, oui, là, un enchantement! c'est indis-
cutable!

— Va pour le *Castello di Costantino*, dit Raceni.
Demain nous irons ensemble donner les ordres néces-
saires. Je crois que nous serons une trentaine. Écoutez,
Giustino m'a tellement recommandé...

— Qui est Giustino?

— Mais son mari, je vous l'ai dit, Giustino Boggiolo!
il a tellement insisté pour la presse. Il souhaiterait
beaucoup de journalistes. J'ai invité Lampini...

— Ah, *Ciceroncino*, bravo!

— Et, il me semble, quatre ou cinq autres, je ne sais
plus : Bardozzi, Centanni, Federici et celui... Comment
s'appelle-t-il... de *La Capitale*...

— Mola?

— Mola. Marquez-le. Il en faudrait un autre un peu
plus... un peu plus... Comme Gueli vient, vous comprenez... Par exemple, Casimiro Luna.

— Attendez, dit Dora Barmis. Si donna Francesca
Lampugnani vient, ce ne sera pas difficile d'avoir
Betti.

— Mais il a fait une mauvaise critique de *La maison
des nains*, Betti, vous l'avez vue, observa Raceni.

— Et qu'est-ce que ça peut faire? C'est même bien
mieux. Invitez-le! Je me charge d'en parler à donna
Francesca. Quant à Miro Luna je ne désespère pas de
le traîner avec moi.

— Vous ferez grand plaisir à Boggiolo, vraiment grand
plaisir! Et en attendant marquez l'honorable Carpi et
aussi ce petit boiteux... le poète...

— Ah oui! Il est mignon, le pauvre! Et quels beaux

25

vers il fait! Je l'aime, savez-vous? Regardez son portrait. Je me le suis fait donner. Vous ne trouvez pas
qu'on dirait Leopardi avec ses lunettes?

— Faustino Toronti, continua de dicter Raceni. Et
Jacono...

— Ah non, s'écria Dora Barmis, en jetant sa plume.
Vous avez aussi invité Raimondo Jacono, cet odieux
petit Napolitain? Alors moi je ne viens plus!

— Ayez un peu de patience, je n'ai vraiment pas pu
faire autrement, répondit Raceni d'une voix dolente.
Il était avec Zago... Invitant l'un il m'a bien fallu
inviter l'autre.

— Bon, alors moi je vous impose Flavia Morlacchi,
dit Dora. Là : Fla-vi-a Morlacchi. D'ailleurs c'est absolument faux qu'elle s'appelle Flavia : c'est Gaetana
qu'elle s'appelle! Gaetana!

— Ça c'est Jacono qui le dit, allons! sourit Raceni.
Après avoir été égratigné...

— Égratigné? fit Dora Barmis. Mais ils y sont allés
à coups de bâton, mon cher, ils se sont craché au visage
et les gendarmes ont dû venir.

Un instant après, en relisant leur liste, Dora Barmis
et Raceni s'attardèrent à faire tourner, comme une
meule de rémouleur, tel nom ou tel autre, pour affiler,
encore un peu, la lame de leur langue, qui pourtant
n'en avait pas besoin. Jusqu'au moment où un bourdon
qui dormait tranquillement dans les plis d'une portière
se réveilla enfin et voulut, dans un grand élan, entrer
comme troisième partenaire dans la conversation. Mais
Dora déclara qu'elle en avait une telle terreur – plus
que du dégoût, de la terreur! – qu'elle commença par
s'agripper à Raceni en le serrant très fort sur sa poitrine et en fourrant ses cheveux odorants sous son
menton; puis elle fila s'enfermer dans l'alcôve, criant
à Raceni, de derrière la porte, qu'elle ne rentrerait pas

avant qu'il n'ait chassé par la fenêtre, ou tué, cette *horrible bête.*

— Je vous la laisse ici et je m'en vais, lui dit tranquillement Raceni en prenant la nouvelle liste sur le bureau.

— Non, par pitié, Raceni! conjura Dora de l'intérieur.

— Alors ouvrez!

— Voilà, j'ouvre, mais vous... Que faites-vous là?... Oh!

— Un baiser, dit Raceni en avançant un pied pour maintenir l'ouverture que venait de lui accorder Dora. Un seul!

— Le bourdon entre, oh mon Dieu, Raceni!

— Faites vite!

A travers l'ouverture les deux bouches s'étaient jointes et la porte coulissante s'ouvrait de plus en plus, quand de la rue montèrent les cris aigus de quelques vendeurs de journaux.

— *Troisième ééédition! Quatre morts, vingt blessés! Affrontements avec la troupe! L'assaut du palazzo Braschiiiii! La tuerie de la piazza Navonaaaa!*

Attilio Raceni, tout pâle, coupa court au baiser :

— Vous entendez? Quatre morts... Mais bon Dieu, ces gens-là n'ont-ils vraiment rien d'autre à faire? Et dire que moi aussi j'aurais pu faire partie du nombre...

Midi était déjà sonné et des trente convives qui devaient participer au banquet, là-haut au Castello di Costantino, cinq seulement étaient arrivés et ils se repentaient secrètement de leur ponctualité, craignant qu'elle puisse passer pour un empressement excessif ou une condescendance exagérée.

En bonne première était arrivée Flavia Morlacchi, romancière et dramaturge. Les quatre autres, survenus entre-temps, l'avaient laissée seule, à l'écart. C'étaient le vieux professeur d'archéologie et poète oublié Filiberto Litti, le nouvelliste placentin Faustino Toronti, chaste et maniéré, le gros romancier napolitain Raimondo Jacono et le poète vénitien Cosimo Zago, rachitique et boiteux. Tous les cinq se tenaient sur la terrasse, devant la salle vitrée.

Filiberto Litti, long, sec, ligneux, avec ses grosses moustaches blanches et sa petite mouche, ses énormes oreilles, charnues et violacées, parlait, en bégayant un peu, des ruines du Palatin comme d'une chose à lui, avec Faustino Toronti, assez vieux lui aussi, même s'il n'en paraissait rien grâce à ses cheveux taillés au-dessus des oreilles et à ses moustaches teintes. Raimondo Jacono tournait le dos à Flavia Morlacchi et regardait avec pitié Zago qui de son côté admirait le paysage verdoyant qui s'étendait là dans la fraîche limpidité de cette douce journée d'avril.

Il arrivait à peine au parapet de la terrasse, le pauvre! portant encore un vieux pardessus verdâtre qui bâillait au cou, il avait posé sur le bord du mur une main noueuse aux ongles roses, toute déformée par l'effort constant de serrer sa béquille et, à cet instant, fermant à demi ses yeux dolents derrière ses lunettes, il répétait, comme si de sa vie entière il n'avait jamais joui d'une telle fête de lumières et de couleurs :

— Quel enchantement. Comme le soleil est enivrant! Quelle vue!

— Oui... oui, mâchonna Jacono. Très belle. Merveilleuse. Dommage que...

— Ces montagnes, tout là-bas, aériennes, fragiles... presque... Ce sont encore les monts Albins?

— Les Apennins ou les Albins, il n'y a vraiment pas

de quoi s'évanouir! Vous pouvez le demander au professeur Litti puisqu'il est archéologue.

— Et... qu'est-ce qu'elles ont à voir, les montagnes, avec, veuillez m'excuser... avec l'archéologie? demanda le professeur, légèrement vexé.

— Professeur, que dites-vous là! s'exclama le Napolitain. Ce sont les monuments de la nature et de la plus vénérable antiquité... Dommage... disais-je... qu'il soit midi et demi, eh, moi j'ai faim!

De son coin Flavia Morlacchi fit une moue de dégoût. Elle bouillait en silence, mais elle feignait d'être enchantée par le superbe paysage. Les Apennins ou les Albins? Elle ne le savait pas non plus, mais que lui importait le nom. Personne comme elle, mieux qu'elle ne savait en saisir l'« azuréenne » poésie. Et elle se demanda à elle-même si le mot *colombarium*... austère *colombarium,* rendrait bien l'image des ruines du Palatin : yeux aveugles, yeux sombres du spectre romain cruel et glorieux, encore vainement ouverts, là, sur ces collines, au spectacle de la vie verdoyante et charmeuse de cet avril d'un temps lointain.

De cet avril d'un temps lointain...

Quel beau vers! Mélancolique...

Et elle baissa sur ses yeux troubles et blafards de chèvre mourante de grosses et lourdes paupières. Et voilà, elle avait réussi à tirer de la nature et de l'histoire la fleur d'une belle image, en raison de quoi elle n'avait désormais plus à regretter de s'être abaissée à faire honneur à cette Silvia Roncella, tellement plus jeune qu'elle, encore presque débutante, inculte et tout à fait dénuée de poésie.

En pensant de la sorte, elle tourna, dans un mouvement de dédain, sa face pâle, rêche, défaite, au milieu de laquelle ressortaient violemment les lèvres peintes et boursouflées, vers ces quatre autres qui ne se souciaient pas d'elle : elle redressa le buste et souleva une main surchargée de bagues pour tâter sur son front, légèrement, ses cheveux qui ressemblaient à de l'étoupe.

Sans doute Zago méditait-il, lui aussi, quelque poésie tout en pinçant entre ses doigts les maigres poils hirsutes épars au-dessus de sa lèvre. Mais pour composer, lui, il avait d'abord besoin de savoir une quantité de choses qu'il se refusait à demander à quelqu'un qui osait avoir faim devant un tel spectacle.

Survint alors, sautillant selon son habitude, le jeune apprenti journaliste Tito Lampini, *Ciceroncino* comme on l'appelait, auteur lui aussi d'une plaquette de vers : fluet, une tête décharnée, presque chauve, au-dessus d'un cou de cigogne, protégé par un faux col d'au moins huit doigts de haut.

Flavia Morlacchi l'attaqua d'une voix stridente et aigre :

— Mais quelles sont ces façons, Lampini ? On nous dit midi, il va bientôt être une heure et on ne voit personne...

Lampini s'inclina, ouvrit les bras et se tourna en souriant vers les quatre autres :

— Excusez-moi... mais qu'ai-je donc à y voir, moi, ma bonne dame ?

— Vous n'y êtes pour rien, je le sais, reprit Flavia Morlacchi. Mais au moins Raceni, en tant qu'organisateur du banquet...

— L'ar... archi... architriclin*, oui, corrigea timidement Lampini, d'une langue embarrassée, en mettant sa main devant sa bouche et regardant le professeur Litti.

---

* Architriclin : dans l'antiquité, celui qui présidait à l'ordonnance d'un festin.

— Oui c'est bien cela; mais il me semble qu'il devrait être là. Ce n'est pas agréable, voilà tout.

— Vous avez raison, ce n'est pas agréable... Sans doute. Mais moi je ne sais rien, je n'y suis pour rien... Un invité comme vous, ma bonne dame. Vous permettez?

Et Lampini, s'inclinant de nouveau prestement, partit serrer la main à Litti, Toronti et Jacono. Il ne connaissait pas Zago.

— Et moi qui suis venu en voiture de crainte d'être en retard, annonça-t-il. Mais il en arrive d'autres. J'ai vu dans la montée donna Francesca Lampugnani avec Betti et également Dora Barmis avec Casimiro Luna.

Il jeta un coup d'œil dans la salle vitrée où la longue table était déjà préparée; garnie d'une multitude de fleurs au milieu desquelles serpentait une guirlande de lierre *. Puis il se retourna vers Flavia Morlacchi qu'il regrettait de voir à l'écart :

— Mais madame, excusez-moi, pourquoi...

Raimondo l'interrompit à temps :

— Dis donc, Lampini, toi qui fourres ton nez partout : l'as-tu déjà vue cette Roncella?

— Non. Tant il est vrai que je ne fourre pas mon nez partout. Je n'ai pas encore eu le plaisir et l'honneur...

Et Lampini, s'inclinant pour la troisième fois, fit un gentil sourire à Flavia Morlacchi.

— Elle est très jeune? demanda Filiberto Litti en étirant et regardant attentivement l'une de ses longues moustaches blanches qui semblaient fausses, comme collées sur sa face ligneuse.

— Vingt-quatre ans, dit-on, répondit Faustino Toronti.

— Fait-elle aussi des vers? se reprit à demander Litti

---

* Allusion au roman de Deledda : *Le lierre?*

en étirant et regardant l'autre moustache, cette fois-ci.

— Heureusement non! s'écria Jacono. Professeur vous voulez nous faire tous mourir! Une autre poétesse en Italie! Dites donc, Lampini, et le mari?

— Ah oui le mari, oui, dit Lampini. La semaine dernière il est venu à la rédaction pour avoir une copie du journal avec l'article de Betti sur *La maison des nains*.

— Et comment s'appelle-t-il?

— Le mari? Je ne sais pas.

— Il me semble avoir entendu Bóggiolo, dit Toronti, ou Boggiólo, quelque chose comme ça...

— Un peu grassouillet, bellâtre, ajouta Lampini, des lunettes d'or, une petite barbe blonde, carrée. Et il doit avoir une très belle écriture. Ça se voit à ses moustaches.

Tous quatre éclatèrent de rire. Plus loin, Flavia Morlacchi rit aussi, sans le vouloir.

Puis arrivèrent sur la terrasse, avec un grand soupir de satisfaction, la marquise Francesca Lampugnani, grande, le port majestueux, comme si elle eût porté sur son sein un écriteau avec cette inscription : *Présidente du cercle de culture féminine*, accompagnée de son beau chevalier servant Riccardo Betti qui, dans son regard un peu languissant, dans ses demi-sourires, sous une blonde et souple moustache, dans ses gestes et son habillement comme dans la prose de ses articles affectait la dignité, la mesure, la correction; en somme toutes les manières... *du vrai monde* *.

Comme Casimiro Luna, Betti n'était venu que pour faire plaisir à donna Francesca qui, en qualité de présidente du *Cercle de culture féminine*, ne pouvait en

---

* En français dans le texte.

aucun cas manquer ce banquet. Eux, ils appartenaient à un tout autre « climat » intellectuel, à la fine fleur du journalisme; sans cela ils n'auraient jamais daigné accorder leur présence à cette réunion de barbouilleurs. Betti le donnait clairement à entendre; en revanche Casimiro Luna, plus enjoué, accompagné de Dora Barmis, fit sur la terrasse une entrée fracassante. En passant dans le hall où se trouvaient exposés en guise de plaisanterie le grand trou de serrure et l'énorme clé de carton du *Castello Costantino,* il en avait donné une explication dont Dora Barmis, tout en jubilant, feignait d'être scandalisée; elle avait appelé la marquise à son secours et dans son italien qui voulait à tout prix paraître français :

— Mais je vous trouve abominable, protestait-elle, vraiment abominable, Luna! Quel est ce perpétuel et odieux *persiflage* * ?

Après cette sortie, elle fut la seule des quatre nouveaux venus à s'approcher de Flavia Morlacchi et à l'entraîner de force dans le groupe; elle ne voulait rien perdre des aimables gaillardises du « terrible » Luna.

Litti continuait à étirer tantôt l'une tantôt l'autre de ses moustaches et finalement son cou, comme s'il ne parvenait jamais à arranger convenablement sa tête sur son buste; il regardait ces gens, écoutait leurs volubiles bavardages et il sentait ses grosses oreilles charnues s'embraser de plus en plus. Il pensait que tous ceux qui étaient ici vivaient à Rome comme ils auraient vécu dans n'importe quelle autre ville moderne, et que la nouvelle population de Rome était composée de gens de cette sorte : des bâtards vains et prétentieux. Que savaient-ils de Rome, tous autant qu'ils étaient? Trois

---

* En français dans le texte.

33

ou quatre belles phrases de rhétorique. Quelle vision en avaient-ils ? Le Corso, le Pincio, les cafés, les théâtres, les rédactions de journaux... Ils étaient comme les maisons neuves, comme les rues neuves, sans histoire, sans caractère : des rues et des maisons qui se contentaient d'amplifier matériellement la ville, mais en la déformant. Lorsque l'enceinte était plus restreinte, la grandeur de Rome planait sur le monde; maintenant que l'enceinte s'était élargie... La voici la nouvelle Rome! Et Filiberto Litti étirait son cou.

Pendant ce temps-là d'autres invités étaient arrivés : menu fretin commençant à gêner les garçons qui servaient deux ou trois couples d'étrangers installés dans la salle vitrée.

Parmi ces jeunes gens, plus ou moins chevelus, aspirants à la gloire, collaborateurs non rétribués des innombrables journaux littéraires de la péninsule, il y avait trois filles, apparemment des étudiantes en lettres, deux avec des lunettes, souffreteuses et taciturnes; la troisième, en revanche, très vive, avec des cheveux roux taillés au bol, comme un homme, un minois mobile semé de taches de rousseur, de petits yeux d'un gris jaspé, pétillants de malice : elle riait, riait, se jetait en arrière tant elle riait, provoquant une grimace de dédain mêlé de pitié chez un homme grave, plutôt âgé, négligé, qui circulait au milieu de toute cette jeunesse. C'était Mario Puglia, qui dans d'autres temps avait chanté avec une sorte d'élan artificiel et de prolixité vulgaire. Il se croyait déjà entré dans l'histoire. Il ne chantait plus mais n'en restait pas moins fort chevelu, avec des pellicules plein le col de sa redingote, et un ventre arrogant.

Casimiro Luna qui le contemplait depuis un moment, la mine renfrognée, poussa brusquement un soupir et dit tout bas :

– Regardez-moi Puglia, messieurs. Qui sait où il aura laissé sa guitare...

– Cariolin ! Cariolin ! s'écrièrent alors quelques autres, s'effaçant devant un petit homme parfumé, très élégant, qui semblait fabriqué et posé là pour rire, avec une vingtaine de longs cheveux, bien alignés sur son crâne chauve, un monocle et deux violettes à la boutonnière.

Momo Cariolin, souriant, s'inclinant, salua de ses deux mains chargées de bagues et il courut baiser la main de donna Francesca Lampugnani. Il connaissait tout le monde et ne savait rien faire d'autre que tirer des révérences, baiser la main des dames et dire des plaisanteries en vénitien ; il avait ses entrées partout, dans les salons les plus en vue, dans toutes les rédactions de journaux, partout on lui faisait fête ; on ne savait pourquoi. Il ne représentait rien et réussissait cependant à donner un certain ton aux réunions, aux banquets, aux congrès, sans doute grâce à son irréprochable politesse et à cette espèce d'air diplomatique qui lui était naturel.

Puis arrivèrent, avec la vieille poétesse donna Rosa Borné-Laturzi, le député-conférencier don Silvestro Carpi et le romancier lombard Carlino Sanna, de passage à Rome. En tant que poétesse, donna Borné-Laturzi était, comme le disait Casimiro Luna, « la meilleure des mères de famille ». Elle n'admettait pas que la poésie, et l'art en général, puissent servir d'excuse aux mauvaises mœurs. En raison de quoi elle ne salua ni Dora Barmis ni Flavia Morlacchi ; elle ne salua que la marquise Lampugnani, parce qu'elle était marquise et parce qu'elle était présidente ; Filiberto Litti parce qu'il était archéologue et si elle se laissa baiser la main par Cariolin c'est parce que Cariolin ne la baisait qu'aux vraies dames.

Entre-temps, quelques groupes s'étaient formés, mais la conversation languissait; chacun n'étant occupé que de lui-même, consterné pour lui seul, et cette consternation l'empêchait de penser. Et tous répétaient ce que chacun, au prix d'un gros effort, avait réussi à dire à propos du temps ou du paysage. Tito Lampani, par exemple, sautait d'un cercle à l'autre, pour redire, en cachant d'une main son sourire, et comme si elle venait de lui sauter à l'esprit, quelque belle phrase, récoltée çà ou là, qui lui semblait plaisante.

En son for intérieur chacun faisait de l'autre une critique plus ou moins acerbe : chacun aurait voulu qu'on parle de lui, de sa dernière publication, mais personne ne consentait à accorder à l'autre cette satisfaction. Parfois deux d'entre eux parlaient tout bas de ce qu'avait écrit un troisième, ici présent et tout près d'eux et ils en disaient pis que pendre; mais si ce dernier s'approchait, ils changeaient aussitôt de sujet et lui souriaient.

Les mélancoliques s'ennuyaient, les autres, comme Luna, faisaient du bruit. Et les premiers enviaient les seconds, non parce qu'ils les estimaient, mais parce qu'ils savaient bien qu'en fin de compte l'effronterie triomphait... Ils les auraient volontiers imités; mais comme ils étaient timides et qu'ils ne voulaient pas s'avouer à eux-mêmes leur propre timidité, ils préféraient croire que c'était le sérieux de leurs intentions qui les empêchait d'agir autrement.

Tout le monde était intrigué par un grand dégingandé blondasse aux yeux bleu d'acier, si blême qu'il semblait échappé de justesse à la mort, avec de longs cheveux et un cou grêle, interminable. Il portait pardessus sa redingote une pèlerine grise; il ployait le cou de-ci, de-là et se rongeait fébrilement les ongles. C'était visiblement un étranger, un Suédois ou un Norvégien.

Personne ne le connaissait, personne ne savait qui il était et tous le regardaient avec stupeur et répulsion.

Se voyant ainsi regardé, il souriait et paraissait dire à tout le monde, cérémonieusement :

— Mes frères, nous mourons !

C'était une véritable inconvenance que ce squelette déambulant parmi tant de vanités. Où diable Raceni était-il allé le dénicher ? Comment avait-il pu lui venir à l'esprit de l'inviter au banquet ?

— Moi je m'en vais, déclara Luna. Je serais incapable de manger avec cette cigogne en face de moi.

Mais il ne put partir, retenu par Dora Barmis qui voulait savoir — *sincèrement* *, *allons* — ce qu'il pensait de Roncella.

— Mais ma chère amie, le plus grand bien ! Je n'ai jamais lu d'elle la moindre ligne.

— Et vous avez tort, dit en souriant donna Francesca Lampugnani. Je vous assure, Luna, que vous avez tort.

— Mm... moi aussi, vraiment, ajouta Litti.

— Mais... moi il me semble que cette notoriété su... subite... Tout au moins pour ce que j'en ai entendu dire...

— En effet, fit Betti en tirant sur ses poignets de chemise avec une négligence distinguée. La forme lui fait encore un peu défaut, c'est tout.

— Mais elle est terriblement ignorante ! éclata Raimondo Jacono.

— Parfait ! C'est sans doute pour ça que je l'aime !

Carlino Santa, le romancier lombard de passage à Rome, arbora un rictus caprin qui fit tomber son monocle; il passa sa main dans ses cheveux gris, drus et crépus, et dit tout doucement :

— Mais de là à lui offrir un banquet, hein ? Ça ne

---

* En français dans le texte.

vous semble... ça ne vous semble pas un tout petit peu
trop?

— Un banquet?... Mon Dieu, mais quel mal y a-t-il?
demanda donna Francesca Lampugnani.

— Et pendant ce temps une gloire s'improvise, souffla
rageusement Jacono.

— Oh, firent-ils tous ensemble.

— Excusez-moi, mais tous les journaux vont en parler.

— Et après? fit Dora Barmis en écartant les bras et
haussant les épaules.

L'étincelle ayant jailli dans ce groupe, la conversation s'enflamma. Et tous se mirent alors à parler de
Silvia Roncella comme s'ils venaient tout juste de se
souvenir que c'était pour elle qu'ils avaient été invités.
Personne ne se déclarait son admirateur incondition-
nel. Ici ou là quelqu'un lui reconnaissait bien... oui,
quelques qualités, un certain sens de la vie, étrange,
lucide, à cause d'un souci peut-être trop minutieux...
et même myope, des détails, et une attitude nouvelle
et bien à elle dans la représentation artistique, une
sorte de saveur insolite dans la narration. Mais tous
s'accordaient à dire qu'on avait fait trop de tapage
autour de *La maison des nains,* un bon roman... oui...
sans doute, mais pas le chef-d'œuvre d'humour qu'on
avait voulu en faire! Bizarre, dans tous les cas, qu'il
ait pu être écrit par une jeune fille ayant vécu jusqu'alors en dehors du monde, tout là-bas à Tarente.
Il y avait de l'imagination et même une pensée; peu
de littérature, mais la vie, la vie!

— Elle est mariée depuis peu?

— Depuis un an ou deux, à ce que l'on dit.

Tous ces discours furent brusquement interrompus.
Sur la terrasse parurent le sénateur Romualdo Borghi,
ancien ministre de l'Instruction publique, directeur de

La vie italienne, et Maurizio Gueli, l'illustre écrivain,
le Maître, que ni les sollicitations de ses amis, ni les
offres prometteuses de ses éditeurs ne réussissaient à
faire sortir du silence dans lequel il s'était enfermé
depuis près de dix ans.

Tous s'écartèrent pour les laisser passer; bien mal
assortis tous les deux : Borghi petit, trapu, les cheveux
longs, une face plate et tannée de vieille servante
bavarde; Gueli grand, de belle prestance, l'air encore
jeune malgré des cheveux blancs qui contrastaient fortement avec le brun chaud de son visage austère et
viril.

Avec l'arrivée de Gueli et de Borghi, le banquet
commençait à prendre une grande importance.

Bon nombre de ceux qui étaient là s'étonnaient de
ce que le Maître fût venu témoigner par sa présence
de l'estime dans laquelle il avait déjà déclaré tenir
Roncella. On le savait très affable et aimant beaucoup
les jeunes; mais sa présence au banquet paraissait une
condescendance excessive et la plupart des invités en
étaient jaloux, prévoyant qu'en ce jour Roncella rece-
vrait en quelque sorte une consécration officielle. Certains autres se sentaient soulagés : si Gueli était venu,
alors, eux aussi, étaient en droit d'être venus.

Mais comment se faisait-il que Raceni tarde encore!
C'était une véritable inconvenance! Laisser tout le
monde l'attendre de la sorte; et Gueli et Borghi, là,
perdus dans la foule, sans personne pour les accueillir...

— Les voici! Les voici! annonça en courant Lampini
qui était descendu voir. Ils arrivent! Ils sont venus en
voiture! Ils montent!

— Et Raceni y est?

— Oui, avec Silvia Roncella et son mari. Les voici!

Tout le monde se retourna pour regarder avec la
plus vive curiosité vers l'entrée de la terrasse.

Silvia Roncella apparut, très pâle, au bras de Raceni, la vue brouillée par une grande agitation intérieure. Parmi les invités se propagea aussitôt un imperceptible murmure de commentaires : – C'est elle? – Comme elle est petite! – Non pas tellement... – Elle est bien mal mise... – De beaux yeux... – Mon Dieu, quel chapeau! – Pauvre petite, elle a l'air souffrante! – Ce qu'elle est maigrichonne! – Elle ne dit rien... – Non, pourquoi? Maintenant qu'elle sourit elle est assez gracieuse... – Elle doit être timide... – Regardez donc ses yeux, elle n'est pas si modeste que ça! – Mignonne, hein? – Cela semble impossible! – Habillez-la convenablement, coiffez-la bien... De là à dire qu'elle est belle, non... – Elle est tellement embarrassée! – Vous n'avez pas l'impression... – Et que de compliments lui fait Borghi! – Vite, un parapluie, il postillonne... – Que lui dit Gueli? – Mais le mari, messieurs! Regardez-moi le mari, messieurs! – Où est-il? Où est-il? Là, à côté de Gueli... Regardez-le, mais regardez-le!

En frac. Giustino Boggiolo était venu en frac! Luisant comme une porcelaine émaillée; des lunettes d'or; une barbichette en éventail; une belle paire de moustaches châtain, effilées, et des cheveux noirs, taillés en brosse, stricts.

Mais que faisait-il là, avec Borghi et Gueli, donna Lampugnani et Luna? Raceni l'attira vers lui puis il appela Dora Barmis :

– Voilà, je vous le confie, Dora. Giustino Boggiolo, le mari. Dora Barmis. Moi je m'en vais par là voir ce qui se passe aux cuisines. Pendant ce temps, faites asseoir, je vous prie.

Et Attilio Raceni dont les beaux yeux noirs et langoureux de troubadour brillaient de satisfaction, tout en arrangeant ses cheveux, se fraya un passage parmi

la piétaille qui voulait connaître la raison de ce retard.
— Elle ne se sentait pas très bien... Mais ce n'était
rien, c'est passé... A table, messieurs, à table! Asseyez-
vous.

Pendant ce temps Dora Barmis demandait à Giustino
Boggiolo en lui offrant le bras :
— Vous êtes chevalier, n'est-ce pas?
— Oui, en vérité...
— C'est officiel.
— Non... pas encore. Mais je n'y attache pas beaucoup
d'importance, savez-vous? Seulement cela me sera utile
au bureau.
— Vous êtes l'homme le plus heureux de la terre!
s'exclama impétueusement Dora Barmis en lui serrant
très fort le bras.

Giustino devint écarlate, il sourit :
— Moi?
— Oui vous, vous, vous! Je vous envie. Je voudrais
être un homme et être vous, comprenez-vous? Pour
avoir votre femme. Comme elle est mignonne! Et gracieuse. Vous ne la dévorez pas de baisers? Dites-moi,
vous ne la dévorez pas de baisers? Et elle doit être
tellement, tellement bonne, non?
— Oui... certainement... balbutia de nouveau Giustino
Boggiolo confus, ébahi, enivré.
— Quant à vous, vous devez la rendre heureuse, attention! Sacro-sainte obligation... Malheur à vous si vous
ne me la rendez pas heureuse! Regardez-moi dans les
yeux! Pourquoi êtes-vous venu en *frac*?
— Mais... je croyais...
— Taisez-vous, c'est une gaffe. Ne le faites plus! Luna...
Luna! appela-t-elle ensuite.

Et Casimiro Luna accourut.
— Je vous présente le chevalier Giustino Boggiolo, le
mari.

– Ah, très bien, fit Luna en s'inclinant à peine. Toutes mes félicitations.

– Très heureux, merci; je souhaitais tellement vous connaître, savez-vous? s'empressa de dire Boggiolo. Vous, excusez-moi...

– Votre bras! lui cria Dora Barmis. Vous ne m'échapperez pas comme ça! Vous m'avez été confié.

– C'est vrai madame, merci, lui répondit-il en souriant; puis il poursuivit, tourné vers Luna : – Vous écrivez dans *Le Courrier de Milan,* n'est-ce pas? Je sais qu'il paye bien, *Le Courrier*...

– Eh bien, fit Luna. Enfin... pas trop mal...

– Oui, on me l'a dit, reprit Boggiolo. Si je vous pose la question c'est parce que *Le Courrier* a demandé un roman à Silvia. Mais nous n'accepterons peut-être pas, parce que vraiment, en Italie... il n'y a pas gros avantage, c'est ça... Moi je vois en France... et même en Allemagne, savez-vous? *La Grundbau* m'a donné deux mille cinq cents marks pour *La maison des nains.*

– Ah, bravo! s'exclama Luna.

– Oui monsieur, et payés d'avance et, savez-vous? en payant la traductrice de leur côté, ajouta Boggiolo. Je ne sais pas combien... Mme Schweizer-Sidler... bonne, très bonne... elle traduit très bien... Il paraît qu'en Italie le théâtre marche mieux, à ce que j'ai entendu dire... parce que moi, savez-vous? avant je n'y connaissais rien du tout en littérature. A présent, petit à petit, avec la pratique... Et il faut vraiment ouvrir l'œil, surtout pour établir les contrats... Silvia, par exemple...

– Allons, allons, à table! à table! l'interrompit Dora Barmis, comme une furie. On s'installe. Luna, vous serez à côté de nous?

– Mais bien sûr, vous pensez! dit ce dernier.

– Si vous le permettez, pria Giustino Boggiolo. Làbas il y a monsieur Lifjeld, celui qui traduit en suédois

La maison des nains. Si vous permettez... J'ai deux mots à lui dire.

Abandonnant le bras de Dora Barmis, il s'approcha de la grande perche blonde qui déconcertait tout le monde avec son air macabre.

— Faites vite! lui cria Dora.

Silvia Roncella s'était déjà installée entre Maurizio Gueli et le sénateur Borghi. Attilio Raceni avait placé ses invités avec beaucoup de discernement, de sorte qu'en voyant Casimiro Luna s'asseoir dans un coin près de Dora Barmis, qui elle-même avait laissé à côté d'elle une chaise libre pour Boggiolo, il courut l'avertir que sa place n'était pas là, que diable! Allons, allons! près de la marquise Lampugnani.

— Non merci, Raceni, lui répondit Luna. Laissez-moi ici, je vous en prie; nous avons le mari avec nous...

Comme si elle avait entendu, Silvia Roncella se retourna pour chercher Giustino des yeux. Ce regard errant tout autour de la table, puis dans la salle exprimait un pénible effort, brusquement interrompu par la vue de quelqu'un de cher à qui elle sourit avec une douceur triste. C'était la vieille dame qui était arrivée en voiture avec elle et dont personne ne se souciait, perdue dans son coin, parce que Raceni n'avait plus pensé, comme il l'avait promis, à la présenter, au moins à ses voisins de table. La vieille dame, qui avait un postiche blond sur le front et beaucoup de poudre sur la figure, fit à Silvia Roncella un geste bref de la main, comme pour lui dire : « Allons! Allons! Courage! » Et Silvia Roncella lui sourit encore doucement, inclinant la tête à plusieurs reprises, imperceptiblement; puis elle se tourna vers Gueli qui lui adressait la parole.

Giustino Boggiolo, rentrant dans la salle vitrée en compagnie du Suédois, s'approcha de Raceni qui avait

pris la place de Luna à côté de la marquise Lampugnani et il lui dit tout bas que Lifjeld, professeur de
psychologie à l'université d'Upsala, et grand érudit, ne
savait où s'asseoir. Raceni lui céda aussitôt sa place en
le présentant d'un côté à la marquise Lampugnani et
de l'autre à Maria Borné-Laturzi. Conséquences nor-
males des listes d'invités qui avaient été perdues : la
table avait été mise pour trente et les invités étaient
trente-cinq ! N'en parlons plus : lui, Raceni, trouverait
bien quelque coin pour s'installer.

— Écoutez, suggéra tout bas Giustino Boggiolo en
le tirant par la manche et en lui tendant subrepti-
cement un petit morceau de papier enroulé; il y a
là-dessus le titre du drame de Silvia... Ce serait très
bien si le sénateur Borghi l'annonçait au moment où
il portera les toasts, qu'en dites-vous? Vous y pen-
serez...

Les serveurs entrèrent au pas de course, apportant
le premier plat. Il était très tard et la perspective de
manger fit régner un silence général, un silence religieux.

Maurizio Gueli le remarqua puis il se tourna pour
regarder les ruines du Palatin et il sourit :

— Regardez bien, madame Silvia : et vous verrez qu'à
un certain moment les antiques Romains, satisfaits, se
montreront ici pour nous observer.

Se montrèrent-ils vraiment? En tout cas, aucun des
invités ne s'en aperçut. La réalité du banquet (une
réalité à vrai dire bien mal cuisinée, ni variée ni abon-
dante) et la réalité du présent avec les secrètes envies
qui fleurissaient sur certaines lèvres en sourires faux

et flatteries fielleuses, avec les jalousies mal dissimulées
qui suscitaient ici ou là des médisances murmurées
à deux, avec les ambitions insatisfaites, les vaines
illusions et les aspirations qui ne trouvaient pas le
moyen de se manifester, cette réalité asservissait totalement toutes ces âmes inquiètes à l'effort qu'elles
faisaient pour dissimuler ou se défendre. Semblables
à des escargots qui, ne voulant ou ne pouvant rentrer
dans leur coquille, se mettent à sécréter de la bave
pour se défendre et s'en enveloppent et allongent
vainement leurs yeux télescopiques à travers ce bouillonnement irisé, ces âmes mijotaient dans leurs
bavardages où pointaient par moments les cornes de
la méchanceté.

Qui donc pendant ce temps aurait pu songer aux
ruines du Palatin et imaginer que les esprits des
antiques Romains apparaîtraient pour contempler avec
satisfaction ce modeste festin ? Uniquement Maurizio
Cueli, lui qui, dans ses *Fables de Rome* (l'un de ses
livres les plus connus bien qu'un peu moins riche que
les autres de ce profond humour philosophique, si
caractéristique), avait su parfaitement marier sa bizarre
imagination créatrice à une aigre et impitoyable critique, désespérément sceptique, à la fois limpide et
fleurie de toutes les grâces du style. Il y avait regroupé
et fondu, en découvrant de très secrètes analogies, la
vie et les figures les plus représentatives des trois Rome.
N'était-ce pas lui qui, dans ce livre, avait appelé Cicé-
ron à défendre devant le sénat — un sénat qui n'était
plus seulement romain — le préfet d'une province sici-
lienne, prévaricateur, un savoureux préfet clérical de
notre temps ?

Mais à présent, à ses yeux à lui qui sentait la cruelle
dérision du sort de Rome, dotée par les papes de la
tiare et de la croix, coiffée de la couronne piémontaise

par divers peuples d'Italie, qui donc allait se montrer parmi les ruines du Palatin pour saluer, dans un grand envol de toges blanches tous ces éphémères plumitifs banquetant dans la salle vitrée ?

Quelques sénateurs, sans doute, pour recommander à Romualdo Borghi, leur vénérable confrère, de ne pas trop succomber à la tentation et de se contenter de ne manger que de la viande – dans l'intérêt des Lettres nationales – uniquement de la viande puisqu'il était diabétique depuis des années; ensuite... ensuite tous les poètes et tous les prosateurs de Rome : les auteurs comiques, les lyriques et les épiques et les historiens et les romanciers. Tous ? Non, pas tous : sûrement ni Virgile ni Tacite; Plaute, peut-être et Catulle et Horace; pas Lucrèce. Properce certainement, lui qui plus que tout autre devrait faire signe qu'il voulait participer au banquet, pas pour lui faire honneur, mais pour s'en moquer comme il l'avait déjà fait pour le célèbre repas de Cume.

Maurizio Gueli passa sa serviette sur ses lèvres pour dissimuler un sourire. Et s'il s'était levé pour dire à toute cette table :

– Je vous en prie, messieurs, faites une petite place à Petronio Arbitro qui désire venir.

Pendant ce temps, Silvia Roncella, pour éviter la gêne de tant d'yeux scrutateurs fixés sur elle, avait tourné son regard et sa pensée vers la lointaine campagne, vers les brins d'herbe qui poussaient là-bas, vers les feuilles luisantes et les oiseaux pour qui commençait la saison du bonheur, vers les lézards tapis aux premières tiédeurs du soleil et les noires files de fourmis que tant de fois elle avait admirées, fascinée. Cette humble vie, si ténue, si fugace, sans ombre d'ambition, avait toujours eu le pouvoir de l'attendrir par sa précarité presque inconsistante. Il faut si peu pour que meure un oiseau; qu'un paysan passe, et de ses gros souliers cloutés il écrase tant de brins d'herbe et chasse tant de fourmis... En fixer une parmi tant d'autres et la suivre des yeux pendant un moment, s'identifiant à elle si petite et si incertaine dans le va-et-vient des autres; fixer un seul brin d'herbe parmi les autres et frémir avec lui au moindre souffle; puis lever les yeux et regarder ailleurs et les baisser à nouveau pour rechercher parmi tant d'autres *ce* brin d'herbe, *cette* minuscule fourmi sans réussir à retrouver l'une ou l'autre et avoir l'impression qu'un brin, un tout petit brin de notre âme s'est égaré avec eux parmi eux, pour toujours...

Un brusque silence interrompit la rêverie de Silvia Roncella. Romualdo Borghi, qui était assis à côté d'elle, venait de se lever. Elle regarda son mari qui lui fit signe de se lever, elle aussi, tout de suite! Elle se leva, troublée, les yeux baissés. Mais que se passait-il là-bas, dans le coin où se trouvait son mari?

Giustino Boggiolo avait voulu se lever lui aussi; et Dora Barmis le tirait vainement par les basques de son frac :

— Baissez-vous donc! Restez assis! Vous n'avez rien à voir là-dedans! Assis, assis.

Rien à faire! Raide comme un piquet, Giustino Boggiolo, en frac, voulait recevoir en tant que mari les toasts de Borghi; et il n'y eut pas moyen de le faire asseoir.

— Chères mesdames, chers messieurs! commença Borghi, le menton appuyé sur la poitrine, le front plissé, les yeux fermés.

(— Silence! Il se concentre! commenta Casimiro Luna à voix basse.)

— *C'est pour nous un heureux et mémorable événement de pouvoir souhaiter, au seuil d'une vie nouvelle, la bienvenue à cette fière jeune femme qui d'un pas glorieux s'achemine jusqu'à nous.*

– Très bien! s'exclamèrent deux ou trois personnes.

Giustino Boggiolo tourna ses yeux brillants tout autour de lui et remarqua avec satisfaction que trois des journalistes présents prenaient des notes. Puis il regarda Raceni pour lui demander s'il avait communiqué à Borghi le titre du drame de Silvia écrit sur le petit bout de papier qu'il lui avait remis avant de s'asseoir à table; mais Raceni était trop absorbé par les toasts et ne se retournait pas. Giustino commençait à se ronger intérieurement.

– *Et que dira Rome*, poursuivait Borghi qui venait de relever la tête et tentait de rouvrir les yeux, *que dira Rome, l'âme immortelle de Rome, à l'âme de cette jeune femme? On pourrait croire, ô messieurs, que la grandeur de Rome a préféré la sévère majesté de l'histoire aux fantaisies imaginaires de l'art. L'épopée de Rome, elle se trouve dans la première décade de Tite-Live; et la tragédie dans les annales de Tacite.* (Bien! Très bien! Bravo!)

Giustino s'inclina, les yeux fixés sur Raceni qui ne se retournait toujours pas. Dora Barmis recommença de le tirer par les basques de son habit.

– *La parole de Rome, c'est l'histoire; et cette parole domine toute voix individuelle...*

Voilà, ça y était, Raceni se retournait, approuvant de la tête. Aussitôt Giustino Boggiolo, les yeux exorbités par l'effort qu'il faisait pour attirer son attention, lui fit un signe. Raceni ne comprenait pas.

– Mais *Jules César*, messieurs, mais *Coriolan*, mais *Antoine et Cléopâtre*, les grands drames romains de Shakespeare...

– Le petit bout de papier que je vous ai donné... disaient pendant ce temps les doigts de Boggiolo s'ou-

vrant et se refermant avec une impatience rageuse
parce que Raceni ne comprenait toujours pas et le
regardait d'un air effaré.

Les applaudissements éclatèrent et Giustino recommença de s'incliner, mécaniquement.

— Excusez-moi, mais seriez-vous Shakespeare ? lui
demanda à mi-voix Dora Barmis.

— Moi non, et qu'est-ce que Shakespeare vient faire
là-dedans ?

— Nous ne le savons pas plus que vous, lui dit Casimiro Luna. Mais asseyez-vous, asseyez-vous. Qui sait
combien de temps durera ce magnifique toast !

— ...*par toutes les vicissitudes, ô messieurs, d'une
évolution infinie* (Bravo! bien! Très bien!) à présent
le tumulte de la vie moderne appelle une voix
nouvelle, une voix qui... Enfin! Raceni avait fini
par comprendre; il cherchait dans toutes les poches
de son gilet... Oui, le voici, le petit rouleau de
papier... — Ça? — Oui, oui... — Mais comment maintenant? A qui? — A Borghi ! — Et comment? — Il
l'avait oublié... Et maintenant c'était trop tard... Mais,
allons, que Boggiolo se rassure; lui il penserait à la
communiquer aux journalistes, ce titre... après, oui
après...

Tout ce discours fut tenu à grand renfort de gestes,
d'un bout à l'autre de la table.

De nouveaux applaudissements éclatèrent. Borghi se
retourna pour choquer sa coupe avec celle de Silvia
Roncella : le toast était terminé, pour le plus grand
soulagement de tous. Et les invités se levèrent, eux
aussi, la coupe à la main et se dépêchèrent d'approcher
celle que l'on fêtait.

— Moi je trinque avec vous, puisque c'est la même
chose, dit Dora Barmis à Giustino Boggiolo.

— Oui madame, merci! répondit ce dernier, ahuri

par le dépit. Mais Dieu du ciel, on a tout gâché!...
– Qui? moi? demanda Dora Barmis.
– Non madame, Raceni... Je lui avais donné le titre
du drame... et... et... rien du tout, il l'a fourré dans
sa poche et il l'a oublié! Ces choses-là ne se font
pas. Et le sénateur qui est si bon... Ah voilà, excusez-
moi, madame, les journalistes m'appellent là-bas...
merci, Raceni!... Le titre du drame? Vous êtes monsieur Mola, n'est-ce pas? Oui, de *La capitale*, je sais...
Merci, très heureux... Son mari, oui monsieur. En
quatre actes, le drame. Le titre? *La nouvelle colonie* *.
Vous êtes Centanni? Très heureux... Son mari, oui
monsieur, *La nouvelle colonie*, sûr, en quatre actes...
On est déjà en train de le traduire en français, savez-
vous? et c'est Desroches qui le traduit, oui messieurs.
Desroches, oui messieurs, c'est ça... Vous êtes Federici? Très heureux... Le mari, oui monsieur. Et aussi,
regardez, si vous vouliez avoir la bonté d'ajouter
que...
– Boggiolo! Boggiolo! appela Raceni visiblement
pressé.
– Qu'y a-t-il?
– Venez... Votre femme ne se sent pas très bien...
Vous feriez mieux de partir, croyez-moi.
– Eh, fit Boggiolo, désolé; il écarta les bras et fronça
les sourcils, laissant ainsi entendre de quelle sorte
était le mal dont souffrait sa femme; et il accou-
rut.
– Vous, vous êtes un vrai brigand! lui dit Dora Barmis en lui faisant les gros yeux et lui serrant le bras.
Vous devez vous tenir tranquille, avez-vous compris?
Tranquille!... Et maintenant partez! Partez! Mais n'ou-

---

* *La nuova colonia* (*Isola nuova* dans la seconde version) cf. Luigi Pirandello: *La nuova colonia* in *Maschere nude*, Firenze, Bemporad, 1928.

bliez pas de venir chez moi, vite... je vais vous faire la leçon, moi, mauvais sujet!

Et elle le menaça de la main, tandis que lui, s'inclinant et souriant à tout le monde, rouge, confus, heureux, quittait la terrasse avec sa femme et Raceni.

2.

École de grandeur

Le bureau, très exigu, était garni de meubles sinon
tout à fait misérables, du moins bien ordinaires, achetés
d'occasion ou à tempérament, mais aussi d'un tapis
flambant neuf et de deux tentures de porte également
neuves et de belle apparence. On aurait dit qu'il n'y
avait personne dans la pièce. Et pourtant il y était lui,
Ippolito Onorio Roncella : là, immobile comme les tentures, comme la petite table devant le divan, immobile
comme les deux lourdes étagères et les trois sièges
capitonnés. Il regardait tous ces objets d'un œil éteint
et il pensait qu'il aurait pu désormais être en bois, lui
aussi. Sûrement. Et même bien vermoulu.

Il était assis près du secrétaire, tournant le dos à
l'unique petite fenêtre carrée qui donnait sur la cour
et par laquelle ne pouvait donc entrer que fort peu de
lumière : atténuée comme si elle avait été filtrée par
un léger rideau.

A un certain moment on aurait dit que tout le bureau
sursautait. Ce n'était rien. Mais seulement lui, Ippolito,
qui venait de bouger.

De crainte d'ôter à sa magnifique et ample barbe
grise, toute bouclée et lavée, coiffée, aspergée d'eau de

Cologne, le gonflant qu'il lui donnait chaque matin en la palpant du creux de la main, il fit venir sur sa poitrine, d'un mouvement de cou, le pompon du bonnet de bersagliere qu'il avait toujours sur la tête, et il se mit à le lisser tout doucement. Comme l'enfant au sein de sa mère ou de sa nourrice, il avait besoin, lui aussi, quand il fumait de lisser quelque chose et, ne voulant pas que ce soit sa barbe, il se contentait de lisser le pompon de son bonnet de bersagliere.

Dans la morne quiétude du matin cendré, dans le lourd silence, ombre obscure du temps, Ippolito Roncella sentait comme suspendue dans l'immobilité d'une attente sombre, triste et résignée, la vie de toutes les choses, proches et lointaines. Et il lui semblait que ce silence, cette ombre du temps, franchissait les limites de l'heure présente et s'enfonçait peu à peu dans le passé, dans l'histoire de Rome, dans la plus ancienne histoire de ces hommes qui avaient tant peiné, tant combattu, gardant toujours l'espoir d'arriver à quelque chose; et, messieurs, à quoi étaient-ils arrivés? A cela : à pouvoir, comme lui, considérer que, tout compte fait, on pouvait juger valable, autant que n'importe quelle occupation, classée parmi les grands moments de l'humanité, celle de lisser tranquillement le pompon d'un bonnet de bersagliere.

– *Que faites-vous?*

C'est ce que demandait de temps en temps, dans le silence de la cour, avec une voix de trompette et un air à vous fendre le cœur, un maudit vieux perroquet : le perroquet de Mme Ely Faccioli qui habitait tout à côté.

– *Que faites-vous?* venait demander toutes les heures cette vieille et docte dame au stupide animal.

Et :

– *Que faites-vous?* lui répondait chaque fois le perroquet; ensuite on aurait dit que pour son propre compte il répétait cette question tout au long de la journée, à tous les locataires de la maison.

Et chacun de lui répondre à sa façon (mais en soupirant d'impatience) selon l'intérêt ou le désagrément de ses propres occupations. Personne ne répondait aimablement et moins que tout autre Ippolito Roncella, lui qui n'avait plus rien à faire; il avait été mis à la retraite trois ans plus tôt parce que, sans la moindre intention de l'offenser – il était prêt à le jurer – il avait traité d'imbécile l'un de ses supérieurs.

Pendant plus de cinquante ans il avait travaillé avec sa tête. Belle tête que la sienne. Pleine à craquer de pensées toutes plus agréables les unes que les autres. Mais à présent cela suffisait, n'est-ce pas? A présent il était décidé à n'accorder son attention qu'aux trois règnes de la nature, représentés en sa personne par ses cheveux et par sa barbe *(règne végétal),* ses dents *(règne minéral),* et par toutes les autres parties de sa vieille carcasse *(règne animal).* Ce dernier règne, de même que le règne minéral, s'était quelque peu détérioré en lui, avec l'âge; en revanche le règne végétal lui donnait encore de belles satisfactions; raison pour laquelle, lui qui avait toujours fait toutes choses avec conscience et désirait que cela se voie, à quiconque lui demandait comme ce perroquet : – Monsieur Ippolito, que faites-vous? il montrait sa barbe du doigt et répondait gravement :

– Le jardinier.

Il savait qu'il avait au plus profond de lui une ennemie acharnée : une mauvaise âme rebelle qui ne pouvait s'empêcher de jeter sa vérité à la face de tout le monde, comme la pastèque sauvage son suc purgatif. Pas pour les offenser, non, mais pour remettre les choses à leur place.

– *Toi tu es un âne; je t'estampille; et qu'on n'en parle plus!*
– *Ceci est une bêtise; je l'estampille et qu'on n'en parle plus!*

Car elle aimait les choses nettes, son intime ennemie : une estampille et l'affaire était réglée! Encore une chance que depuis quelque temps il ait réussi à l'endormir un peu, avec du poison, en fumant du matin au soir, tout en lissant le pompon du bonnet de bersagliere, cette pipe au très long tuyau. Parfois cependant certains accès de toux violents et terrifiants l'avertissaient que son ennemie se révoltait contre cette intoxication. Alors M. Ippolito, s'étranglant, la figure écarlate, les yeux exorbités, tempêtait des pieds et des mains, se tordait, luttait rageusement pour vaincre, pour dompter la rebelle. Le médecin lui avait vainement dit que son âme n'avait rien à y voir, qu'elle n'y était pour rien, que cette toux venait de ses bronches empoisonnées et qu'il lui fallait s'arrêter de fumer, ou moins fumer s'il ne voulait pas tomber malade.

– Cher monsieur, lui répondait-il, regardez ma balance! Dans un plateau tous les poids de la vieillesse et dans l'autre rien que ma pipe. Si je l'enlève, je culbute. Que me reste-t-il donc? Et que faire d'autre sinon fumer?

Et il continuait à fumer.

Le jugement sur son chef de bureau, aussi explicite qu'impartial, l'ayant libéré de son travail (indigne de lui!) à l'inspection académique, il ne s'était pas retiré à Tarente. Son frère étant mort il n'y aurait plus trouvé personne de sa famille; il était donc resté à Rome. Et cela également avec l'intention d'aider par sa pension – pourtant rien moins que fastueuse – sa nièce Silvia Roncella depuis trois mois dans la Ville avec son mari. Et le nouveau neveu en question, Giustino Boggiolo, il ne pouvait justement pas le souffrir; pour bien des raisons, mais avant tout parce qu'il procurait la même sensation d'étouffement qu'une chaleur torride. Une chaleur torride, torride. Et qu'est-ce qu'une chaleur torride? Une stagnation de lumière, dans les zones basses, qui excite l'élasticité de l'air. Bien. Et le nouveau neveu en question s'ingéniait à donner de la lumière, la plus affligeante des lumières dans ces basses zones : il parlait trop, expliquait les choses les plus évidentes et les plus claires, les plus terre à terre, comme s'il avait été le seul à les voir et que les autres eussent été incapables de les voir sans ses lumières à lui.

Comme c'était angoissant et oppressant de l'entendre parler! M. Ippolito commençait par soupirer deux ou trois fois, tout doucement pour ne pas l'offenser, mais à la fin, n'en pouvant plus, il soufflait, soufflait et agitait aussi les mains en l'air pour éteindre toute cette lumière inutile et rendre à l'air respirable son élasticité.

Quant à Silvia, il savait bien que dès sa plus tendre enfance elle avait contracté ce vice de scribouiller; qu'elle avait fait éditer quatre, cinq livres, peut-être plus; mais il ne s'attendait vraiment pas à la voir arriver à Rome comme un écrivain déjà réputé. Et, la veille n'étaient-ils pas allés jusqu'à lui offrir un banquet, tous ces fous de scribouillards, aussi fous qu'elle... Non pas qu'elle ait été méchante, Silvia, au fond, non; et ça ne se voyait même pas du tout, la pauvre, qu'elle avait cette sorte de toquade intellectuelle. Elle avait, elle avait vraiment du talent, cette petite femme-là; et dans bien des domaines elle lui ressemblait beaucoup. Pardi, le même sang... la même petite machine à creuser les pensées, type Roncella.

M. Ippolito ferma à demi les yeux et branla du chef, tout doucement, pour ne pas abîmer sa barbe.

Il avait fait des études très particulières, lui, sur cette petite machine infernale, espèce de pompe à filtre faisant communiquer le cerveau avec le cœur et tirant des sentiments les idées ou, comme il le disait, l'extrait concentré, le sublimé corrosif des déductions logiques.

De fameuses pompes et de fameux filtres, les Roncella, tous autant qu'ils étaient, et depuis des temps immémoriaux!

Mais jusqu'alors personne, à vrai dire, n'avait eu l'idée de se mettre à distiller du poison par profession, comme semblait vouloir le faire cette enfant, cette sacrée fille : Silvia.

M. Ippolito ne pouvait souffrir les femmes qui portent des lunettes, marchent comme des soldats : aujourd'hui employées de poste, télégraphistes, téléphonistes, candidates à l'électorat et à la toge; demain, qui sait? à la députation et même au commandement des armées!

Il aurait voulu que Giustino empêche sa femme d'écrire ou, s'il ne pouvait l'en empêcher (car Silvia ne lui semblait réellement pas la fille à s'en laisser imposer par son mari, dans ce domaine-là), qu'au moins il ne l'encourage pas, bon Dieu! L'encourager? Si encore il s'était contenté de l'encourager! Mais il était là du matin au soir à l'inciter, la pousser, à exciter en elle de toutes les façons possibles cette maudite passion. Au lieu de lui demander si elle s'était occupée de la maison, si elle avait surveillé la servante pour le ménage ou la cuisine, ou même si elle avait fait une belle promenade à la villa Borghese, il lui demandait si elle avait écrit et ce qu'elle avait écrit durant la journée pendant que lui était à son bureau; combien de feuilles, combien de lignes, combien de mots... Vraiment! Parce qu'il allait bien jusqu'à compter les mots que dégorgeait sa femme, comme pour les envoyer par télégraphe. Et pour finir il avait acheté, d'occasion, une

machine à écrire et chaque soir après le dîner il restait
jusqu'à minuit, jusqu'à une heure du matin à taper
sur son petit piano, lui, pour avoir tout prêt, recopié
en lettres d'imprimerie, le *matériau* – comme il l'appelait – à envoyer aux journaux, aux revues, éditeurs
et traducteurs avec lesquels il entretenait une intense
correspondance. Et, regardez, là encore, la bibliothèque avec ses étagères à casier, les registres à réper-
toires, les doubles de lettres... Une comptabilité parfaitement en règle, irréprochable. Parce que le poison
commençait à se vendre, et comment! même au-dehors,
à l'étranger... Des goûts et des couleurs... Le tabac se
vend bien. Et les mots, que sont-ils sinon de la fumée?
Et la fumée qu'est-ce que c'est? De la nicotine, du
poison.

Cela lui soulevait l'estomac, à M. Ippolito d'assister
à cette vie de famille. Il étouffait, il étouffait depuis
trois mois; mais il voyait venir le jour où il ne pourrait
plus se dominer et dirait bien franchement son fait à
ce garçon-là, pas pour l'offenser, non, mais pour
remettre les choses à leur place, selon son habitude.
Une estampille, et voilà!

Et après, il partirait peut-être vivre seul.

– Vous permettez? demanda à ce moment-là derrière
la porte une petite voix de femme, très douce, que
M. Ippolito reconnut aussitôt comme celle de la vieille
Mme Ely Faccioli, la propriétaire du perroquet et de la
maison (ou de « La Lombarde » comme elle l'appelait).

– Je vous en prie, je vous en prie, marmonna-t-il
sans se déranger.

C'était cette même vieille dame qui avait accompagné Silvia au banquet le jour précédent. Elle venait tous les matins, de huit à neuf, donner des leçons d'anglais à Giustino Boggiolo. Gratuites, bien entendu, ces leçons; de même que c'est gratuitement aussi que Mme Ely Faccioli, propriétaire de la maison, accordait à son cher locataire Boggiolo l'usage de son propre salon chaque fois qu'il en avait besoin pour quelque réception littéraire.

Rongée elle aussi, la vieille dame, non par le ver solitaire de la littérature mais par celui de l'histoire et par la teigne de l'érudition; elle était aux petits soins pour Giustino Boggiolo et lui faisait de continuelles et pressantes offres de service; Giustino lui ayant laissé entrevoir de loin le mirage d'un éditeur et peut-être même d'un traducteur (allemand bien entendu) pour sa volumineuse œuvre inédite : *De la dernière dynastie lombarde et des origines du pouvoir temporel des papes* (avec des documents inédits), dans laquelle elle avait clairement démontré pourquoi et comment l'infortunée famille des derniers rois lombards ne s'était pas totalement éteinte avec l'emprisonnement de Desiderio ni avec l'exil d'Adelchi à Constantinople; mais qu'au contraire, revenue en Italie et cachée sous un faux nom dans un coin de cette terre classique (l'Italie), pour se protéger de la colère des Carolingiens et des papes, elle avait encore duré très longtemps.

La mère de Mme Faccioli avait été anglaise, ce qui se manifestait encore dans la blondeur du petit postiche tout bouclé que sa fille portait sur le front. Cette dernière était restée vieille fille pour avoir fait, dans sa jeunesse, de trop subtiles analyses avec son face-à-main et pour avoir attaché trop d'importance au nez un tantinet de travers ou aux mains un tout petit peu trop grosses de tel ou tel prétendant. Se repentant, trop tard, de son excessive délicatesse, elle était maintenant tout miel avec les hommes, sans être pour autant dangereuse. Il est vrai qu'elle portait sur le front ce petit postiche blond et qu'elle accentuait ses sourcils avec un crayon, juste un peu, mais uniquement pour ne pas faire trop peur à son miroir et l'inciter à un demi-sourire compatissant. Cela lui suffisait.

— Déjà levé? Bonjour monsieur Ippolito, dit-elle en entrant avec force courbettes et en exprimant par ses yeux et sa petite bouche un sourire dont elle aurait pu faire l'économie puisque Roncella avait gravement baissé les paupières afin de ne pas la voir.

— Bonjour madame, répondit-il. Je reste couvert, comme d'habitude, et je me lève pas, hein? Vous êtes de la maison...

— Mais bien sûr, merci... ne vous dérangez pas, par pitié! s'empressa de dire Mme Faccioli en tendant ses mains pleines de journaux. M. Boggiolo est sans doute encore au lit? J'étais venue en hâte parce que j'ai lu là... Si vous saviez combien de belles choses, combien de belles choses les journaux disent sur la belle fête d'hier, monsieur Ippolito! Ils rapportent le magnifique toast du sénateur Borghi! Ils annoncent avec des vœux très chaleureux le nouveau drame de Mme Silvia! Comme monsieur Boggiolo va être content!

— Il pleut, non?

— Comment dites-vous?

— Il ne pleut pas?... J'ai cru qu'il pleuvait, marmonna M. Ippolito en se retournant vers la fenêtre.

Mme Faccioli la connaissait bien cette manie qu'avait M. Ippolito de donner de brusques détours à la conversation et pourtant cette fois-ci elle n'en resta pas moins confuse; mais s'étant aussitôt reprise, elle répondit très vite :

— Non, non; mais vous savez, ça ne saurait tarder... c'est très nuageux. Dire qu'il faisait si beau hier... et aujourd'hui... Ah! hier, quelle journée... Une journée... Que dites-vous?

— Un cadeau, cria M. Ippolito, je disais que c'était un cadeau du Père éternel mis de bonne humeur par la joie des hommes. Et ces leçons d'anglais, comment ça marche?

— Ah très bien! s'exclama la vieille dame. M. Boggiolo montre une aptitude pour les langues, une aptitude que jamais... Pour le français ça va déjà très bien; quant à l'anglais, dans quatre ou cinq mois (ou même avant!) il le parlera correctement. Nous attaquerons alors immédiatement l'allemand.

— L'allemand aussi?

— Eh oui... Il ne pourrait pas s'en passer! Cette langue est tellement utile, vous savez?

— Pour les Lombards?

— Vous me taquinez toujours avec mes Lombards, méchant! dit Mme Faccioli en le menaçant gracieusement du doigt. Cela lui servira à y voir clair dans les contrats, à savoir à qui il confie les traductions et puis à prendre connaissance du mouvement littéraire, à lire les articles, les critiques des journaux...

— Mais Adelchi, Adelchi, beugla M. Ippolito. Cette affaire Adelchi, où en est-elle? Est-elle réellement vraie?

— Vraie? Mais sa pierre tombale existe, ne vous l'ai-je pas dit? c'est moi qui l'ai découverte dans la petite église de Catino près de Farfa, par un heureux hasard, il y a six mois quand j'y étais en villégiature. Croyez bien, monsieur Ippolito, que le roi Adelchi n'est pas mort en Calabre, comme le dit Gregorovius.

— Il est donc mort dans la cuvette *?

— A Catino, c'est ça! Le document est irréfutable. *Loparius* dit la pierre tombale, *Loparius et judex Hubertus...*

— Tiens, voici justement Giustino! l'interrompit M. Ippolito en se frottant les mains. Je le reconnais à son pas.

Et il se dépêcha de tirer cinq ou six grosses bouffées de fumée.

Il savait que son neveu ne pouvait pas souffrir de le voir se tenir dans ce cabinet de travail. En réalité, il avait sa propre chambre qui était la meilleure de tout l'appartement et où personne ne l'aurait dérangé. Mais il prenait un tel plaisir à se tenir là et à remplir ce réduit de fumée.

(« Je couvre de nuées l'Olympe », ricanait-il intérieurement.)

Boggiolo, lui, ne fumait pas; et chaque matin, il fermait les yeux en ouvrant la porte; planté sur le seuil, il chassait la fumée avec ses mains et il soufflait et se mettait à tousser... Loin de se le tenir pour dit, M. Ippolito tirait de sa pipe les plus grosses bouffées possibles, comme il venait justement de le faire, pour déposer dans l'air, sans la souffler, cette épaisse fumée.

Et cependant ce n'était pas tant cette fumée que Giustino Boggiolo ne pouvait souffrir que la façon dont son oncle le regardait. Ce regard le faisait penser à de la glu qui aurait empâté non seulement ses mouvements mais aussi ses pensées. Et lui qui avait tant à faire, là-dedans, pendant les quelques heures de liberté que lui laissait le bureau. En attendant,

---

* Jeu de mots sur Catino, la ville et catino, la cuvette; intraduisible en français.

sa leçon d'anglais, il serait bien obligé de se la faire donner dans la salle à manger, comme s'il n'avait pas eu de bureau.

Pourtant, ce matin, il avait quelque chose à dire en secret à Mme Faccioli; et dans la salle à manger qui se trouvait tout à côté de la chambre occupée par Silvia, ce ne serait pas possible. Il prit donc son courage à deux mains et, après avoir souhaité le bonjour à son oncle avec un sourire inhabituel, il le pria d'avoir la bonté de le laisser seul, ici, avec Mme Faccioli, juste un petit moment.

M. Ippolito fronça les sourcils.

— Qu'est-ce que vous avez dans la main?

— De la mie de pain, répondit Boggiolo en ouvrant la main. Pourquoi? C'est pour ma cravate.

Il ôta sa cravate (de celles qui ont un nœud tout fait) et il se mit à la frotter avec la mie de pain.

M. Ippolito approuva de la tête puis il se leva et sembla sur le point de vouloir dire quelque chose d'autre; mais il se retint. Il pencha la tête en arrière et, après avoir expulsé la fumée par un coin de sa bouche, puis par l'autre et fait ballotter le pompon de son bonnet, il sortit.

La première chose que fit Giustino Boggiolo fut d'aller ouvrir la fenêtre en grand, en bombant le torse, puis il jeta rageusement la mie de pain dehors.

— Vous avez vu les journaux? lui demanda Mme Faccioli en esquissant deux petits pas légers, vive et gaie comme un pinson.

— Oui madame, je les ai là-bas, répondit sombrement Giustino. Vous les avez apportés, vous aussi? Merci. Eh, j'en ai encore tant à acheter... Et il faudra en expédier quelques-uns. Mais vous avez vu ce gâchis... quels faiseurs de gâchis que ces journalistes!

— Pourtant j'avais l'impression... risqua Mme Ely.

— Mais non madame, pardon! l'interrompit Boggiolo. Quand on ne connaît pas les choses ou bien on n'en parle pas ou si on veut en parler on commence par demander à ceux qui les connaissent comment elles sont ou ne sont pas. Si encore je n'avais pas été là, mais j'y étais, parbleu, et prêt à leur donner toutes les explications et les éclaircissements nécessaires. A quoi riment ces histoires de leur propre cru? Lifjeld était là... non, où est-il? Et dans *La Tribune* il est devenu un éditeur allemand! Et puis, regardez: *Delosche*... ici, *Deloche* au lieu de Desroches. Ça m'exaspère, un point c'est tout... ça m'exaspère. Et moi qui dois justement lui envoyer des journaux, à lui aussi, en France, et...

— Et comment va madame Silvia? demanda Mme Faccioli pour ne pas insister sur ce point qui paraissait brûlant.

Mais cette dernière question s'avéra tout aussi brûlante.

— Allons donc! soupira Boggiolo en haussant les épaules et jetant les journaux sur le secrétaire. La nuit a été mauvaise.

— C'est sans doute l'émotion... essaya-t-elle d'expliquer.

— Mais quelle émotion? éclata Boggiolo hors de lui. Elle... des émotions. C'est une sacrée femme que le Père éternel en personne ne parviendrait pas à émouvoir. Tout ce monde rassemblé là, pour elle, le dessus du panier, non? Gueli, Borghi... et vous croyez que ça lui a fait plaisir? Pas le moins du monde. J'ai même dû la traîner de force, vous l'avez vu. Et je peux vous jurer sur mon âme que ce banquet s'est fait tout seul, c'est-à-dire par la seule volonté de Raceni, uniquement par la sienne: moi je n'y suis pour quoi que ce soit. Et après tout j'ai l'impression qu'il a été très réussi...

— Très très réussi! Qui dirait le contraire? approuva aussitôt Mme Faccioli. Quelle magnifique fête!

— Eh bien, à l'entendre, elle, fit Giustino en haussant les épaules, elle dit et soutient qu'elle a fait piètre figure...

— Qui? s'écria Mme Faccioli en tapant dans ses mains. Mme Silvia? Oh, Dieu du ciel!

— Eh oui! Mais elle le dit en riant, savez-vous? poursuivit Boggiolo. Elle dit qu'elle s'en fiche complètement. Et à présent doit-on ou non intervenir? Moi je fais, je fais... mais il faudrait qu'elle m'aide un peu. Ce n'est quand même pas moi qui écris, c'est elle qui écrit. Et si les choses marchent bien ne devrait-on pas s'arranger pour qu'elles marchent encore mieux?

— Mais bien sûr! approuva de nouveau Mme Faccioli absolument convaincue.

— C'est bien ce que je dis, moi, reprit Giustino. Elle a sûrement du talent, Silvia et sans doute sait-elle écrire; mais il y a certaines choses, croyez-moi, qu'elle ne comprend pas. Et je ne parle même pas de son manque d'expérience, remarquez. Quand je pense à ces deux volumes, comme jetés, sans contrat, avant notre mariage... C'est une chose incroyable. Dès que je le pourrai je ferai l'impossible pour les racheter; bien que je ne me fasse plus beaucoup d'illusions, savez-vous, pour ces deux livres-là. Le roman marche, d'accord; mais nous ne sommes pas en Angleterre ni même en France. A présent elle a fait ce drame; elle s'est laissé convaincre et s'y est mise aussitôt; il faut reconnaître qu'elle l'a fait en deux mois. Moi personnellement je n'y connais rien... Mais le sénateur Borghi l'a lu, lui, et il dit que... oui, qu'on ne peut prévoir quel sera son sort, parce que c'est une chose... je ne sais plus comment il a dit... classique, il me semble... oui, classique et nouvelle. Et moi je dis que si nous atteignons le but, si nous réussissons bien au théâtre, vous comprenez, ma bonne dame, que ça peut être notre fortune.

– Et comment! et comment! s'exclama Mme Ely.

– Mais nous devons nous y préparer, ajouta Boggiolo avec emportement et il joignit les mains. Il y a maintenant une sorte d'attente, de curiosité... Maintenant que ce banquet a eu lieu. Et moi j'ai pu voir qu'elle avait plu.

– Beaucoup! appuya Mme Faccioli.

– Voyez donc, poursuivit Boggiolo. Elle a été invitée par la marquise Lampugnani qui, à ce que j'ai entendu dire, fait partie des dames très en vue; invitée également par cette autre qui a aussi un salon très réputé... comment s'appelle-t-elle? Borné-Laturzi... Il faut y aller, n'est-ce pas? Se montrer... Il y a tant de journalistes, de critiques dramatiques qui y vont. Il faudrait que ce soit elle qui les voie, qui leur parle, se fasse connaître, apprécier... Mais Dieu sait quelle peine j'aurais à la convaincre!

– C'est peut-être parce que, risqua Mme Ely toute gênée, parce qu'elle se trouve... dans cet état?

– Mais non! protesta aussitôt Boggiolo. Ça ne se verra pas avant un ou deux mois; elle pourra très bien se montrer! Et moi je lui ai dit que j'allais lui faire faire un très bel ensemble... Et c'était justement ce que je voulais vous dire, madame Faccioli : pourriez-vous m'indiquer une bonne couturière, qui soit raisonnable et sans prétentions, voilà, parce que... attendez, excusez-moi... et si vous pouviez ensuite m'aider dans le choix de ce vêtement et... et aussi, oui, persuader Silvia, au nom du ciel, qu'elle se laisse guider et fasse ce qu'elle doit faire. Le drame sera porté à la scène vers la mi-octobre.

– Ah, si tard?

– Tard, en effet; mais dans le fond ce délai n'est pas pour me déplaire, savez-vous? Le terrain n'est pas encore bien préparé; je connais encore peu de monde; et puis à quelques semaines près, la saison ne serait plus propice. Mais le véritable hic, c'est plutôt Silvia, cette Silvia encore si mal à l'aise. Nous avons environ six mois devant nous pour remédier à toutes ces choses-là et à bien d'autres encore. Voilà, moi je voudrais établir un petit programme. Pour moi ce ne serait pas la peine, mais pour Silvia... Ça me contrarie, croyez-moi, que ce soit justement en elle que se trouve le principal obstacle. Ce n'est pas qu'elle se rebelle contre mes conseils, mais elle ne fait aucun effort pour bien remplir son rôle, voilà, pour faire bonne figure comme elle le devrait et dominer sa propre nature.

– Elle est très réservée... c'est vrai!

– Comment dites-vous?

– Je disais qu'elle était trop réservée.

– Réservée?... On dit comme ça? Je ne le savais pas. Elle manque de manières, c'est tout. Réservée, en effet, ce mot me convient. Un peu d'instruction, c'est surtout de l'instruction qu'il lui faudrait, croyez-moi. Car moi je me suis aperçu que... comment dire... il y a une sorte d'entente entre tous ceux qui... je ne sais pas... se reconnaissent à leur air... Il suffit qu'on prononce un nom, le nom... attendez, comment disent-ils?... le nom de ce poète anglais de la piazza di Spagna, celui qui est mort jeune...

– Keats! Keats! s'écria Mme Ely.

– *Chizzi*, c'est ça... celui-là! Dès qu'ils ont dit *Chizzi*... autant dire rien, ils ont tout dit, ils se sont compris. Ou alors ils disent... je ne sais pas... le nom d'un peintre étranger... Il y a comme ça... quatre, cinq noms de ce genre qui les rapprochent, et ils n'ont même pas besoin d'en parler... un sourire... un regard... et ils font belle

figure et quelle figure ! Vous qui êtes si savante, madame
Ely, vous devriez me faire ce plaisir, m'aider moi et
aussi un peu Silvia.

– Mais pourquoi pas ? promit Mme Ely, trop heureuse ; elle allait faire de son mieux. Et en attendant,
la couturière, elle l'avait, et quant à l'ensemble – un
bel ensemble noir, en drap brillant, non ? – il fallait
le faire faire de façon que, petit à petit...

– Naturellement !

– Oui, on puisse, on somme...

– Naturellement, dans trois... quatre mois... eh !
Voulez-vous que nous allions demain l'acheter
ensemble ?

L'affaire étant réglée, Giustino sortit d'un tiroir du
secrétaire quelques *albums* qu'il montra en soupirant :

– Regardez, quatre, aujourd'hui.

Ce n'était pas une petite affaire que ces *albums*. Il
en pleuvait de tous les côtés sur sa femme. Des admirateurs, des admiratrices qui, directement ou par l'intermédiaire de Raceni ou encore par celui du sénateur
Borghi, demandaient une pensée, un mot d'esprit ou
tout simplement une signature.

Dieu sait combien de temps Silvia aurait perdu si
elle avait voulu satisfaire tout le monde. Il est vrai que
pour le moment elle ne se donnait pas trop de mal,
tenant sans doute compte de l'état dans lequel elle se
trouvait ; elle s'occupait cependant à quelques légers
petits travaux, pour n'être pas tout à fait désœuvrée et
répondre aux menues demandes de tel ou tel journal.

La corvée de ces albums, c'est donc lui, Giustino
Boggiolo qui se l'était offerte : c'est lui qui y inscrivait
des pensées à la place de sa femme. Personne ne pouvait
s'en apercevoir, puisqu'il savait parfaitement imiter
l'écriture et la signature de Silvia. Les pensées, il les
tirait des livres qu'elle avait déjà publiés ; et, pour ne

pas perdre chaque fois le temps de feuilleter et chercher, il en avait même recopié une liste dans un petit
cahier; et par-ci par-là il y avait aussi inséré quelques-
unes des siennes; oui, quelques pensées à lui, somme
toute, au milieu de toutes les autres, pouvaient passer.
Et dans celles de sa femme il s'était même risqué,
certaines fois, à faire en cachette quelque légère correction d'orthographe. En lisant dans les journaux les
articles des écrivains raffinés (comme par exemple ce
Betti qui avait tant trouvé à redire à la prose de Silvia),
il s'était aperçu que ceux-là écrivaient – Dieu sait pourquoi – certains mots avec des majuscules. Eh bien, lui
aussi, chaque fois que dans les pensées de Silvia il en
trouvait un digne d'une majuscule, comme *vie,*
mort, etc. : un beau V ici et là un magnifique M! Si
l'on pouvait faire bonne figure à si peu de frais...
   Il feuilleta le petit cahier et, avec l'aide de
Mme Faccioli, il y choisit quatre pensées.
   – Celle-ci... Écoutez celle-ci! « *On dit toujours Fais*
ce que tu dois! Mais notre Devoir intime se répercute
souvent sur ceux qui nous entourent. C'est-à-dire que
ce qui pour nous est Devoir, peut être dommage pour
les autres. Fais donc ce que tu dois, mais en sachant
ce que tu fais. »
   – Superbe! s'exclama Mme Ely.
   – Elle est de moi, dit Giustino.
   Et, sous la dictée de Mme Faccioli, il la recopia sur
l'un des albums. « Devoir » avec une majuscule, deux
fois. Il se frotta les mains; puis il regarda la pendule;
aïe, dans vingt minutes il devait être à son bureau!
Lectio brevis pour ce matin.
   Ils s'assirent, maîtresse et élève, devant le bureau.
   – Pourquoi est-ce moi qui dois faire tout cela? sou-
pira Giustino. Pouvez-vous me le dire?
   Il ouvrit la grammaire anglaise et la tendit à Mme Ely.

— Forme négative, se mit-il à réciter avec les yeux mi-clos. *Present Tense : I do not go*, je ne vais pas; *thou dost not go*, tu ne vas pas; *he does not go*, il ne va pas.

C'est ainsi que commença pour Silvia Roncella l'école de la grandeur : maître principal, son mari; aide suppléante, Mme Ely Faccioli.

Elle s'y soumit avec une admirable résignation.

Elle avait toujours eu horreur de regarder en elle, dans le fond de son âme. Et les rares fois où elle s'y était essayée, ne serait-ce qu'un instant, elle avait presque eu peur de perdre la raison.

Rentrer en elle-même cela voulait dire, pour elle, dépouiller son âme de tous ses habituels artifices et voir la vie dans son aride, son épouvantable nudité. C'était comme voir cette chère et bonne Mme Ely Faccioli sans son petit postiche blond, sans poudre et toute nue. Mon Dieu, non, pauvre Mme Ely!

Et même, était-ce cela la vérité? Non, pas même cela. La vérité : un miroir aveugle dans lequel chacun se contemple tel qu'il croit être, tel qu'il voudrait être.

Elle, elle détestait ce miroir, où l'image de son âme, dépouillée de ses indispensables artifices, devait, nécessairement et par surcroît, lui apparaître dénuée de la moindre lueur de raison.

Que de fois, durant ses insomnies, quand son seigneur et maître dormait bien tranquillement à ses côtés, ne s'était-elle pas vue assaillie dans le silence par une étrange et brusque terreur qui lui coupait le souffle et faisait battre la chamade à son cœur. Elle voyait alors, avec une très grande lucidité, la connexion de la vie quotidienne, suspendue dans la nuit et dans le vide de son âme, privée de sens, privée de but, se déchirer en elle pour lui laisser entrevoir, l'espace d'un instant, une réalité bien différente, horrible dans son impassible et mystérieuse crudité et dans laquelle toutes les relations factices et habituelles des sentiments et des images se dissolvaient et se désagrégeaient.

Dans ce terrible instant, elle se sentait mourir, elle éprouvait véritablement toute l'horreur de la mort et, dans un suprême effort, elle tentait de recouvrer la conscience normale des choses, de relier entre elles les idées, de se sentir à nouveau vivante. Mais cette conscience normale, ces idées recollées, ce sentiment familier de la vie, elle ne pouvait plus y croire, puisqu'elle savait désormais que tout cela n'était qu'une tromperie pour vivre et qu'en dessous il y avait quelque chose d'autre que l'homme ne peut regarder en face sous peine de mort ou de folie.

Pendant des jours et des jours, tout lui semblait changé : plus rien n'éveillait en elle le moindre désir; ou plus exactement plus rien dans la vie ne lui semblait désirable; le temps se présentait à elle vide, sombre et pesant, et toutes choses en lui, comme hagardes, dans l'attente du dépérissement et de la mort.

Lorsqu'elle songeait à cela, il lui arrivait parfois de fixer son regard sur un objet quelconque et d'en relever minutieusement les moindres particularités, comme si cet objet l'avait intéressée. Son observation, au début, était presque machinale; les yeux de son corps se fixaient et se concentraient sur ce seul objet, comme pour en éloigner toute autre cause de distraction et aider ainsi les yeux de l'esprit dans leur méditation. Mais, petit à petit, cet objet s'imposait à elle d'étrange façon : il commençait à avoir une vie autonome, comme s'il avait d'un seul coup pris conscience de toutes les particularités qu'elle lui avait découvertes et qu'il rompait toute relation avec elle et les objets qui l'entouraient.

De crainte d'être à nouveau assaillie par cette réalité différente, horrible, qui vivait hors de notre vision habituelle, comme en marge de la raison humaine, peut-être sans le moindre soupçon du mensonge humain ou avec une dérisoire pitié à son égard, par crainte de cette réalité, elle détournait aussitôt son regard ; mais alors elle n'était plus capable de le poser sur quelque autre objet ; elle sentait toute l'horreur de cette vision ; elle avait l'impression que ses yeux transperçaient tout ; elle les fermait et cherchait anxieusement dans son cœur une aide quelconque qui recompose en elle la fiction lacérée. Cependant, dans cette étrange errance, son cœur se desséchait. Mais sûrement pas pour alimenter la drôle de petite machine dont parlait l'oncle Ippolito ! Elle n'avait jamais réussi à tirer la moindre idée de ce sentiment obscur et profond : elle ne savait pas réfléchir, ou plus exactement, elle se l'était toujours défendu.

Étant enfant elle avait assisté à de pénibles scènes entre son père et sa mère, qui avait été une sainte femme toute dévouée à ses pratiques religieuses. Elle se rappelait l'expression de celle-ci, serrant contre son cœur la petite croix de son chapelet quand son mari la raillait pour sa foi et ses longues prières, et la contraction douloureuse de tout son visage, comme si, en fermant les yeux, elle pouvait du même coup ne pas entendre ses blasphèmes. Pauvre maman ! Et avec quelle angoisse, avec quelles larmes elle lui tendait aussitôt les bras, à elle toute petite, et la pressait sur son sein et lui bouchait les oreilles ; puis, dès que le père avait tourné le dos, elle la faisait agenouiller et lui faisait répéter, avec ses menottes jointes, une prière pour que Dieu pardonne à cet homme. Honnête et bon comme il l'était, c'était bien la preuve qu'il L'avait au fond de son cœur mais en attendant, voilà, il ne voulait pas Le reconnaître au-dehors. Oui, c'étaient là les paroles de sa mère. Et que de fois, après sa mort à elle, ne se les était-elle répétées! Avoir Dieu dans le cœur et ne pas vouloir le reconnaître au-dehors. Elle, depuis qu'elle était tout enfant, elle allait toujours à l'église avec sa mère; devenue orpheline, elle avait continué d'y aller seule, tous les dimanches; mais, au fond, ne lui était-il pas arrivé à elle ce qui était arrivé à son père? Reconnaissait-elle vraiment Dieu, au-dehors? Comme tant d'autres, elle accomplissait d'une façon purement extérieure les pratiques du culte. Mais qu'y avait-il vraiment en elle? Comme chez son père un sentiment obscur, profond, et de l'effroi : cet effroi que chacun d'eux avait découvert dans les yeux de l'autre lorsqu'ils étaient tous deux près du lit où venait d'expirer la mère. Et à présent, croire, oui, par nécessité et en faisant un effort; mais Dieu n'était-il pas la suprême fiction créée par ce sentiment obscur et profond, pour se tranquilliser? Tout, tout ce qui existait était un assemblage de fictions qu'il ne fallait pas déchirer, auquel il fallait croire, non par hypocrisie, mais par nécessité si l'on ne voulait pas mourir ou devenir fou. Mais comment croire en sachant qu'il s'agissait de fictions? Hélas, sans but, quel sens avait la vie? Les bêtes vivaient pour vivre, mais les hommes ne pouvaient et ne savaient en faire autant; nécessairement les hommes devaient vivre, non pour vivre, mais pour quelque chose de fictif, d'illusoire qui donne un sens et une valeur à leur vie.

Là-bas, à Tarente, l'aspect des choses ordinaires qui lui étaient familières depuis sa naissance et qui étaient en quelque sorte devenues la part inconsciente de sa vie de tous les jours, ne lui avait jamais beaucoup

troublé l'esprit, bien qu'elle ait découvert en elles tant
de merveilles invisibles pour les autres; des ombres et
des lumières dont personne ne s'était jamais aperçu.
Elle, elle aurait voulu rester là-bas, près de « sa » mer,
dans la maison où elle était née et où elle avait grandi,
où elle se voyait encore, mais avec l'étrange impression
qu'il s'agissait d'une autre, oui, d'une autre *elle-même*
qu'elle avait du mal à reconnaître. Elle avait réellement l'impression de se voir, de loin, avec les yeux des
autres et de se découvrir... comment dire... différente...
bizarre. Et « cette autre » écrivait? elle avait pu écrire
autant de livres? et comment? et pourquoi? qui les
lui avait inspirés? comment avaient-ils bien pu lui
venir à l'esprit? Elle avait lu si peu de livres et n'avait
jamais trouvé dans aucun le moindre trait, le moindre
procédé qui ait une ressemblance, même lointaine, avec
tout ce qu'elle écrivait spontanément, comme ça, à
l'improviste. Peut-être ne devait-on pas écrire de telles
choses? n'était-ce pas une erreur de les écrire de cette
façon-là? Elle, ou plutôt « l'autre » ne le savait pas.
Elle n'aurait jamais eu l'idée de les publier si son père
ne les lui avait arrachées des mains après les avoir
découvertes. Elle en avait eu honte, la première fois,
avec une grande crainte de paraître bizarre, alors qu'elle
ne l'était pas le moins du monde : elle savait même
faire toutes sortes de choses très soigneusement : cuisi-
ner, coudre et mener la maison; elle parlait aussi avec
beaucoup de bon sens, et... – oh, comme les autres filles
du village... Et cependant il y avait en elle un drôle
de petit esprit, un peu fou, qui n'osait pas se montrer,
puisqu'elle se refusait à écouter sa voix ou accomplir
ses espiègleries, si ce n'est à quelque moment de loisir,
pendant la journée ou le soir avant d'aller au lit.

Au lieu de satisfaction, lorsqu'elle vit son premier
livre accueilli favorablement et vanté avec tant de cha-

leur, ce fut une grande confusion, de l'angoisse et une sorte d'exaspération douloureuse qu'elle ressentit. A présent, saurait-elle encore écrire comme avant? si ce n'était plus pour elle seule? La pensée des louanges était constamment présente à son esprit et la troublait, s'interposant entre elle et les choses qu'elle voulait décrire ou représenter. Pendant près d'un an elle n'avait plus touché à une plume. Et puis... comme elle l'avait trouvé grandi et fortifié ce petit démon qui était en elle, et comme il était devenu méchant, malicieux, irritable... Il s'était transformé en mauvais démon qui lui faisait presque peur parce qu'il voulait parler tout haut, maintenant, et quand il ne fallait pas, et rire de certaines choses qu'elle, comme les autres, dans la vie courante, aurait voulu juger sérieuses. C'est à ce moment-là qu'avait commencé son combat intérieur. Puis Giustino s'était présenté...

Elle, elle voyait bien que son mari ne la comprenait pas, ou plus exactement, qu'il ne comprenait pas cette partie d'elle-même que, pour ne pas paraître différente des autres, elle voulait tenir cachée en elle, refoulée; qu'elle-même ne voulait ni explorer ni pénétrer plus profondément. Et si un jour cette partie d'elle-même prenait le dessus, jusqu'où pourrait-elle l'entraîner? Au commencement, quand Giustino, sans comprendre non plus, s'était mis à la pousser, à la forcer à travailler, alléché par les gains inespérés, elle avait en effet éprouvé une vive satisfaction, mais en quelque sorte plus pour lui que pour elle. Et pourtant elle aurait voulu qu'il s'arrêtât là et surtout – après tout le tapage qu'on avait fait autour de son roman *La maison des nains* qu'il n'eût pas tant intrigué et tempêté pour venir à Rome.

En quittant Tarente elle avait eu l'impression qu'elle allait se perdre et que pour prendre conscience d'elle-

même dans cette autre vie, si vaste, il lui faudrait faire
un violent effort. Et comment se retrouverait-elle ? elle
qui ne se connaissait pas encore et ne voulait pas se
connaître. Elle allait être obligée de parler, de se montrer... pour dire quoi ? Elle était réellement très ignorante. Ce qu'il y avait en elle de volontairement borné,
de primitif, de casanier s'était révolté, principalement
lorsque les premiers signes de la maternité s'étaient
manifestés en elle. Comme elle avait souffert à ce banquet, exposée là, comme à une foire ! Elle s'était vue
comme un automate mal conçu dont on aurait exagéré
le ressort. De crainte que ce ressort ne saute d'un
moment à l'autre, elle s'était terriblement contenue ;
puis la pensée qu'à l'intérieur de cet automate mûris-
sait le germe d'une vie, dont elle aurait bientôt la
redoutable responsabilité, lui avait donné de violents
élans de remords et rendu tout à fait insupportable le
spectacle d'une aussi sotte et fade vanité.

L'étonnement passé, passé la confusion des premiers
jours, elle s'était mise à parcourir Rome en compagnie
de l'oncle Ippolito. Quelles belles conversations avaient-
ils eues ensemble ! Quelles savoureuses explications son
oncle lui avait-il données ! Cela avait été très récon-
fortant pour elle de le trouver à Rome, de l'avoir avec
elle.

Il suffisait de prononcer ce nom : Rome, pour que
tout le monde se croie obligé d'admirer et de s'en-
thousiasmer. Elle aussi elle avait admiré, certes, mais
avec un sentiment d'infinie tristesse : elle avait admiré
les villas solitaires veillées par leurs cyprès ; les jardins
silencieux du Celio et de l'Aventin, la tragique solennité des ruines et de certaines voies antiques comme
la voie Appienne, la claire fraîcheur du Tibre... Mais
elle n'était pas très séduite par tout ce qu'avaient fait
et dit les hommes pour fabriquer à leurs propres yeux

leur propre grandeur. Et Rome... oui, une prison un peu plus grande, où les prisonniers paraissaient un peu plus petits et d'autant plus ridicules qu'ils enflaient davantage leur voix et se démenaient pour faire des gestes plus larges.

Elle, elle cherchait encore refuge dans les plus humbles occupations, elle s'appliquait aux choses les plus modestes et les plus simples, aux choses élémentaires. Elle savait qu'elle ne pouvait pas dire ce qu'elle voulait, ce qu'elle pensait, puisque sa propre volonté, sa propre pensée, bien des fois, n'avaient même plus de sens pour elle, si elle y réfléchissait tant soit peu.

Pour ne pas mécontenter Giustino, elle s'efforçait de se redresser, de se donner un certain air, de prendre un certain ton. Et elle lisait, elle lisait beaucoup; mais parmi tous ces livres, seuls ceux de Gueli avaient réussi à l'intéresser profondément. Voilà un homme qui devait receler un petit démon semblable au sien, mais combien plus savant!

Et la lecture ne suffisait pas à Giustino; il voulait en plus qu'elle s'habitue à parler français et en acquière la pratique avec Mme Faccioli (qui, elle, connaissait toutes les langues) et que cette dernière l'accompagne dans les musées et galeries d'art ancien ou moderne pour savoir en parler à l'occasion; et il fallait en plus aussi qu'elle prenne soin de sa personne, qu'elle s'arrange un peu mieux, allons!

Certaines fois, il lui prenait envie de rire, devant son miroir. Elle se sentait comme tenue par son propre regard. Pourquoi fallait-il qu'elle soit comme ça, elle, et avec cette figure? avec ce corps? Elle levait alors la main, dans une totale inconscience; et son geste restait en suspens. Que ce soit elle qui l'ait fait lui semblait étrange. Elle *se voyait vivre*. Avec ce geste en suspens, elle se comparait à cette statue d'un orateur antique (elle ne savait qui il était) qu'elle avait vue dans une niche un jour où elle venait de la via Dataria par l'escalier du Quirinal. Cet orateur, avec son rouleau dans une main et l'autre tendue dans un geste sobre, semblait peiné d'être resté là, étonné, pétrifié par tant de siècles, figé dans cette attitude devant tant et tant de gens qui étaient montés, montaient et monteraient encore par cet escalier. Quelle étrange impression il lui avait faite! Elle était à Rome depuis quelques jours. C'était en février, à midi. Un pâle soleil sur les pavés humides et gris de la place déserte du Quirinal. Il n'y avait que la sentinelle et un carabinier sur le seuil du Palais Royal (peut-être à cette heure-là le roi bâillait-il en son palais?). Sous l'obélisque, entre les grands chevaux cabrés, ruisselait l'eau de la fontaine; et elle, comme si ce silence environnant s'était brusquement transformé en éloignement, elle avait eu l'impression d'entendre le fracas incessant de « sa » mer. Elle s'était retournée; sur la montée qui menait au palais elle avait vu un moineau plein de vivacité sauter comme un ressort sur les pavés, en secouant sa petite tête. Peut-être sentait-il, lui aussi, l'étrange vide de ce silence, comme un mystérieux arrêt du temps et de la vie et voulait-il l'évaluer en épiant craintivement?

Elle le connaissait bien cet enfoncement subit, et heureusement momentané, du silence dans les abîmes du mystère. Ce qui durait plus longtemps c'était cette horrible sensation de vertige qui contrastait avec la stabilité, pourtant illusoire, des choses : apparences ambitieuses et pourtant misérables. La vie qui se déroulait, mesquine, routinière, au milieu d'elles, lui paraissait ensuite ne pas être réelle, n'être qu'une sorte de fantasmagorie mécanique. Comment lui accorder de l'importance, comment lui témoigner du respect? ce respect, cette importance que désirait Giustino?

Et pourtant, il fallait bien vivre... Mais oui, dans le fond, elle reconnaissait que c'était lui, son mari, qui avait raison et elle qui avait tort d'être comme elle était. Elle devrait désormais agir à sa manière à lui. Et elle se proposait de le satisfaire en tous points et de se laisser guider en surmontant son ennui et se montrant bien disposée pour ne pas mal répondre à tout ce qu'il avait fait et faisait encore pour elle.

Pauvre Giustino! Lui si économe et si regardant, il ne prêtait même plus attention à la dépense quand il s'agissait de soigner son apparence à elle. Et quelle belle robe il lui avait choisie et commandée en cachette! Et maintenant elle devait (mais le devait-elle vraiment?) aller chez la marquise Lampugnani? Oui, oui, elle irait, elle servirait de mannequin à cette belle robe neuve : pas très approprié, le mannequin, pas très... svelte, en ce moment, mais tant pis! Si lui croyait que c'était vraiment nécessaire d'y aller, elle était prête.

– Quand?

Giustino, jubilant de la voir aussi conciliante, lui répondit qu'ils iraient le lendemain soir.

– Mais attends, ajouta-t-il. Je ne veux pas que tu sois à ton désavantage. Je comprends qu'il y a un tas de petites formalités, un tas, oui... qui ne sont peut-être que des bêtises, comme tu le penses, mais qu'il est bon de connaître, ma chérie. Je vais me renseigner. Et, à vrai dire, pour ce genre de choses je me fie assez peu à Mme Faccioli.

Et ce soir-là, Giustino Boggiolo, en sortant de son bureau, partit rendre à Dora Barmis la visite promise.

Appuyée au coffre de l'entrée, une béquille. Sur la béquille, un chapeau mou. La porte à tambour qui menait au salon était fermée et dans la pénombre se diluait la couleur vert-jaune du papier à carreaux collé sur les vitres.

— Mais non, non, non : je vous ai dit non et ça suffit comme ça! entendit-on crier rageusement de l'intérieur. En entendant ce cri, la petite bonne venue pour ouvrir se demanda si c'était bien le moment d'entrer annoncer ce nouveau visiteur.

— Je ne dérange pas? demanda timidement Giustino. La petite bonne haussa les épaules; elle prit son courage à deux mains, frappa à la vitre de la porte à tambour et ouvrit :

— Il y a un monsieur...

— Boggiolo... suggéra tout bas Giustino.

— Ah, c'est vous Boggiolo? Quel plaisir! Entrez, entrez, s'exclama Dora Barmis en tendant la tête et s'efforçant de donner un air rieur à son visage en feu, plein de mépris et de dégoût.

Giustino entra, un peu effrayé, inclinant la tête vers Cosimo Zago : contrefait, très pâle, il s'était levé sur un seul pied, et, baissant sa grosse tête ébouriffée, il se tenait avec difficulté à un dossier de chaise.

— Je m'en vais. Au revoir, dit-il d'une voix qui voulait paraître calme.

— Adieu, lui répondit aussitôt Dora, méprisante, sans même le regarder; puis elle se tourna en souriant vers Boggiolo : Asseyez-vous, asseyez-vous, Boggiolo. Comme c'est gentil... mais un peu tard, non?

Dès que Zago fut sorti en boitant péniblement, elle fit un bond sur son siège en levant les bras au ciel et soupira :

— Je n'en pouvais plus! Ah cher ami, comme les gens vous font regretter d'avoir un peu de cœur! Mais si un pauvre malheureux venait vous dire : « Je suis laid, je suis difforme... » Que répondriez-vous ? « Mais non mon cher, pourquoi ? Et puis rappelez-vous que la nature a compensé cela par d'autres dons. » Et c'est la vérité ! Si vous saviez quels beaux vers il écrit, le pauvre... Je le dis à tout le monde ; je le lui ai dit à lui-même mais à présent il me le fait regretter... *C'est toujours ainsi* *! Parce que je suis une femme, vous comprenez. Mais je le lui ai dit *tout bonnement* *, vous pouvez le croire ! Comme ça, comme à un confrère. Moi je suis une femme, parce que... parce que je ne suis pas un homme, grand Dieu ! Mais bien souvent, je n'y pense même pas que je suis une femme, je vous assure ! Je l'oublie complètement. Savez-vous quand je m'en souviens ! C'est quand je vois certains hommes me regarder, me regarder...

... Oh, mon Dieu, j'éclate de rire. Mais oui ! me dis-je alors, c'est vrai, je suis une femme ! Et ils m'aiment... Ah, ah, ah ! Et puis que voulez-vous, maintenant que je suis vieille, n'est-ce pas ? Allons... du courage... mais faites-moi donc un compliment ! Dites-moi que je ne suis pas vieille...

– Ce n'est même pas la peine de le dire, fit Giustino en rougissant et en baissant les yeux.

Dora Barmis éclata de rire en fronçant le nez, comme elle avait l'habitude de le faire.

– Cher, cher, très cher ! Vous avez honte ? Mais non, allons ! Prenez-vous du thé ou du vermouth ? Tenez, voici de quoi fumer.

Et elle lui tendit la boîte à cigarettes d'une main tandis que de l'autre elle appuyait sur le bouton de la sonnerie électrique : sous l'étagère supportant une multitude de livres, bibelots, statuettes et portraits et qui

---

* En français dans le texte.

était suspendue au-dessus d'un vaste divan d'angle recouvert d'étoffes anciennes.

— Merci, je ne fume pas, dit Giustino.

Dora posa la boîte à cigarettes sur une petite table extrêmement basse, ronde, à deux étages, placée devant le divan. La petite bonne entra.

— Apportez le vermouth. Et pour moi du thé. Ici, Nina, je le préparerai moi-même.

Un instant après la soubrette revenait avec la théière, le vermouth et des petits gâteaux dans une coupe d'argent. Dora versa du vermouth à Giustino en lui disant :

— Maintenant que j'y pense, c'est de bien autre chose que vous devriez avoir honte, sale type! Et attention, ce que je vais vous dire je le dis très sérieusement.

— Honte de quoi? demanda Giustino qui avait déjà fort bien compris : la preuve étant qu'il entrouvrit les lèvres sous ses moustaches pour sourire avec fatuité.

— La nature vous a donné un dépôt sacré, Boggiolo! dit Dora Barmis en agitant un doigt, sur un ton de menace et de sévère avertissement. Prenez un *fondant*... Votre femme n'appartient pas qu'à vous seul. Vos droits, mon cher, doivent être limités. En ce qui vous concerne, peut-être, si votre femme n'en souffre pas... Dites-moi un peu, est-elle jalouse, votre femme?

— Mais non, répondit Giustino. Du reste, je ne saurais vous le dire, parce que...

— Parce que vous ne lui avez jamais donné la moindre raison de l'être! acheva Dora. Vous êtes vraiment un brave garçon; ça se voit; même trop brave, sans doute... Hein? dites-moi la vérité. Non, vous devriez la ménager, Boggiolo. Du reste... les hommes donnent un vilain nom à ce genre de chose; mais celles que portent les femmes pourraient très bien s'appeler des antennes : les papillons en ont aussi... Allons, levez les yeux, mais levez-les donc! Pourquoi ne me regardez-vous pas? Je

vous parais bizarre? Oh bravo, comme ça! Vous riez?
Mais ce qui est sûr, mon cher, c'est qu'il ne suffit pas
d'être un brave garçon, quand on a la chance d'avoir
une femme comme la vôtre... Connaissez-vous la poétesse Bertolé-Viazzi? Si elle n'est pas venue au banquet
c'est parce que, la pauvre femme...

— Elle aussi?

— Eh... Mais en beaucoup plus grave! s'exclama Dora
Elle, elle a un mari absolument terrible.

Giustino haussa les épaules en souriant tristement :

— D'un autre côté...

— Mais de quel autre côté? éclata Dora Barmis. Dans
certains cas il faut que le mari ait certaines considérations et pense que... Regardez : depuis quatre ou cinq
ans Mme Bertolé travaille à un poème, un très beau
poème, je vous assure, tout entremêlé de souvenirs
historiques, de sa propre famille : son grand-père fut
un véritable patriote, exilé à Londres, puis garibaldien;
son père est mort à Bezzeca. Eh bien, de penser qu'elle
a déjà en tête une pareille gestation, un poème, je vous
l'ai dit, un grand poème, et puis la voir en même
temps, oppressée, déformée, pour une autre raison...
Non, non, croyez-moi, c'est un bien cruel supplément.
Une chose ou l'autre, un point c'est tout!

— Je comprends, fit Giustino tout embarrassé. Mais
croyez-vous que ça ne m'ennuie pas, moi aussi? Car
pendant tout ce temps-là Silvia ne fera rien.

— Quel temps précieux de perdu! s'exclama Dora.

— C'est à moi que vous dites ça, ajouta Giustino. Tout
à perdre et rien à gagner. La famille qui s'accroît... et
qui sait avec combien de dépenses, de soins et de soucis.
Et puis il y aura l'éloignement. Parce que le garçon,
ou la fille si c'en est une, nous serons bien obligés de
l'envoyer au loin, en nourrice, chez sa grand-mère...

— A Tarente?

— Non, pas à Tarente. Il y a des années qu'elle est morte, la maman de Silvia. Chez ma mère à Cargiore.

— Cargiore? demanda Dora en s'allongeant sur le divan. Où se trouve Cargiore?

— En Piémont. Oh, un tout petit village dispersé, de quelques maisons, près de Turin.

— Parce que vous, vous êtes piémontais, n'est-ce pas? reprit Dora, disparaissant dans la fumée de cigarettes. Ça s'entend. Et comment diable avez-vous connu Silvia Roncella?

— Mais, fit Giustino, on m'avait envoyé là-bas, à Tarente, après mon concours des Archives notariales...

— Oh, le pauvre!

— Un an et demi d'exil; croyez-moi. Encore une chance que le père de Silvia, qui était alors mon chef...

— Aux archives?

— Chef archiviste, oui madame... Oh, un bon employé, pour ça! Et j'ai tout de suite été bien vu de lui.

— Et vous, espèce de brigand, vous séduisez son écrivain de fille?

— Obligatoirement... sourit Giustino.

— Comment obligatoirement? demanda Dora en s'ébrouant.

— Je dis obligatoirement, parce que, en y allant tous les jours... Un pauvre jeune homme, tout seul là-bas... Vous ne pouvez pas comprendre ce que c'est... Ayant toujours vécu avec ma mère; ma pauvre vieille maman; habitué à ses soins... M. Datti, député de ma circonscription, m'avait promis qu'il me ferait nommer à Rome, aux archives du Conseil d'État. Mais, vous pensez! Datti... Et puis ma mère aurait-elle pu me rejoindre là-bas? Il fallait donc absolument que je me marie. Mais ce n'est pas parce que Silvia était écrivain que je suis tombé amoureux d'elle, croyez-moi! A ce moment-là, je n'y pensais même pas, à la littérature. Je savais,

c'est vrai, que Silvia avait publié deux livres; mais
même ça, pour moi... Parlons d'autre chose.
— Non, non, racontez, racontez, l'encouragea Dora.
Vous me faites tellement plaisir.
— Mais il n'y a pas grand-chose à raconter, dit Gius-
tino. La première fois que je suis allé chez elle, je
pensais trouver... une jeune fille exaltée, extravagante...
Mais pas du tout! Simple, timide. Mais vous l'avez vue
vous-même...
— Quel amour! Vraiment un amour! s'exclama Dora.
— Et feu son père, mon beau-père...
— Ah, son père aussi est mort?
— Oui, madame, brutalement; un mois à peine après
notre mariage. Lui, le pauvre, il était fanatique. Mais
ça se comprend, son unique fille... Il s'en gargarisait;
il donnait à lire à tous ses employés ses livres et les
journaux qui en parlaient; là-bas, au bureau. Et c'est
de cette façon que je les ai lus, moi aussi, pour la
première fois...
— Par devoir professionnel, hein? demanda Dora en
riant.
— Il faut comprendre, fit Giustino. Et pourtant Silvia souffrait réellement de voir son père aussi pas-
sionné; elle ne permettait jamais qu'il en parle en
sa présence. Elle si calme, sans la moindre prétention,
même vestimentaire, voyez-vous. Elle vaquait aux soins
du ménage, faisant tout elle-même dans la maison.
Quand nous nous sommes mariés, elle m'a même fait
rire...
— Parce que vous auriez voulu pleurer?
— Mais non; je dis qu'elle m'a fait rire, parce qu'elle
a voulu m'avouer son « vice caché », comme elle l'appelait : celui d'écrire. Elle m'a demandé de bien vouloir
le respecter, mais qu'en compensation je ne m'aper-
cevrais jamais du moment où elle le ferait ni de la

façon dont elle s'y prendrait, au milieu des soins du ménage.

– Chérie! Et vous?

– Mais moi j'ai promis. Il n'empêche que, quelques mois après notre mariage, arriva d'Allemagne un mandat de trois cents marks, pour droits de traduction. Elle ne s'y attendait pas elle-même, Silvia, vous pensez bien! Mais toute contente, en son for intérieur, qu'on reconnaisse quelque mérite à ses livres, alors qu'elle-même ne le soupçonnait peut-être pas; ignorante, sans expérience, elle avait consenti à la demande de traduction des *Mouettes* (son second recueil de nouvelles), comme ça, sans rien en attendre...

– Et vous alors?

– Eh, j'ai ouvert l'œil, vous pensez bien! Il arrivait d'autres demandes des revues, des journaux. Et Silvia m'avoua qu'elle avait bien d'autres manuscrits de nouvelles et l'ébauche d'un roman... *La maison des nains...* Gratuitement? Comment gratuitement? Et pourquoi? N'était-ce pas un travail? Et le travail n'est-il pas fait pour rapporter? Dans ce domaine-là ces gens de lettres sont incapables de se faire valoir eux-mêmes. Il leur faut quelqu'un qui s'y connaisse et qui s'en occupe. Et moi, voyez-vous, dès que j'ai compris qu'on pouvait en tirer quelque chose, j'ai aussitôt commencé à récolter les renseignements nécessaires, méthodiquement; je me suis mis en rapport avec l'un de mes amis libraire à Turin pour avoir des indications sur le commerce des livres et avec les quelques rédacteurs de revues ou de journaux qui avaient fait de bons articles sur Silvia; j'ai également écrit à Raceni, je m'en souviens...

– Je m'en souviens aussi! s'exclama Dora en souriant.

– Il est si bon, ce Raceni! poursuivit Giustino. Ensuite j'ai étudié les lois concernant la propriété, bien sûr!

et aussi le traité de Berne relatif aux droits d'auteur...
C'est que la littérature est un champ, ma bonne dame,
qu'il faut disputer à l'exploitation éhontée de la presse
et de l'édition. Les premiers temps, ils m'en ont fait
voir de toutes les couleurs! Moi je signais des contrats,
comme ça, à l'aveuglette vous savez... Mais en voyant
ensuite comment allaient les choses... Silvia s'effrayait
des conditions que je posais; mais quand elle voyait
les prix acceptés et quand je lui montrais l'argent gagné,
elle était tout de même satisfaite... eh pardi! Pourtant,
vous savez, je peux vraiment dire que c'est moi qui
l'ai gagné, cet argent, parce qu'elle seule n'aurait su
tirer un sou de son travail.

– Quel homme précieux vous êtes, vous, Boggiolo!
dit Dora en se penchant pour le regarder de plus près.

– Je ne dis pas cela, dit Boggiolo, mais croyez bien
que les affaires, moi, je sais les traiter. Je m'y mets
avec application, voilà. Et je dois aussi beaucoup de
reconnaissance à mes amis; à Raceni, par exemple, qui
dès le début a été si bon pour ma femme. Et à vous
aussi...

– Moi? Mais non! Qu'est-ce que j'ai fait, moi? protesta vivement Dora.

– Vous aussi chère madame, vous aussi, répéta Giustino. Comme Raceni, si bonne... Et le sénateur Borghi?

– Ah, le véritable parrain de la renommée de votre
femme, c'est lui! dit Dora.

– C'est vrai madame, c'est vrai, confirma Boggiolo.
Et c'est aussi à lui que je dois ma venue à Rome, savez-
vous? Quel dommage, cette grossesse, juste à ce
moment-là...

– Vous voyez! s'exclama Dora. Et votre femme, qui
sait combien elle souffrira pour se séparer du petit!

– Mais! fit Boggiolo, puisqu'elle doit travailler...

– C'est bien triste! soupira Dora. Un enfant! Ce doit

être terrible de se voir, de se sentir mère! Moi, j'en mourrais de joie et d'épouvante! Mon Dieu! Mon Dieu, ne m'y faites pas penser.

Et elle sauta sur ses pieds, comme mue par un ressort; elle se dirigea vers le seuil de la chambre et chercha sous la tenture le bouton de la lumière électrique; puis elle se retourna pour dire d'une voix toute changée :

— Non, restons plutôt dans le noir... Cela vous plaît-il? *Daemmerung*.... Cette langueur du jour qui meurt rend triste mais elle fait aussi du bien. A moi, du bien et du mal. Que de fois ne suis-je devenue plus mauvaise, à méditer dans la pénombre? Je me tourmente et il me vient une envie angoissée de la maison des autres, de n'importe quelle maison qui ne soit pas comme celle-là...

— Mais c'est si beau ici..., dit Giustino en regardant autour de lui.

— Je veux dire, pas aussi solitaire... expliqua Dora, pas aussi triste... Vous les hommes, je vous hais tous, le savez-vous? Parce qu'il vous serait tellement plus facile d'être bons, et vous ne l'êtes pas et vous vous en vantez. Oh, combien d'hommes ai-je entendus rire de leurs perfidies, Boggiolo. Et j'en ai ri moi-même en les entendant. Mais après, en y repensant toute seule, à cette heure-ci, quelle envie, quelle envie me venait, certaines fois... de tuer! Allons, allons, mettons de le lumière, cela vaudra mieux!

Elle tourna le bouton et salua la lumière par un profond soupir. Elle était vraiment pâle, avec un voile de larmes dans ses yeux bistrés.

— Remarquez bien que je ne dis pas ça pour vous, ajouta-t-elle avec un sourire triste en retournant s'asseoir. Vous, vous êtes bon, je le vois. Voulez-vous être pour moi un ami sincère?

– J'en serais très heureux! s'empressa de répondre Giustino, un peu ému.

– Donnez-moi la main, reprit Dora. Vraiment sincère? J'en cherche un depuis si longtemps, qui me soit comme un frère...

Et elle lui serrait la main.

– Oui madame...

– Avec qui je puisse parler à cœur ouvert...

Et elle lui serrait la main de plus en plus fort.

– Oui madame...

– Ah si vous saviez comme il est douloureux de se sentir seule, seule dans son âme, vous comprenez? Parce que pour ce qui est du corps... Oh, ils ne regardent que mon corps, comment je suis faite... Mes hanches... ma poitrine... Ma bouche... Mais mes yeux, ils ne les regardent pas, parce qu'ils ont honte... Et moi, c'est dans les yeux que je veux être regardée, dans les yeux...

Et elle continuait à lui serrer la main.

– Oui madame, répétait Boggiolo, en la regardant dans les yeux, tout rouge et tout gêné.

– Parce que c'est dans mes yeux qu'est mon âme, mon âme qui cherche une âme à laquelle elle pourrait se confier et dire que ce n'est pas vrai que nous ne croyons pas à la bonté, que nous ne sommes pas sincères quand nous rions de tout, quand, pour paraître avoir vécu, nous devenons cyniques, Boggiolo, Boggiolo!

– Que dois-je faire? demanda Boggiolo dans un état pitoyable, égaré, exaspéré par l'étau de cette main si frêle et pourtant si nerveuse et si forte.

Dora Barmis se jeta en arrière pour mieux rire.

– Je parle sérieusement, dit alors Boggiolo, très fort et comme pour se reprendre. Si je puis faire quelque chose pour vous, madame, je suis là! Vous voulez un ami? Je suis là; je vous le dis vraiment.

– Merci, merci, répondit Dora en se redressant.

Excusez-moi d'avoir ri. Je vous crois; vous êtes trop...
oh mon Dieu... savez-vous que les muscles dont dépend
le rire n'obéissent pas à la volonté mais à certains
mouvements émotionnels inconscients? Je ne suis pas
habituée à une bonté comme la vôtre. La vie pour moi
a été mauvaise; et ayant affaire à des hommes méchants,
moi aussi... hélas... Je ne voudrais pas vous faire du
mal! Peut-être votre bonté s'abîmerait-elle... Non? Et
dans tous les cas, les autres jaseraient... Et moi aussi,
mais oui, en en parlant avec les autres, vous savez?
Je suis capable de me mettre à rire d'avoir été aussi
sincère avec vous, aujourd'hui... Assez, assez! Ne nous
faisons pas d'illusions. Savez-vous qui m'a demandé
des nouvelles de votre femme? La marquise Lampugnani. Vous aviez une invitation et vous n'y êtes pas
encore allés?

— Nous y allons, madame, demain soir, sans faute,
dit Giustino Boggiolo. Silvia n'a pas pu. Et c'est même
pour cela que je suis venu. Vous y serez, vous, demain
chez la marquise?

— Oui, oui, répondit Dora. Elle est si bonne, la marquise, et elle s'intéresse tellement à votre femme; elle
désire réellement la voir. Vous faites mener à votre
femme une vie trop retirée.

— Moi? s'exclama Giustino. Pas moi, madame; moi
je voudrais au contraire... Mais Silvia est encore un
peu... Je ne sais comment dire...

— Ne me la gâtez pas! lui cria Dora. Laissez-la telle
qu'elle est, par pitié! Ne la forcez pas...

— Non, d'accord, dit Giustino, mais pour savoir
comment se comporter, vous comprenez... Y a-t-il
beaucoup de monde qui va chez la marquise?

— Oh, les habitués, répondit Dora. Et demain il y
aura peut-être Gueli, si la Frezzi le permet, sait-on
jamais?

— La Frezzi? Qui est-ce?

— Une femme terrible, mon cher, répondit Dora Barmis. Celle qui tient Maurizio Gueli sous sa domination absolue.

— Ah, il n'est pas marié, Gueli?

— Il a la Frezzi, c'est tout comme, et même pire, pauvre Gueli! Il y a tout un drame là-dessous. Allons. Elle aime la musique, votre femme?

— Je crois, répondit Giustino tout embarrassé. Je ne sais pas très bien... Elle en a un peu entendu... Là-bas, à Tarente. Pourquoi? On fait beaucoup de musique chez la marquise?

— Oui, certaines fois, dit Dora. Bogler, la violoncelliste, vient avec Milani, Cordova et Furlini, et ils improvisent un quatuor.

— Eh oui, soupira Boggiolo. Une petite connaissance de la musique... de celle qui est difficile... de nos jours c'est vraiment nécessaire... Wagner...

— Non, pas Wagner pour le quatuor!... s'exclama Dora. Tchaïkovski, Dvorak... et ensuite, peut-être Glazounov, Mahler, Raff.

— Eh oui, soupira de nouveau Giustino. Il faudrait savoir tant de choses...

— Mais non! Il suffit de savoir les nommer, mon cher Boggiolo! dit Dora en riant. Ne vous faites donc aucun souci. Si je ne devais pas ménager ma profession, moi j'écrirais un livre que j'intitulerais *La foire* ou *Le bazar du savoir*... Proposez-le à votre femme, Boggiolo. Je vous parle très sérieusement! C'est moi qui lui passerai toutes les données, notes et documents. Une liste de ces noms difficiles... ensuite un tantinet d'histoire de l'art... — il suffit de lire n'importe quel petit traité — un soupçon d'hellénisme, ou même de pré-hellénisme, d'art mycénien et ainsi de suite — un peu de Nietzsche, un peu de Bergson, quelques conférences et... s'habituer à prendre le thé, cher Boggiolo. Vous, vous n'en prenez pas et vous avez tort. Celui qui prend du thé pour la première fois commence à comprendre aussitôt une quantité de choses. Voulez-vous essayer?

— Mais, j'en ai déjà pris quelquefois, dit Giustino.

— Et vous n'avez encore rien compris?

— A vrai dire, je préfère le café...

— Mon cher! Ne le dites surtout pas! Le thé, le thé : il faut vous habituer à prendre le thé, Boggiolo! Et demain soir vous viendrez *en frac* * chez la marquise; quant aux femmes, certaines viennent même *en décolleté* *.

— Je voulais justement vous demander... dit Giustino. Parce que Silvia...

— Mais voyons! l'interrompit Silvia en riant très fort. *Sans décolleté* *, elle, dans son état; ce n'est même pas la peine de le dire. Nous sommes d'accord?

Quelques instants plus tard, quand Giustino Boggiolo quitta la maison de Dora Barmis, la tête lui tournait comme un moulin à vent.

Depuis un bon moment, à côtoyer tel ou tel écrivain, il étudiait ce qu'il convenait de faire et comment les autres réussissaient à paraître, il observait leurs poses de grandeur. Mais tout cela lui paraissait flotter dans l'air. L'instabilité de la célébrité lui donnait des angoisses : elle évoquait pour lui l'hésitation suspendue de l'un de ces petits plumets argentés du chardon qu'emporte le moindre souffle de vent. La Mode pouvait d'un instant à l'autre propulser le nom de Silvia au septième ciel, comme le jeter à terre et l'expédier dans quelque sombre coin.

Il soupçonnait que Dora s'était un tout petit peu moquée de lui; mais il n'en admirait pas moins pour

---

* En français dans le texte.

autant l'esprit endiablé de cette femme. Ah comme sa
tâche eût été plus facile si Silvia avait possédé ne serait-
ce qu'une parcelle de cet esprit, de ces manières, de
cette maîtrise de soi. Lui-même en manquait aussi,
jusqu'à maintenant; il l'admettait : raison pour laquelle
il allait jusqu'à reconnaître à Dora Barmis le droit de
se moquer de lui. Ça lui était égal. N'était-ce pas là
une leçon, en fin de compte? Il lui fallait suivre cet
enseignement, cette orientation, accepter cette situation, quitte à subir au début quelques petites morti-
fications. Seul le but comptait. Et comme pour recueillir les fruits de ce premier enseignement, le soir même,
il rentra à la maison avec trois livres neufs à faire lire
à sa femme.

1. Une petite histoire de l'art illustrée.
2. Un livre français sur Nietzsche.
3. Un livre italien sur Richard Wagner.

3.

Mistress Roncella
two accouchements

La petite bonne des Abruzzes, qui riait chaque fois qu'elle voyait ce bonnet de bersagliere sur la tête de M. Ippolito, entra dans le bureau pour annoncer qu'il y avait là un monsieur étranger qui désirait parler à M. Giustino.

— Il est aux Archives!

— Il dit que si madame pouvait le recevoir...

— Espèce de dinde, tu ne sais donc pas que madame est... (et il montra avec ses mains comment elle était); ensuite il ajouta : — Fais-le entrer. C'est avec moi qu'il parlera.

La soubrette sortit, comme elle était rentrée, en riant. Quant à M. Ippolito il marmonna tout bas en se frottant les mains :

— Et moi je vais te l'arranger.

Un instant après entrait dans le bureau un monsieur très blond, avec une face rose de bébé ingénu et de drôles d'yeux bleus, hilares.

Ippolito Roncella fit mine d'ôter son bonnet, avec le plus grand soin.

— Je vous en prie, asseyez-vous donc. Ici, ici, sur ce

fauteuil. Vous permettez que je reste couvert. Je pourrais prendre froid.

Et il prit la carte que lui tendait le monsieur tout perdu et décontenancé : C. NATHAN CROWELL.

— Anglais?

— Non monsieur, américain, répondit Crowell en détachant chaque syllabe. Correspondant du journal américain *The nation,* New York. Monsieur Bóggiolo...

— Pardon Boggiólo.

— Ah, Boggiólo, merci. Monsieur-Boggiólo-accorde-entrevue-pour-nouvelle-grande-œuvre-grand-écrivain-italien-Silvia-Roncella.

— Ce matin? demanda M. Ippolito en faisant mine de se protéger de ses mains. (Ah quels chatouillements au ventre lui donnaient ce style télégraphique et les difficultés de prononciation de cet étranger!)

M. Crowell se leva, il sortit un carnet de sa poche et montra sur l'une des pages le rendez-vous écrit au crayon : *Monsieur Boggiolo, thursday, 23 (morning).*

— Voyons... Je n'y comprends rien; mais ça n'a pas d'importance, dit M. Ippolito. Asseyez-vous. Mon neveu, comme vous pouvez le constater, n'est pas ici.

— Ne-veu?

— Oui monsieur, Giustino Boggiolo, mon ne-veu... Neveu, vous connaissez? en latin ce serait : nepos; nipote en italien. L'anglais moi je ne le sais pas. Et vous, vous comprenez l'italien?

— Oui, un peu, répondit M. Crowell de plus en plus perdu et déconcerté.

— Encore une chance! reprit M. Ippolito. Mais en attendant, *neveu* hein?... En vérité mon neveu, je ne le comprends pas moi non plus. Mais laissons cela. Comme vous le voyez, il y a un contretemps.

M. Crowell s'agita discrètement sur sa chaise, comme

si certaines paroles lui avaient réellement fait mal et qu'il jugeait ne pas les mériter.

– Voici, je m'explique, dit M. Ippolito en s'agitant un peu lui aussi. Giustino est allé à son bureau... bu-bu-bureau, à son bureau, oui monsieur (Archives notariales). Il y est allé pour demander la permission... Encore, oui! Et il y perdra son emploi c'est moi qui vous le dis! La permission de s'absenter. En effet, hier soir, nous avons eu une belle consolation.

A cette nouvelle M. Crowell resta d'abord un peu perplexe, puis il éclata brusquement d'un rire violent; comme si enfin la lumière s'était faite.

– Conslechon? répéta-t-il les yeux pleins de larmes. Vraiment, consléchon?

Cette fois-ci M. Ippolito resta coi.

– Mais non, je vous en prie, dit-il hors de lui. Qu'avez-vous donc compris? Nous avons reçu un télégramme par lequel Mme Velia Boggiolo, qui serait, semble-t-il, la mère de Giustino, oui monsieur, nous annonce son arrivée pour aujourd'hui; et pas pour une réjouissance, puisqu'elle vient pour assister ma nièce, Silvia, qui, enfin... est sur le point... dans quelques jours... un garçon ou une fille. Et nous espérons tous que ce sera un garçon, parce que s'il naît une fille et qu'elle aussi se met à écrire... Que Dieu nous en préserve, monsieur! Avez-vous compris?

(Je parie qu'il n'y a pas compris un traître mot, marmonna-t-il tout bas en le regardant.)

M. Crowell lui sourit.

M. Ippolito sourit à son tour à M. Crowell.

Et tous deux se regardèrent ainsi, en souriant, pendant un bon moment. Quelle belle chose, hein? Bien sûr, bien sûr...

Mais maintenant il fallait reprendre la conversation par le commencement.

97

— Il me semble, tout compte fait, que vous ne le pigez pas trop bien, l'italien, dit avec bonhomie M. Ippolito.

— Pardonnez-moi : ac... acc-coucher.

— Ah oui, accoucher, très bien, affirma Crowell.

— Dieu soit loué! s'exclama Roncella. Maintenant ma nièce...

— Une grande œuvre, un drame?

— Non monsieur, un enfant! Un enfant de chair. Eh, vous en avez du mal à comprendre certaines choses! Et moi qui veux rester poli! Le drame est déjà né. Les répétitions ont commencé avant-hier, au théâtre. Et peut-être, qui sait, tous deux viendront-ils au monde en même temps, le drame et l'enfant. Deux accouchements... oui accouchements au pluriel... accouchements dans le sens de... de... accoucher, là, mettre au monde, vous comprenez?

M. Crowell devint très sérieux; il se redressa; il pâlit; il dit :

— Très intéressant.

Et il tira de sa poche un autre calepin dans lequel il nota prestement : *Mrs Roncella two accouchements.*

— Mais veuillez croire, reprit Ippolito Roncella soulagé et satisfait, que tout cela n'est rien. Il y a bien mieux! Vous, vous croyez que ma nièce Silvia mérite autant de considération? Je ne dis pas non; elle est certainement un grand écrivain. Mais dans cette maison il y a quelqu'un de beaucoup plus grand qu'elle et qui mérite d'être pris en plus haute considération par la presse internationale.

— Vraiment? Ici? Dans cette maison? demanda M. Crowell en roulant les yeux.

— Oui monsieur, répondit Roncella. Oh, pas moi, vous savez! Le mari, le mari de Silvia...

— M. Bóggiolo?

– Si vous voulez l'appeler Bóggiolo, ça ira quand même, mais je vous ai déjà dit qu'il s'appelle Boggiólo. Infiniment plus grand ! Regardez, Silvia elle-même, ma nièce reconnaît qu'elle ne serait rien, ou bien peu de chose, sans lui.

– Très intéressant, répéta avec le même air qu'avant M. Crowell; mais il était encore un peu plus pâle.

Et Ippolito Roncella :

– Oui monsieur. Et si vous le désirez, je pourrais vous parler de lui jusqu'à demain matin. Et vous m'en remercieriez.

– Oh oui, moi beaucoup remercier, monsieur, dit-il en se levant et s'inclinant à plusieurs reprises.

– Non, je disais, reprit M. Ippolito, asseyez-vous, asseyez-vous, par pitié ! Vous me remercieriez, disais-je parce que votre, comment l'appelez-vous ? Interview, oui, oui interview... votre interview serait d'autant plus... d'autant plus... savoureuse, dirons-nous, du fait qu'elle comporterait des nouvelles du dernier drame de Silvia. Moi personnellement je ne pourrais pas vous en dire grand-chose, parce que la littérature n'est pas mon affaire et que je n'ai jamais lu une ligne, ce qui s'appelle une ligne, de ma nièce. Par principe, savez-vous ? et puis aussi un peu pour apporter à la famille un équilibre salutaire. Il en lit tant, lui, mon neveu ! Et s'il se contentait de les lire... Excusez-moi, est-ce vrai qu'en Amérique les écrivains sont payés au mot ?

M. Crowell s'empressa de dire que c'était vrai et il ajouta que chaque mot des écrivains les plus célèbres était habituellement payé une lire, et même deux et jusqu'à deux lires cinquante centimes de notre monnaie.

– Jésus ! Jésus ! s'exclama M. Ippolito. Si par exemple j'écris : *Fi donc,* deux lires et demie ? Alors j'imagine que les Américains n'écriront jamais *oui* ou *non* mais toujours *oui oui, non non.* Maintenant je comprends pourquoi ce pauvre garçon... Quel calvaire ce doit être pour lui de compter les mots que gribouille sa femme et de penser à ce qu'il gagnerait en Amérique. C'est pour ça que je dis toujours que l'Italie est un pays de gueux et d'analphabètes... Cher monsieur, chez nous les mots valent bien meilleur marché; et c'est pour ça que nous nous défoulons par tant de bavardages; on peut même dire que nous ne faisons que ça!

Et Dieu sait où en serait arrivé M. Ippolito ce matin-là si Giustino n'était survenu précipitamment pour lui ôter des griffes cette innocente victime.

Giustino était à bout de souffle; le visage en feu et couvert de sueur il lança à son oncle un coup d'œil féroce puis, baragouinant en anglais, il s'excusa de son retard auprès de M. Crowell et le pria de bien vouloir remettre l'interview au soir, parce que pour le moment il était terriblement pressé : il devait aller prendre sa mère à la gare, ensuite passer au *Valle* pour la répétition du drame, ensuite...

— Mais moi j'étais en train de m'occuper de lui! dit M. Ippolito.

— Vous, vous devriez au moins ne pas vous mêler de ces affaires-là, ne put s'empêcher de lui répondre Giustino. On dirait que vous le faites exprès! Il se tourna de nouveau vers l'Américain et le pria de bien vouloir l'attendre un instant : il voulait aller voir comment allait sa femme, ensuite ils partiraient ensemble.

— Il y perdra son emploi, il y perdra son emploi, aussi vrai que Dieu existe! répéta M. Ippolito en se frottant les mains avec jubilation, dès que Giustino eut franchi le seuil.

— Il a perdu la tête et maintenant il perd son emploi. M. Crowell souriait toujours.

Aux Archives Giustino s'était effectivement disputé

avec le chef archiviste, qui ne voulait pas lui permettre de s'absenter encore ce matin-là, après avoir déjà obtenu, pendant plusieurs jours de suite, de ne pas revenir au bureau l'après-midi afin d'assister aux répétitions.

— C'est trop, lui avait-il dit, c'est trop, cher monsieur Roncello*!

— Roncello? s'était exclamé Giustino mortifié.

Il ignorait qu'aux Archives tous ses collègues de bureau l'appelaient ainsi, sans plus même y faire attention.

— Boggiolo, oui... pardon... Boggiolo, s'était aussitôt repris le chef archiviste. Je confondais avec le nom de votre illustre épouse. Du reste cela me semble tout à fait naturel.

— Comment?

— Ne le prenez pas mal, et permettez plutôt que je vous parle comme un père : vous-même, cavaliere Boggiolo, vous paraissez tout faire pour... pour vous mettre à la place de votre femme. Vous seriez un brave employé, consciencieux, intelligent... Mais... dois-je vous le dire? Vous faites trop... trop pour votre femme, voilà.

— Mais c'est Silvia Roncella, ma femme, avait marmonné Giustino.

Et le chef archiviste :

— Enchanté! Et ma femme à moi est donna Rosalina Caruso. Vous comprendrez que ce n'est pas une raison suffisante pour que je ne fasse pas mon devoir. Ça ira pour ce matin. Mais pensez bien à ce que je vous ai dit.

S'étant libéré de M. Crowell au pied de l'escalier, Giustino Boggiolo, fortement agacé par ces minables et vulgaires contrariétés à la veille d'une grande bataille,

---

* Plaisanterie reposant sur la masculinisation du nom de Roncella.

se dirigea presque au pas de course vers la gare, tout
en tenant un livre ouvert sous les yeux ; sa grammaire
anglaise.

Après avoir dépassé l'arrêt de Santa Susanna, il mit
son livre sous son bras : il regarda sa montre, sortit
de la poche de son gilet une lire et la fourra aussitôt
dans un porte-monnaie qu'il gardait dans la poche
extérieure de son pantalon; puis il prit un carnet sur
lequel il écrivit au crayon :

— Voiture pour la gare... L. 1, 00.

Il l'avait gagnée.

Dans cinq minutes il serait à la gare juste à temps
pour le train qui arrivait de Turin. Il est vrai qu'il
était tout en nage et bien essoufflé, mais... une lire est
toujours une lire.

A celui qui aurait eu la légèreté de l'accuser de
pingrerie, Giustino Boggiolo aurait pu donner à feuilleter son fameux carnet où se trouvaient les preuves
les plus flagrantes, non seulement de ce qu'il était
grand seigneur dans ses intentions, mais aussi de la
générosité de ses sentiments et de la noblesse de ses
pensées, de la grandeur de ses vues, si ce n'est de la
propension qu'il aurait eue — déplorable au possible —
à la dépense.

Était en effet consigné dans ce carnet tout l'argent
qu'il aurait dépensé s'il n'avait équilibré son budget.
Et cela représentait des journées entières de lutte avec
lui-même, ces chiffres, et de pénibles ergotages et un
va-et-vient sans fin de raisons opposées, de subtils cal-
culs d'opportunité : souscriptions publiques, fêtes de
bienfaisance pour des catastrophes régionales ou nationales auxquelles, par d'ingénieux subterfuges et sans
pour autant faire mauvaise figure, il *n'avait pas* participé; ravissants petits chapeaux à trente-cinq à quarante lires pièce qu'il *n'avait jamais* achetés à sa femme,

fauteuils de théâtre à vingt lires pour des représentations exceptionnelles auxquélles il *n'*avait *jamais*
assisté; et puis... et puis toutes ces petites dépenses
quotidiennes inscrites là en témoignage, au moins, de
son bon cœur! Voyait-il par exemple, en allant à son
bureau ou en en revenant, un pauvre aveugle qui faisait
vraiment pitié? Lui il en était ému avant tout autre
passant : il s'arrêtait pour observer de loin la misère
de ce malheureux et il se disait en lui-même :

« Qui ne lui donnerait pas deux sous? »

Et bien souvent il les tirait réellement de son porte-
monnaie et il était sur le point de s'approcher de lui
pour les lui donner, quand brusquement une considération, puis une autre et toutes ensemble, angois-
santes, lui faisaient froncer les sourcils, souffler, baisser
la main et la guider tout doucement vers le porte-
monnaie de son pantalon, pour ensuite noter, avec un
soupir, sur le carnet : *Aumône, lire 0, centime 10.* Parce
que le bon cœur est une chose, l'argent en est une
autre; si le bon cœur est un tyran, l'argent l'est encore
davantage; et cela coûte plus de ne pas donner que de
donner, quand on ne peut pas.

C'est que la famille commençait à s'accroître! Et qui
en supportait le poids? De sorte que, dans sa conscience
d'honnête homme, il ne pouvait s'accorder davantage
que d'avoir eu tel jour un noble désir, une généreuse
intention, un geste pour secourir l'humaine misère.

Il n'avait pas revu sa mère depuis plus de quatre
ans, c'est-à-dire depuis qu'on l'avait expédié à Tarente.
Que de choses s'étaient passées durant ces quatre années,
et comme il se sentait changé maintenant que l'arri-

vée imminente de sa mère lui rappelait la vie qu'il avait partagée avec elle, les humbles et saintes affections entretenues avec rigueur, les pensées modestes dont tant d'événements imprévus l'avaient détaché, éloigné!

Cette vie paisible et solitaire, parmi les neiges et les prés verts bruissant d'eau, parmi les châtaigniers de son cher Cargiore veillé par le perpétuel gargouillis du Sangone, ces affections, ces pensées, il allait bientôt les embrasser en embrassant sa mère, mais non sans un pénible malaise intérieur et une conscience pas très tranquille.

Lorsqu'il s'était marié, il avait caché à sa mère que Silvia était écrivain; en revanche il lui avait longuement parlé dans ses lettres des qualités qui avaient le plus de chances de lui plaire, et qui n'en étaient pas moins réelles; mais c'est justement pour cette raison que son malaise était alors si aigu : parce que c'était lui en personne qui avait incité sa femme à trahir ces qualités; et si à l'heure actuelle Silvia faisait un bond du livre à la scène, c'était lui qui l'avait poussée à le faire. Et sa mère s'en apercevrait certainement très rapidement en trouvant Silvia délaissée et uniquement occupée de ses soucis de mère, bien loin de toute idée ne se rapportant pas à son triste état; et lui, tout au contraire, là-bas, au milieu des acteurs, dans les tourments d'une « première ».

Sans doute n'était-il plus un enfant; il devait désormais se diriger avec sa propre tête; il ne voyait rien de mal à ce qu'il faisait; toutefois, en bon fils qu'il avait toujours été, obéissant et toujours soumis aux désirs, à la façon de penser et de sentir de sa bonne maman, il se tourmentait à l'idée de n'avoir pas son entière approbation, et même de faire quelque chose qui allait certainement lui déplaire, et pas qu'un peu!

Et il s'en tourmentait d'autant plus qu'il prévoyait que la chère vieille dame, venue d'aussi loin, par amour pour lui, souffrir avec sa belle-fille, ne lui manifesterait en aucune façon sa désapprobation ni ne lui ferait le moindre reproche.

Il y avait beaucoup de monde qui attendait le train de Turin, déjà en retard. Pour se distraire de ces désagréables pensées, il s'efforçait de fixer son attention sur sa grammaire anglaise, tout en allant et venant sur le quai; mais à chaque sifflement de train il se retournait ou s'immobilisait.

On donna enfin le signal de l'arrivée. Tous ceux qui attendaient se massèrent, les yeux rivés sur le convoi qui entrait. Les premières portières s'ouvrirent; les gens accoururent, un peu anxieux, cherchant d'une voiture à l'autre.

– La voici! dit Giustino s'illuminant et cherchant à s'extraire de la foule, pour rejoindre une des dernières voitures de seconde classe à la portière de laquelle était apparue, l'air égaré, la tête d'une petite vieille toute pâle, vêtue de noir. – Maman! Maman!

Celle-ci se retourna, leva la main et lui sourit de ses yeux noirs, intenses, dont la vivacité contrastait avec la pâleur du visage déjà marqué par l'âge.

Tout à la joie de retrouver son fils, la petite Mme Velia chercha une sorte de refuge dans l'effarement qui l'avait oppressée durant tout le voyage et dans les innombrables impressions nouvelles qui avaient tumultueusement envahi son âme fatiguée, fermée et resserrée depuis des années sur les relations habituelles de sa petite vie étriquée.

Elle était comme étourdie et ne répondait que par monosyllabes. Elle avait l'impression que son fils était devenu un autre, dans tout ce monde et toute cette confusion; jusqu'au son de sa voix, son regard, l'expression de son visage, tout lui semblait changé. Et c'est exactement la même impression qu'éprouvait Giustino en voyant sa mère. Ils sentaient tous deux qu'entre eux quelque chose s'était comme disjoint, relâché : cette intimité naturelle qui auparavant les empêchait de se voir tels qu'ils se voyaient à présent; non plus comme un seul et même être, mais comme deux êtres; pas encore différents, mais déjà détachés. En effet, ne s'était-il pas nourri, loin d'elle – pensait la mère – d'une vie qui lui était étrangère? N'avait-il pas à présent auprès de lui une femme qu'elle ne connaissait pas et qui devait certainement lui être devenue plus chère qu'elle-même?

Cependant lorsqu'elle se trouva, enfin, seule avec lui dans la voiture et qu'elle vit sains et saufs la valise et le petit sac qu'elle avait emportés, elle se sentit soulagée et réconfortée.

– Et ta femme? demanda-t-elle ensuite, en montrant par le son de sa voix et par son regard qu'elle en était très soucieuse.

– Elle t'attend avec une grande impatience, lui répondit Giustino. Elle souffre beaucoup.

– Eh, la pauvre petite... soupira Mme Velia en fermant à demi les yeux. Et j'ai bien peur que moi... Je ne puisse faire que bien peu de chose... parce qu'elle est sans doute... je ne serai...

– Mais voyons! l'interrompit Giustino, ne te mets pas de telles idées en tête, maman! Tu verras comme elle est bonne...

– Mais je le crois, je le sais bien, s'empressa de dire Mme Velia. Je parle pour moi...

– Parce que tu t'imagines qu'une femme qui écrit doit obligatoirement être une... une prétentieuse? être vaniteuse?... Pas du tout! Tu verras... Elle est même trop... trop modeste... Elle fait mon désespoir! Oui, et puis dans son état... Allons, allons, petite mère, elle est comme toi, tu sais? Aucune différence...

La vieille dame approuva de la tête mais ces paroles blessèrent son cœur. Elle, elle était la mère; et à présent une autre femme était pour son fils : *comme elle, sans aucune différence...* Mais elle approuva, elle approuva de la tête.

— Et c'est moi qui fais tout! poursuivit Giustino. Les affaires, c'est moi qui les traite. Du reste à Rome, chère maman, où tout vaut le double... tu ne peux pas t'en faire une idée! si on ne fait pas feu de tout bois... Elle, elle travaille à la maison; et moi, à l'extérieur, je m'arrange pour que son travail rapporte...

— Et... ça rapporte, est-ce que ça rapporte? demanda timidement la mère en s'efforçant d'atténuer l'intensité de son regard.

— Oui, mais parce que je suis là, moi, pour le faire rapporter! répondit Giustino. C'est mon œuvre à moi, il ne faut pas croire! C'est moi, tout est mon œuvre... Ce qu'elle fait, elle... mais oui, rien, ce serait comme rien. Parce que la chose... la... la littérature, tu comprends? c'est une chose qui... qu'on peut faire ou ne pas faire, selon les jours... Aujourd'hui il te vient une idée; tu es capable de l'écrire et tu l'écris... Qu'est-ce que ça te coûte? Ça ne te coûte rien! Parce qu'en elle-même la littérature n'est rien; elle ne donne et ne donnerait pas le moindre fruit, s'il n'y avait... s'il n'y avait pas... s'il n'y avait pas moi, voilà! Moi je fais tout! Et si elle est à présent connue en Italie...

— Bravo, bravo... tenta d'interrompre Mme Velia. Puis elle risqua : — Est-elle aussi connue chez nous?

— Mais même hors d'Italie! s'exclama Giustino. Je traite avec la France, moi! Avec la France, l'Allemagne, l'Espagne. Et maintenant je commence avec l'Angleterre! Tu vois? J'apprends l'anglais. Mais c'est une affaire sérieuse, l'Angleterre. Bref, l'année dernière, tu sais combien? Huit mille cinq cent quarante-cinq lires, entre les originaux et les traductions. Davantage avec les traductions.

— Tant que ça! s'exclama Mme Velia, retombant dans son effarement.

— Et qu'est-ce que c'est? ricana Giustino. Tu me fais rire... Si tu savais ce qu'on gagne en Amérique, en Angleterre! Cent mille lires comme rien. Mais cette année, qui sait!

Et au lieu d'atténuer, il se sentait comme poussé à exagérer à cause d'une irritation qu'il feignait d'attribuer, en son for intérieur, à l'étroitesse d'esprit de sa mère, alors qu'au fond elle venait de sa gêne intérieure, de son remords.

Sa mère le regarda et baissa aussitôt les yeux.

Ah comme il était pris, tout entier, son fils, par les idées de sa femme! De quels gains ne rêvait-il pas! Il ne lui avait même rien demandé du pays; et à elle tout juste un mot sur sa santé et la façon dont elle avait voyagé. Elle soupira et dit, comme si elle revenait de loin :

— Graziella t'envoie toutes ses salutations, tu sais?

— Ah qu'elle est brave! s'exclama Giustino. Comment va-t-elle, ma nourrice?

— Elle commence à être gâteuse, comme moi, lui répondit la mère. Mais tu sais qu'elle est de toute confiance. Prever lui aussi t'envoie ses amitiés.

— Toujours aussi fou? demanda Giustino.

— Toujours, fit la vieille dame en souriant.

— Et il veut toujours t'épouser?

Mme Velia agita la main, comme pour chasser une mouche, puis elle sourit et répéta :

— Il est fou... fou... Sais-tu que nous avons déjà de

la neige à Cargiore. Sur la Roccia Vré et sur le Rubinett!

— Si tout va bien, dit Giustino, qui sait si après
l'accouchement Silvia n'irait pas avec toi à Cargiore,
pour quelques mois...

— Là-haut, avec la neige? demanda-t-elle tout ébahie.

— Raison de plus! s'exclama Giustino. Ça lui plairait
tellement; elle n'en a jamais vu! Et moi je devrais me
déplacer pour mes affaires, sans doute... Espérons! Mais
nous reparlerons longuement de tout cela. Tu verras
que tu t'entendras tout de suite avec Silvia, la pauvre,
elle qui a grandi sans sa mère...

Et il en fut réellement ainsi. Dès qu'elle la vit,
Mme Velia lut dans les yeux plaintifs de Silvia le désir
d'être aimée comme une fille, et Silvia dans ses yeux
à elle la crainte et le chagrin de ne pas suffire, avec
son affection toute simple, au devoir pour lequel son
fils l'avait appelée. Aussitôt l'une et l'autre s'empressèrent de satisfaire ce désir et de chasser cette
crainte.

— Je vous avais imaginée absolument comme cela!
dit Silvia, les yeux pleins d'affectueux respect. C'est
drôle, j'ai l'impression de vous avoir toujours connue...

— Ici, rien! répondit Mme Velia en levant la main vers
son front. Mais du cœur, oui ma fille, autant que tu
en voudras...

— Vive le pain de ménage! s'exclama M. Ippolito, ravi
de voir enfin une brave femme à l'ancienne. Du cœur,
du cœur, oui, comme vous le dites, madame! Du cœur
il en faut et maudite soit la tête. Vous qui êtes sa mère,

faites ce miracle! Otez ce soufflet des mains de votre fils!

— Un soufflet? demanda Mme Velia qui ne comprenait pas et regardait les mains de son fils.

— Un soufflet, oui madame, répondit M. Ippolito. Un certain petit soufflet qu'il fourre dans le creux de l'oreille de cette pauvre fille pour souffler, souffler, souffler jusqu'à lui faire une tête grosse comme ça!

— Pauvre Giustino, fit Silvia avec un sourire en se retournant vers sa belle-mère. Il ne faut pas l'écouter, vous savez?

Giustino se tortillait comme une limace au milieu des flammes.

— Qu'est-ce que je parie que madame me comprend? reprit l'oncle Ippolito. Encore une chance que cette grande idiote, ma chère dame, ne prenne pas le vent! Elle a du cœur, elle aussi, et solide, vous savez? autrement à l'heure qu'il est, son cerveau, un ballon... là-haut dans les nuages, s'il n'avait pas eu un peu de lest, ici, dans la nacelle du cœur... Non, moi je n'écris pas, rassurez-vous; quand je m'y mets, je parle bien et ma nièce me vole même des images... Bêtises que tout cela!

Puis il partit, en haussant les épaules, fumer dans le petit bureau.

— Un peu fou, mais si bon, dit Silvia pour rassurer la vieille dame effarée. Il ne peut pas souffrir que Giustino...

— Mais je l'ai déjà dit à maman! coupa ce dernier, excédé. C'est moi qui fais tout. Lui il fume et moi je pense à gagner des sous! Nous sommes à Rome, que diable! Écoute, Silvia, maintenant maman va se mettre à l'aise et ensuite nous dînerons. Tout de suite après je dois filer à la répétition. Tu sais que mes minutes sont comptées. Oh, à propos, je voulais te dire que la Carmi...

– Oh, mon Dieu non, Giustino! supplia Silvia. Ne me dis rien aujourd'hui, par pitié!

– Et de deux et de trois! éclata finalement Giustino finissant par perdre patience. Tous contre moi! C'est bon... Il faut pourtant que je te le dise, ma chère! Tu aurais pu te débarrasser de cette corvée d'un seul coup, en recevant la Carmi.

– Mais comment? Était-ce possible dans cet état? Dites-lui vous, maman...

– Que veux-tu que ma mère en sache! s'exclama Giustino, plus énervé que jamais. La belle affaire! N'est-elle pas une femme, elle aussi, la Carmi? Elle aussi elle a un mari et elle a fabriqué des enfants, elle aussi. Une actrice... Vraiment! Et si ta pièce doit être représentée il faut bien que les actrices y soient. Toi, tu ne peux pas aller au théâtre pour assister aux répétitions. Moi, j'y suis, moi j'ai pensé à tout. Mais tu devrais quand même comprendre que si celle-ci désire quelques éclaircissements sur le rôle qu'elle doit tenir, c'est à toi qu'elle doit les demander. La recevoir? non monsieur! En parler avec moi? pas davantage? Alors qu'est-ce que je dois faire, moi?

– Après, après, dit Silvia pour couper court à ce discours. Pour l'instant laisse-moi m'occuper de ta mère.

Et Giustino partit en toute hâte.

Il était tellement pris et enflammé par la bataille imminente qu'il ne faisait même plus attention au désarroi de sa femme chaque fois qu'il abordait le sujet du drame.

Quel déplorable contretemps, en vérité, que *La nouvelle colonie* dût justement être mise en scène au moment où Silvia se trouvait dans cet état-là. Mais il s'était trompé en comptant les mois : il avait calculé que pour octobre sa femme serait délivrée; alors que...

La compagnie Carmi-Revelli, engagée au Valle précisément pour ce mois, comptait surtout sur *La nouvelle colonie* dont elle s'était assuré la primeur plusieurs mois à l'avance.

Le chevalier Claudio Revelli, directeur et metteur en scène, détestait cordialement, comme tous ses collègues directeurs et metteurs en scène, les œuvres dramatiques italiennes; mais Giustino Boggiolo, durant ce mois de préparation, aidé de ceux qui en compensation y prenaient plaisir, avait su faire un tel battage autour de ce drame qu'il était désormais attendu comme un véritable et grand événement artistique, promettant de rapporter presque autant que toutes ces obscènes comédies parisiennes. Raison pour laquelle Revelli crut pouvoir, au moins pour cette fois, répondre aux vœux ardents et impatients de son associée et première actrice de la compagnie : Mme Laura Carmi; cette dernière affichant une fervente prédilection pour les auteurs de théâtre italien et un profond mépris pour tous les petits à-côtés de la scène. Il ne voulut donc rien entendre lorsqu'on parla de renvoyer la représentation du drame en novembre suivant à Naples. Car, ce faisant, il aurait perdu non seulement la primeur, mais aussi la « place » de Rome dans le roulement; puisqu'une autre compagnie qui jouait actuellement à Bologne et attendait l'autorisation de Rome pour mettre en scène *La nouvelle colonie* l'obtiendrait aussitôt et serait ainsi la première à l'offrir d'abord au jugement du public bolognais, puis en décembre, à celui de Rome.

Giustino ne pouvait donc réellement pas éviter ces tracas à sa femme.

Celle-ci avait beaucoup souffert pendant l'été. Mme Faccioli l'avait vivement priée et suppliée de l'accompagner en villégiature à Catino, près de Farfa; de là-bas elle lui avait envoyé une quantité de lettres

l'invitant chaleureusement et des cartes postales illus-
trées; Silvia n'avait non seulement pas voulu bouger
de Rome mais se refusait même à sortir de chez elle,
éprouvant honte et dégoût à l'égard de sa propre dif-
formité qui lui semblait une dérision de la nature,
cruelle et indécente.

— Tu as raison ma fille! lui disait l'oncle Ippolito.
Elle est bien plus gentille avec les poules, la nature :
un œuf et la chaleur maternelle et le tour est joué!

— En effet! marmonnait Giustino. C'est bien d'un
poussin qu'il s'agit!

— Mais pour l'ânesse, mon cher! lui rétorquait
M. Ippolito, est-ce un homme qui naît de l'ânesse? Et
ça te semble gentil de traiter une femme comme une
ânesse?

Silvia ébauchait un pâle sourire. Heureusement qu'il
était à la maison, son oncle, car avec ses « mots-fusées »
il la secouait de temps en temps de sa torpeur et de
l'hébétude dans laquelle elle se sentait tombée.

Sous le poids d'une réalité aussi oppressante, elle
éprouvait à cette époque un profond dégoût pour tout
ce qui dans le domaine de l'art, comme dans la vie
elle-même, est obligatoirement conventionnel. Et même
ses œuvres, pourtant si fréquemment violentées par
d'intempestives irruptions de vie, semblables à de
grands souffles de vent ou d'impétueuses ondées, irruptions parfois contraires à sa propre conception, lui
semblaient à présent fausses, la dégoûtaient.

Et le drame?

Elle s'efforçait de ne pas y penser, pour ne pas s'agi-
ter. Cependant la crudité de certaines scènes l'assaillait
parfois jusqu'à lui couper le souffle. Il lui paraissait à
présent monstrueux, ce drame.

Elle avait imaginé une petite île d'Ionie très fertile,
jadis pénitencier, abandonnée à la suite d'un tremble-

ment de terre qui avait fait un tas de ruines de la grande ville qui s'y était dressée. Délaissée par les quelques survivants, elle était demeurée déserte durant bien des années, probablement vouée à disparaître un jour ou l'autre dans les flots.

C'est là que se déroulait le drame.

Une première colonie de marins d'Otrante, rustres et primitifs, est allée secrètement nicher parmi ces ruines, en dépit de la terrible menace qui pèse sur l'île. Et ils vivent là, en marge de toute loi, presque hors du temps. Parmi eux, une seule femme : la Spera, fille des rues désormais honorée comme une reine, vénérée comme une sainte et férocement disputée à celui qui l'a emmenée avec lui, un certain Currao, devenu par ce seul fait chef de la colonie. Mais Currao est également le plus fort et, les dominant tous, il garde pour lui la femme qui dans cette vie nouvelle est devenue une autre et a en quelque sorte reconquis ses vertus naturelles; elle procure à ces hommes un foyer et leur dispense un certain confort familial; de plus elle a donné à Currao un fils qu'il adore.

Mais un jour, l'un des marins, le rival le plus acharné de Currao, surpris par ce dernier en train de violenter la femme, est terrassé et disparaît de l'île. Peut-être a-t-il pris la mer sur une simple planche; peut-être a-t-il rejoint à la nage quelque navire passant au loin.

Quelque temps après, une nouvelle colonie conduite par le fugitif débarque dans l'île : d'autres marins qui amènent avec eux leurs femmes, mères, épouses, filles et sœurs. Lorsque les hommes de la première colonie, sous le commandement de Currao, s'aperçoivent de cela, ils cessent de s'opposer à leur approche. Ce dernier reste seul et perd du coup tout son pouvoir et la Spera redevient aussitôt pour eux tout ce qu'elle était auparavant. Mais si elle le regrette ce n'est pas tant pour elle que pour lui; elle se rend bien compte, elle comprend que lui, jadis si fier d'elle, la renie désormais et elle ne supporte pas facilement ce mépris. A la fin la Spera s'aperçoit que Currao, pour se relever à ses propres yeux (et aux yeux des autres) projette de l'abandonner. Tout en se moquant d'elle, quelques marins, ceux-là mêmes qui soupiraient vainement après elle, viennent lui dire que Currao ne se soucie plus de la faire surveiller elle, mais bien plutôt *Mita* la fille d'un vieux marin, *padron Dodo* qui est en quelque sorte le chef de la nouvelle colonie. La Spera le sait mais elle s'accroche à son enfant, espérant ainsi retenir l'homme qui la fuit... Cependant padron Dodo ne consentira aux noces qui si Currao prend l'enfant avec lui. La Spera prie, conjure, se retourne vers les autres pour qu'ils interviennent. Personne ne consent à l'écouter. Elle se met alors à supplier le vieux et sa fille, mais l'un lui démontre qu'elle devrait être heureuse de voir son enfant rester avec son père et l'autre l'assure qu'elle traitera convenablement le petit garçon. Désespérée, pour ne pas abandonner son petit et pour frapper au cœur l'homme qui la délaisse, la femme, dans un geste de folie furieuse, embrasse la petite créature et dans cette terrible étreinte l'étouffe en rugissant. Tout de suite après ce cri, un rocher tombe, puis un autre, lugubres dans l'horrible silence qui suit ce crime; et d'autres cris lointains s'élèvent de toute l'île. La Spera habite en haut d'une colline, au milieu des ruines d'une maison qui s'est écroulée au moment du premier désastre : on dirait qu'elle ne sait pas bien si c'est elle qui par son rugissement a fait tomber ces rochers et suscité ces cris d'horreur. Mais non, non, c'est la terre! Elle se redresse; puis arrivent en hurlant, défigurés par la peur, quelques fuyards échappés à la récente catastrophe... La terre s'est ouverte, la terre s'est affaissée! La Spera entend qu'on l'appelle, qu'on appelle son fils avec des cris stridents, sur la pente de la colline : elle accourt en vacillant, avec tous les autres, elle se penche pour regarder, terrifiée, et au milieu des clameurs qui viennent d'en bas, elle crie :

— Elle s'est ouverte sous tes pieds? Elle t'a à demi englouti? Et ton enfant? C'est moi qui l'ai tué, de mes propres mains... Meurs, meurs donc et sois damné!

Quelle impression allait faire ce drame? Silvia fermait les yeux et elle voyait en un éclair la salle de théâtre, le public face à son œuvre et elle était atterrée! Non! Non! Elle l'avait écrit pour elle. En l'écrivant elle n'avait pas pensé le moins du monde au public qui allait le voir, l'écouter, le juger. Ces personnages, ces scènes, elle les voyait sur le papier, tels qu'elle les avait écrits, traduisant avec le plus de fidélité possible sa vision intérieure. A présent comment sauteraient-ils du papier tout vivants sur la scène? Avec quelle voix, avec quels gestes? Quel effet feraient ces paroles vivantes elles aussi, ces mouvements réels, sur les planches de la scène, au milieu des décors de carton, dans cette réalité fictive et trompeuse?

— Viens donc voir, lui conseillait Giustino. Ce n'est même pas la peine que tu montes sur la scène. Tu pourras assister à la répétition dans ton fauteuil, d'une loge voisine. Personne ne pourrait mieux que toi juger, conseiller, suggérer...

Silvia était bien tentée d'y aller; mais au moment de le faire, elle sentait le courage et les forces lui manquer, elle craignait que de surmonter son émotion ne fasse du mal au petit être qui déjà vivait dans son sein. Et puis, comment se présenter dans cet état? Comment parler aux comédiens? Non, non! Quel supplice ce serait pour elle!

— Dis-moi au moins ce qu'ils font? demandait-elle

à son mari. As-tu l'impression qu'ils comprennent leurs rôles?

En revenant des répétitions, Giustino les yeux brillants et le visage tacheté de rouge comme si on lui avait fait des pinçons, soufflait, levait les yeux au ciel:

– On n'y comprend plus rien!

Il était profondément découragé, Giustino. Cette scène sombre, empestant le moisi et la poussière mouillée, les machinistes donnant des coups de marteau sur les châssis, clouant les décors pour la représentation du soir; tous ces bavardages, ces mesquineries, l'indifférence et la torpeur des acteurs répartis en petits groupes, çà et là, le souffleur dans son trou, avec sa calotte sur la tête, et devant lui le texte plein de coupures et de renvois, le metteur en scène toujours hargneux et grossier, assis près du trou; et cet autre qui copiait les rôles sur sa petite table; le costumier en pleine action au milieu des grosses caisses, suant et soufflant, tout cela finissait par l'exaspérer et le décevoir profondément.

Il s'était fait envoyer de Tarente quelques photos de marins et de femmes du peuple de la région d'Otrante, pour les croquis de costumes; et aussi des robes, des châles et des bonnets devant servir de modèles. Dans l'ensemble, ces costumes faisaient beaucoup d'effet; mais une stupide actrice de second ordre avait déclaré ne pas vouloir se déguiser en va-nu-pieds. Revelli, pour les scènes de plein air, les scènes « sauvages » comme il les appelait, essayait de lésiner. Et Laura Carmi, la première actrice, feignait de s'en indigner. Elle seule apportait quelque réconfort à Giustino: elle avait tenu à lire *Les Mouettes* et *La maison des nains* pour pénétrer, mieux préparée, avait-elle dit, dans la fiction du drame; et elle se déclarait enthousiasmée par le rôle de la Spera: elle allait en faire une « création »! Mais elle non plus ne savait pas le premier mot de son rôle : elle passait devant le trou du souffleur et, comme les autres, répétait mécaniquement les répliques que ce dernier lisait sur le manuscrit en criant et donnant des explications d'après le commentaire. Seul l'acteur Adolfo Grimmi commençait à donner un peu de relief, un peu d'expression, au rôle du vieux padron Dodo, et Revelli à celui de Currao; mais Giustino avait l'impression que chacun d'eux forçait quelque peu; Grimmi allait jusqu'au baryton! Giustino le lui avait fait remarquer confidentiellement, avec beaucoup de politesse; mais avec Revelli, il n'osait pas et se rongeait intérieurement. Il aurait voulu demander à l'un et à l'autre de quelle façon ils feraient tel geste, comment ils diraient telle phrase. A la troisième ou quatrième répétition, Revelli, piqué par l'enthousiasme qu'exprimait la Carmi, s'était mis à interrompre tout le monde avec beaucoup de grossièreté et quand bon lui semblait : il coupait pour un rien, au plus beau moment quand Giustino avait l'impression que tout allait bien et que la scène commençait enfin à prendre un peu de chaleur, à prendre une vie autonome, vainquant petit à petit l'indifférence des acteurs et les contraignant à colorer leurs voix et ébaucher les premiers gestes. La Grassi, pour ne donner qu'un seul exemple, tenant le rôle de *Mita* avait été au bord des larmes pour une muflerie de Revelli. Pardi! il aurait quand même pu être un peu plus aimable, celui-là, surtout avec les femmes. Giustino s'était mis en quatre pour la consoler.

Il ne se rendait pas compte que sur la scène quelques comédiens et plus particulièrement Grimmi, le tournaient en ridicule et se moquaient de lui. Ils avaient même réussi, quand Revelli n'était pas là, à lui faire réciter les répliques les plus difficiles du drame.

– Comment diriez-vous ceci? Comment diriez-vous cela?

Et lui de bondir sur l'occasion! Il savait parfaitement qu'il ne les dirait pas bien et ne prenait absolument pas au sérieux les applaudissements et les hurlements de ces farceurs, de ces écervelés; mais du moins leur avait-il fait entrevoir les intentions de sa femme lorsqu'elle écrivait ces... comment cela s'appelait-il?... Ah oui, des répliques... ces répliques bien sûr.

Il cherchait par tous les moyens à les enflammer, à trouver en eux des collaborateurs amoureux de cette suprême et décisive entreprise. Il avait l'impression que quelques comédiens étaient un peu étonnés par la hardiesse de certaines scènes, par la violence de certaines situations. Lui-même, à vrai dire, n'était pas très rassuré sur plus d'un point et il était parfois, lui aussi, saisi de terreur en regardant depuis la scène la salle de théâtre, toutes ces rangées de fauteuils et de sièges disposés là, comme en attente, l'alignement des loges, tous ces vides obscurs, ces bouches d'ombre, tout en rond, menaçantes. Et puis les coulisses, sens dessus dessous, les décors à moitié hissés, le désordre du plateau, dans cette pénombre humide et poussiéreuse, les conversations futiles des comédiens qui avaient fini de répéter et ne faisaient absolument pas attention à leurs compagnons qui eux répétaient encore, les rages de Revelli, la voix monotone du souffleur, tout cela le déconcertait, lui mettait l'âme à l'envers et l'empêchait de se faire une idée de ce que serait le spectacle à quelques soirs de là.

Laura Carmi venait le secouer de ses brusques effondrements.

– Eh bien, Boggiolo, on n'est pas content?

– Ma chère dame... soupirait Boggiolo en ouvrant les bras et respirant avec délices le parfum de l'élégante

actrice : les formes de cette dernière étaient provo-
cantes et son expression voluptueuse, même si son visage
était presque entièrement et artificiellement refait, ses
yeux exagérément allongés, ses paupières fardées, ses
lèvres vermillonnées et que sous tant de beauté trans-
paraissaient les ravages et la fatigue.

— Allons mon cher! Ce sera un énorme succès, vous
verrez!

— Vous croyez?

— Mais sans aucun doute! Nouveauté, puissance, poésie : tout y est! Et en plus ça ne fait pas *théâtre,* ajoutait-
elle avec une grimace de dégoût. Ni les personnages,
ni le style, ni l'action ne *sentent le « théâtre »* *. Vous
comprenez?

Giustino reprenait courage.

— Écoutez, signora Carmi, vous pourriez me faire un
très grand plaisir : vous devriez me faire entendre le
rugissement de la Spera au dernier acte, quand elle
étouffe son enfant.

— Mais c'est impossible, mon cher! Il doit naître sur
le moment! Vous plaisantez? Il me déchirerait la
gorge... Et puis si je l'entendais une seule fois moi-
même, poussé par moi, adieu! A la représentation je
ne ferais que le recopier. Il me viendrait à froid. Non,
non! Il faut qu'il naisse à l'instant même. Ah, sublime
cette étreinte. Rage d'amour et de haine à la fois. La
Spera veut en quelque sorte, comprenez-vous, faire rentrer en elle, dans son propre sein, l'enfant qu'on veut
lui arracher des bras, et elle l'étrangle! Vous verrez,
vous entendrez!

— Et ce sera votre propre enfant? lui demanda Giustino en jubilant.

— Non, j'étrangle le fils de Grimmi, lui répondit la

---

* En français dans le texte.

Carmi. Mon fils à moi, pour votre gouverne, cher Boggiolo, ne mettra jamais les pieds sur une scène. Allons!
Allons!

La répétition finie, Giustino Boggiolo filait à la
rédaction des journaux pour y retrouver ici Lampini,
Ciceroncino, là Centanni, Federici ou Mola avec lesquels
il s'était lié d'amitié et grâce auxquels il avait déjà fait
connaissance de presque tous les journalistes dits
« militants » de la capitale. Il est vrai que ceux-là aussi
se moquaient ouvertement de lui, mais lui ne le prenait
pas mal; il visait un but, lui. Casimiro Luna avait
appris qu'aux Archives notariales on estropiait son
nom. Quelle indignité! Les noms on les respecte, on
ne s'amuse pas à les estropier! Et parmi ses collègues
il avait ouvert une souscription de dix centimes pour
offrir à Boggiolo cent cartes de visite ainsi libellées :

GIUSTINO RONCELLA

né Boggiolo

Oui, oui, très bien. Mais lui, pendant ce temps-là,
il avait obtenu de ce même Casimiro Luna un brillant
article sur l'ensemble de l'œuvre de sa femme, et il
avait réussi à ce que tous les journaux fassent grandir
la très vive impatience du public pour *La nouvelle
colonie,* en piquant sa curiosité avec des « interviews »
et des « indiscrétions ».

Le soir il rentrait chez lui mort de fatigue, hagard.
Sa vieille maman ne le reconnaissait plus; mais lui
n'était désormais plus en état de remarquer sa stupeur, ni l'air moqueur de l'oncle Ippolito, de même
qu'il ne remarquait plus l'agitation qu'il provoquait
chez sa femme. Il lui rapportait le compte rendu des
répétitions et tout ce qui se disait dans les rédactions
de journaux.

— La Carmi est grande! Et cette petite Grassi, dans

le rôle de *Mita,* si tu la voyais! : un amour! Dans les rues on a déjà collé les premières affiches. Ce soir commence la location des places. C'est réellement un grand événement, tu sais? On dit que les plus grands critiques dramatiques de Milan, de Florence, de Naples et de Bologne vont venir...

Le soir de la veille, il revint comme ivre à la maison. Il apportait trois nouvelles : deux lumineuses comme le soleil, l'autre noire, visqueuse et vénéneuse comme un serpent! Le théâtre, entièrement loué pour trois soirs, la répétition générale, admirablement réussie; les journalistes, des plus satisfaits et les quelques écrivains qui y avaient assisté, ébahis, bouche bée. Seul Betti, Riccardo Betti, ce sinistre imbécile tiré à quatre épingles, avait osé dire que *La nouvelle colonie* c'était « Médée traduite en tarentin », rien que ça!

– Médée? demanda Silvia, confuse, effarée. Elle ne savait rien, absolument rien, de la célèbre magicienne de Colchide; peut-être avait-elle quelquefois entendu ce nom, mais elle ignorait tout à fait qui était Médée et ce qu'elle avait fait.

– C'est ce que j'ai dit! C'est justement ce que j'ai dit, cria Giustino. Je n'ai pas pu me retenir... Peut-être ai-je eu tort. En effet Dora Barmis, qui était là, aurait voulu que je ne le dise pas. Mais quelle Médée? Quel Euripide? Par simple curiosité, demain matin, dès que Mme Faccioli sera rentrée de Catino, fais-toi prêter cette fameuse *Médée.* Ils disent que c'est une tragédie de... comment... je viens de le dire... Étudie-les, étudie-les ces sacrées choses grecques, mycé... je ne sais pas comment ils les appellent... mycéniennes... Étudie-les. Elles ont une telle importance aujourd'hui. Comprends-tu qu'avec une seule phrase, lancée comme ça, ils peuvent te briser? *Médée traduite en tarentin...* Et ça suffit! Il y a tant d'imbéciles qui n'y comprennent rien,

encore moins que moi! Je les connais maintenant...
Oh, si je les connais!

Après le dîner, Mme Velia, très inquiète de l'état de
Silvia durant ces derniers jours, insista tendrement
pour que celle-ci sorte un peu avec son mari. Il était
déjà tard et personne ne la verrait. Une petite promenade toute tranquille lui ferait du bien; elle n'aurait
d'ailleurs jamais dû négliger, pendant ces derniers mois,
de prendre un peu d'exercice.

Silvia se laissa convaincre; mais lorsque Giustino
voulut lui montrer, à l'angle d'une rue et sous la lumière
tremblotante et jaunâtre d'un réverbère, l'affiche déjà
placardée par le théâtre Valle, portant en gros caractères le titre du drame et son nom à elle suivi de la
liste des personnages, et en dessous, bien distinct : *très
nouveau,* elle se sentit défaillir, elle eut comme un
vertige et appuya son front pâle et glacé sur l'épaule
de son mari :

— Et si j'allais mourir? murmura-t-elle.

Giustino arriva très tard au théâtre, et cette fois-ci
réellement en voiture, et même au trot, la tête en feu
et tout à l'envers, comme s'il avait la fièvre. Depuis la
petite place de Sant'Eustachio, la rue était encombrée,
bloquée par les voitures au milieu desquelles se fau-
filaient des gens impatients, excités. Pour ne pas rester
là, à faire la queue, Giustino paya sa course et se glissa
entre les fiacres et la foule. Sur l'étroite façade du
théâtre, les grosses lampes électriques vibraient, ron-
flaient, comme si elles avaient participé à toute l'excitation de cette extraordinaire soirée.

Devant les portes voici Attilio Raceni.

– Et alors ?

– Ne m'en parlez pas ! étouffa Giustino avec un geste
de désespoir. Ça y est ! les douleurs ! Je l'ai laissée dans
les douleurs !

– Dieu du ciel ! fit Raceni. Il fallait s'y attendre...
l'émotion...

– Le diable ! Dites plutôt le diable, s'il vous plaît !
répliqua Giustino hors de lui, roulant les yeux et ten-
tant d'approcher du guichet devant lequel la foule se
pressait pour prendre les billets d'entrée.

Il dut se mettre sur la pointe des pieds pour lire le
petit écriteau fixé sur la porte du guichet : *Complet.*

Un monsieur le heurta violemment.

– Excusez-moi...

– Ce n'est rien... mais vous savez, c'est inutile, c'est
moi qui vous le dis. Il n'y a plus de place. Tout est
complet. Revenez demain soir. On rejoue.

– Venez, venez, Boggiolo ! l'appela Raceni ; il vaut
mieux que vous vous fassiez voir sur le plateau.

– *Deux... quatre... un... deux... un... trois...* criaient
les ouvreurs en livrée de grand gala, prenant les billets
à l'entrée.

– Mais où va-t-on fourrer tous ces gens-là ? demanda
Giustino, sur des charbons ardents. Combien de billets
gratuits ont-ils distribués ? il aurait fallu que je sois
là dès le début de la soirée... Mais quand le diable s'en
mêle ! Je suis inquiet, croyez-moi, vraiment inquiet...
J'ai de mauvais pressentiments...

– Ne dites pas ça ! l'interrompit Raceni.

– Pour Silvia, je parle de Silvia ! expliqua Giustino,
pas du drame... Je l'ai laissée au plus mal, croyez-
moi... Espérons que tout se passera bien... mais j'ai
bien peur que... et puis regardez-moi tout ce monde...
où va-t-on les fourrer ? Ils ne seront pas à l'aise, ils
vont s'impatienter... ils vont faire du bruit... ils payent

et ils en veulent pour leur argent... Mais ils pourraient quand même venir à la seconde soirée, pardi! Puisqu'on rejoue... allons, allons!

Le théâtre entier résonnait d'une rumeur multiple, confuse, semblable à celle d'une gigantesque ruche. Comment satisfaire ce désir de jouissance, cette curiosité, ces goûts, l'attente de tout ce peuple déjà soulevée par son propre rassemblement vers une vie différente de celle de tous les jours, plus vaste, plus chaude, plus fondue.

En regardant par l'entrée du parterre, Giustino découvrit avec effarement, avec angoisse, le vaisseau débordant de spectateurs. Son visage, de rouge qu'il était habituellement, devint violacé.

Sur le plateau, faiblement éclairé par quelques lampes électriques allumées derrière le fond du décor, machinistes et costumiers donnaient une dernière touche à la scène, tandis que déjà s'accordaient les instruments de l'orchestre, avec de lamentables miaulements. Le chef de plateau, sa clochette à la main, se dépêchait; il voulait donner sans plus tarder le premier signal aux acteurs.

Certains de ceux-ci étaient déjà prêts : la petite Grassi en *Mita*, et Grimmi en *padron Dodo,* avec sa fausse barbe, courte et grise, son visage noirci de fumée comme un jambon, son long bonnet de marin replié sur une oreille, son pantalon retroussé sur des pieds qui paraissaient nus dans un collant de couleur chair, tous deux parlant avec Tito Lampini (en frac), Centanni et Mola. A peine eurent-ils aperçu Giustino et Raceni qu'ils vinrent à leur rencontre, avec de grands gestes et des éclats de voix :

— Le voici! s'écria Grimmi en levant les bras. Eh bien, comment ça va? Comment ça va?

— Quel théâtre! s'exclama Centanni.

— Content, hein? ajouta Mola.

— Courage! lui dit la Grassi en lui serrant la main très fort.

Lampini lui demanda :

— Et votre femme?...

— Mal... mal, commençait à dire Giustino.

Mais Raceni, écarquillant les yeux, lui fit un rapide signe de tête. Giustino comprit, baissa les yeux et ajouta :

— Vous comprendrez que... dans tous les cas... elle ne peut pas être très bien...

— Mais tout ira bien, tout ira très bien! très bien! fit Grimmi de sa grosse voix pâteuse, en bougeant la tête et souriant malicieusement.

— Allons Lampini, dit Centanni; le vœu de rigueur...

— Et la signora Carmi? demanda Giustino.

— Dans sa loge, répondit la Grassi.

On entendait à travers le rideau le remue-ménage incessant de ce vaste vaisseau. Mille voix confuses, proches, lointaines, sourdes, des portes qui claquaient, des clés qui cliquetaient, des pieds qui tapaient. La mer au fond de la scène, et Grimmi habillé en marin donnèrent à Giustino l'impression qu'il y avait là un grand môle avec des bateaux prêts à appareiller. Ses oreilles se mirent brusquement à bourdonner et une épaisse obscurité envahit son cerveau.

— Regardons la salle! lui dit Raceni en le prenant par le bras et le tirant vers le petit trou ménagé dans le rideau. Par pitié, ajouta-t-il ensuite, ne laissez pas échapper que votre femme est sur le point d'accoucher.

— J'ai compris, répondit Giustino qui sentait ses jambes se dérober sous lui en s'approchant de la rampe. Écoutez, Raceni, vous me feriez vraiment plaisir si à la fin de chaque acte vous couriez à la maison...

— Mais c'est entendu! l'interrompit Raceni, ce n'était même pas la peine de me le dire...

— Pour Silvia, je disais... ajouta Giustino, pour que moi j'aie des nouvelles... vous comprenez qu'elle ne pourra rien dire... Ah, quelle maudite coïncidence! Heureusement que j'ai eu l'idée de faire venir ma mère! Il y a aussi son oncle... Et j'ai même sacrifié cette pauvre Mme Faccioli, elle qui avait tellement envie d'assister au spectacle...

Il mit son œil devant le petit trou et resta stupéfait à regarder : en bas, dans les fauteuils, dans le parterre, puis tout autour dans les loges et en haut dans les galeries, tout fourmillait de têtes. Cette foule était dans l'attente, impatiente au poulailler, criant, battant des mains, tapant des pieds. Les furieux coups de cloche du régisseur firent tressaillir Giustino.

— Ce n'est rien! lui dit Raceni en le retenant, c'est le signal pour l'orchestre.

Et l'orchestre se mit à grincer.

Toutes les loges étaient incroyablement bondées, toutes; pas une place vide dans le parterre, et quelle cohue dans le petit espace des places debout! Giustino se sentit comme brûlé par le souffle torride de la salle illuminée, par le spectacle effrayant d'une telle multitude en attente qui le blessait, le transperçait tels d'innombrables yeux. Des yeux qui par leur scintillement incessant rendaient cette foule terrible et monstrueuse. Il tenta de distinguer, de reconnaître quelqu'un dans les fauteuils. Tiens, ici Luna qui inspecte les loges et incline la tête en souriant, là Betti qui braque ses jumelles. Qui sait combien de fois et à combien de personnes il avait répété, avec un dédain seigneurial, sa fameuse phrase :

— C'est Médée traduite en tarentin.

Imbécile! Il se remit à regarder vers les loges et, suivant les indications de Raceni, il chercha en premier Gueli, en second donna Francesca Lampugnani et la signora Borné-Laturzi; mais il ne réussit pas plus à découvrir les unes que l'autre. Il était à présent gonflé d'orgueil en pensant qu'un théâtre aussi plein était déjà en soi un splendide et magnifique spectacle et que c'était à lui qu'on le devait : la considération dont jouissait sa femme, sa célébrité, c'était son œuvre à lui, le fruit de son constant et infatigable labeur. L'auteur, le véritable auteur de tout cela, c'était lui.

— Boggiolo ! Boggiolo !

Il se retourna : Dora Barmis était devant lui, rayonnante.

— Quelle magnificence ! Je n'ai jamais vu un théâtre pareil ! Magicien ! Vous êtes un magicien, Boggiolo ! Une véritable merveille, à *ne voir que les dehors* *. Et quel miracle, vous avez vu ? Livia Frezzi est dans la salle ! On dit qu'elle est terriblement jalouse de votre femme.

— De ma femme ? s'exclama Giustino, effaré, et pourquoi ?

Il était à ce moment-là tellement infatué de lui-même que si Dora Barmis lui avait dit que l'amie de Gueli et toutes les femmes présentes dans ce théâtre déliraient pour lui, il l'aurait aisément cru et compris. Mais sa femme... qu'avait-elle à y voir ? Livia Frezzi jalouse de Silvia ? Et pour quelle raison ?

— Qu'est-ce que ça peut vous faire ? ajouta Dora Barmis, mais Dieu sait combien de femmes seront sous peu jalouses de Silvia Roncella ! Quel dommage qu'elle ne soit pas ici ! Comment va-t-elle ? Comment va-t-elle ?

Giustino n'eut pas le temps de répondre. La sonnerie retentit. Dora Barmis lui serra fortement la main, puis elle disparut. Raceni l'entraîna à droite, vers les coulisses.

Le rideau se leva et Giustino eut l'impression qu'on

---

* En français dans le texte.

lui arrachait l'âme; que cette multitude brusquement silencieuse se préparait à jouir cruellement de son supplice, supplice inouï, une sorte de vivisection, avec un je ne sais quoi de honteux en plus, comme s'il eût été exposé là dans la plus complète nudité et que, d'un moment à l'autre, quelque faux mouvement allait l'exhiber, atrocement ridicule et indécent.

Il connaissait le drame par cœur, les rôles des acteurs de la première à la dernière réplique et il s'en fallait de peu qu'il ne les répétât involontairement à haute voix; on l'aurait dit en proie à de continuelles décharges électriques : il se retournait par saccades de-ci et de-là, les yeux brillants d'effroi, les pommettes en feu, martyrisé par la lenteur des acteurs qui semblaient s'éterniser sur chaque réplique, exprès pour prolonger son supplice, comme si eux aussi y avaient pris plaisir.

A un certain moment Raceni tenta charitablement de l'arracher de là, de le conduire dans la loge de Revelli qui n'était pas encore entré en scène; mais il fut incapable de le faire bouger.

A mesure qu'avançait la représentation, une violence étrange, une sorte de fascination maintenait et enchaînait Giustino à cette place, effaré, comme à la vue d'un phénomène monstrueux. Ce drame écrit par sa femme et qu'il savait lui-même par cœur, mot par mot, et qu'il avait en somme couvé jusqu'à maintenant, voici qu'il se détachait de lui, qu'il se détachait de tous, telle une petite montgolfière qu'il eût apportée avec les plus grands soins, en cette soirée de fête, au milieu de la foule, puis soutenue au-dessus des flammes qui devaient la gonfler, pour enfin seulement allumer la bourre : elle se détachait de lui, se libérait, palpitante, lumineuse, elle s'élevait dans le ciel, entraînant avec elle son âme en péril, entraînant avec ses entrailles son cœur et jusqu'à son souffle, dans la crainte angoissée que, d'un instant à l'autre, une bouffée d'air, un brusque coup de vent la jette de côté et qu'elle se consume, qu'elle soit tout là-haut dévorée par ce feu qu'il avait lui-même allumé.

Mais où étaient les cris de la foule devant cette ascension ?

C'était bien cela : la monstruosité du phénomène venait de ce terrible silence au milieu duquel s'élevait le drame. Lui seul, ici, vivait de lui-même et pour son propre compte, absorbant en outre la vie de tous les autres et lui arrachant à lui les paroles de la bouche et avec les paroles, le souffle. Et cette vie-là, dont il percevait désormais la prodigieuse indépendance, cette vie qui se développait, tantôt calme et puissante, tantôt rapide et tumultueuse au milieu d'un tel silence, cette vie lui inspirait de l'effroi et même de l'horreur, mêlés à un dépit qui ne faisait que croître : comme si le drame, jouissant de lui-même, se délectant de vivre tout seul et pour lui seul, dédaignait de plaire à autrui, empêchait les autres de manifester leur satisfaction, prenait en somme pour lui une part trop importante et trop lourde, négligeant et rabaissant les innombrables soins qu'il lui avait jusqu'alors prodigués, au point de les faire paraître inutiles et mesquins, compromettant enfin ces intérêts matériels auxquels il devait avant tout veiller.

Et si les applaudissements n'éclataient pas... si tout le monde restait ainsi, en suspens, assommé... Comment cela se faisait-il ? Que s'était-il passé ? Dans un instant le premier acte allait s'achever... Pas un applaudissement... pas un signe d'approbation... rien !... Il avait l'impression de devenir fou... Il ouvrait et refermait les mains, enfonçait ses ongles dans ses paumes et grattait son front brûlant baigné de sueurs froides. Il avait les yeux fixés sur le visage altéré de Raceni où il lui semblait lire la même stupeur... Non, une autre sorte de stupeur, presque de l'égarement, sans doute celui-là même qui tenait tous les spectateurs. Pendant un moment il craignit que ce drame ne fût réellement quelque chose d'atroce, de jamais réalisé jusqu'alors et que sans tarder, d'une minute à l'autre, n'éclate une furieuse révolte de tous les spectateurs indignés, outragés. Ah, c'était réellement terrible ce silence! Que se passait-il? Que se passait-il donc? Souffrait-on? était-on content? Personne ne soufflait mot... Et sur le plateau les cris des comédiens, déjà à la dernière scène, retentissaient. Et voilà que le rideau tombait...

Giustino eut l'impression que lui, lui seul, là, derrière ce rideau, de tout son désir, de toute son âme, en un suprême et terrible effort arrachait à la salle, après un interminable instant de vertigineuse attente, les applaudissements, les premiers applaudissements, secs, laborieux, comme le crépitement de brindilles, de chaumes brûlés, puis une flambée, un incendie : des applaudissements pleins, chauds, longs, longs, trépidants, assourdissants... et il sentit alors tous ses membres se détendre, il défaillait, tombant presque, étouffant au milieu de ce crépitement frénétique qui durait, oui durait, durait encore, incessant, croissant, infini.

Raceni l'avait reçu dans ses bras, sur sa poitrine, sanglotant, et il le soutenait pendant que quatre, cinq fois, les acteurs se présentaient sur scène, face à cet incendie... Il sanglotait, il riait, sanglotait et tremblait de joie. Des bras de Raceni il tomba dans ceux de la Carmi puis dans ceux de Revelli et enfin dans ceux de Grimmi qui lui imprima sur les lèvres, sur la pointe du nez et sur les joues les couleurs de son maquillage, parce que dans son émotion il avait voulu l'embrasser, à tout prix, bien que ce dernier s'en défendît, sachant le dommage qui en résulterait. Et, le visage tout barbouillé, il continua de tomber dans les bras de tous les journalistes et de toutes ses connaissances accourues sur le plateau pour se congratuler; il ne savait plus rien faire d'autre; il était tellement vidé, épuisé, fini, qu'il ne trouvait plus de soulagement que dans cet abandon; et désormais il s'abandonnait à tous, presque mécaniquement, il se serait même abandonné dans les bras des pompiers de garde, des machinistes et des garçons de plateau si finalement, pour lui faire cesser ce geste comique et pitoyable, n'était arrivée Dora Barmis qui le secoua fortement par le bras pour le conduire dans la loge de la Carmi où on lui nettoierait le visage. Raceni avait filé à la maison prendre des nouvelles de l'épouse.

Dans les couloirs et dans les loges, ce n'étaient que cris, excitation, émotion. L'ensemble des spectateurs subjugués pendant trois quarts d'heure par la puissante fascination de cette création si neuve et extraordinaire, si animée d'un bout à l'autre d'une vie qui vous coupait le souffle, rapide, violente, tout éclairée de traits d'esprit inattendus, tous les spectateurs s'étaient en quelque sorte libérés, par ces interminables et frénétiques applaudissements, de la stupeur qui les avait oppressés. Il y avait à présent en chacun une joie tumultueuse, la certitude absolue que cette vie qui se montrait par la nouveauté de ses attitudes et de ses comportements d'une solidité aussi adamantine, aucun choc ne pourrait la briser, puisque chaque fait arbitraire, comme la réalité même, apparaissait désormais nécessaire et rendu logique par la fatalité de l'action.

Et c'est justement en cela que consistait le miracle de l'art auquel on assistait ce soir avec une sorte de stupeur. On aurait dit qu'il ne s'agissait pas de la conception préméditée d'un auteur, mais que l'action naissait à mesure, de minute en minute, incertaine, imprévisible, du choc de sauvages passions, dans la liberté d'une vie hors de toute loi et presque hors du temps, dans l'arbitraire absolu de tant de volontés qui se dominaient mutuellement, de tant d'êtres livrés à eux-mêmes, accomplissant leurs actes dans la pleine indépendance de leur nature, c'est-à-dire à l'encontre de toute fin que se serait proposée l'auteur.

Certains d'entre eux, parmi les plus enflammés, craignant cependant que leurs impressions puissent ne pas cadrer avec le jugement des gens compétents, cherchaient des yeux, dans les fauteuils, dans les loges, les visages des critiques dramatiques des quotidiens les plus répandus, et ils se faisaient indiquer ceux qui venaient de l'extérieur pour les épier longuement.

Et leurs yeux se fixaient plus particulièrement sur une loge du premier rang : celle de *Zeta,* terreur de tous les auteurs et acteurs venant affronter le jugement du public romain.

Zeta parlait avec animation à deux autres critiques : Devicis venu de Milan et Corica de Naples. Approuvait-il? Désapprouvait-il? Et quoi? La pièce elle-même ou l'interprétation des acteurs? Voilà qu'un *nouveau* critique entrait dans la loge. Qui était-ce? Ah, Fongia de Turin... Comme il riait! Puis il feignait de pleurer et de s'abandonner sur la poitrine de Corica, ensuite sur celle de Devicis. Pourquoi? *Zeta* sautait sur ses pieds, avec un geste de noble dédain, et criait quelque chose qui faisait éclater les trois autres d'un rire bruyant. Dans la loge voisine, une dame au visage brun, étrange, avec des yeux verts profondément cernés, un air sombre et une raideur altière, se leva et alla s'asseoir à l'autre bout, tandis que du fond un monsieur à cheveux gris...

— Ah, Gueli, Maurizio Gueli! — avançait la tête pour regarder dans la loge des critiques.

— Maître, excusez-moi, lui dit alors Zeta, et excusez-moi auprès de madame. Mais quelle malchance, Maître! Quel dommage pour cette pauvre fille! Si vous avez de l'affection pour Roncella...

— Moi? Je vous en prie! fit Gueli; puis il se retira avec un visage altéré en regardant son amie dans les yeux.

Celle-ci, dont les lèvres noires frémirent d'un rire dur et les paupières se plissèrent comme pour atténuer l'éclat de ses yeux verts, inclina la tête à plusieurs reprises et dit au journaliste :

— C'est très... c'est très bien...

— Et pour cause, madame! N'est-elle pas l'authentique fille de Maurizio Gueli, Roncella? Je l'ai dit, le dis et le dirai : nous venons de voir quelque chose de grand, chère madame, une grande chose! Roncella est grande! Mais qui la sauvera de son mari?

Livia Frezzi se remit à sourire comme auparavant et dit :

— N'ayez crainte... Elle ne manquera pas d'aide... paternelle, j'entends...

Peu après cette conversation entre deux loges, au moment où le rideau se levait sur le second acte, Maurizio Gueli et Livia Frezzi quittèrent le théâtre comme deux êtres qui, ne pouvant davantage refréner en eux la force de leur animosité, se précipitent dehors pour ne pas donner d'eux-mêmes un affreux et scandaleux spectacle. Ils allaient monter en voiture quand Raceni, bouleversé, descendit en toute hâte d'une autre voiture.

— Ah, Maître, quel malheur!

— De quoi s'agit-il? demanda Gueli d'une voix qui voulait paraître calme.

— Elle va mourir... elle est en train de mourir...

Silvia Roncella... sans doute à l'heure qu'il est... je l'ai laissée qui... je viens chercher son mari...

Et, sans même saluer la dame, Raceni s'engouffra dans le théâtre. En passant devant l'entrée du parterre, il entendit la haute clameur des applaudissements. D'un bond il fut sur la scène. Et là il se trouva brusquement au milieu d'une furieuse mêlée. Giustino Boggiolo, dès lors ragaillardi et rendu presque fou par la joie, parmi les comédiens qui le tiraient par les basques de sa jaquette, criait et se démenait pour se présenter lui, lui, sur la scène, à la place de sa femme, pour remercier le public qui ne se lassait pas d'appeler l'auteur sur le plateau.

4.

Après le triomphe

A la gare, une foule. Les journaux avaient répandu
la nouvelle que Silvia Roncella, miraculeusement sau-
vée de la mort au moment suprême de son triomphe,
était enfin en état de supporter les grandes fatigues
d'un long voyage et qu'elle partait ce matin-là, encore
convalescente, retrouver force et santé en Piémont,
dans le petit village où son mari était né. Alors journalistes et gens de lettres, admirateurs et admiratrices
étaient accourus à la gare pour la voir, la saluer, et
ils se massaient devant la porte de la salle d'attente,
parce que le médecin qui l'assistait et devait l'accompagner jusqu'à Turin ne permettait pas qu'il y ait trop
de monde autour d'elle.

— Cargiore? Où se trouve Cargiore?

— Hum... près de Turin, à ce qu'on dit.

— Ce qu'il doit y faire froid!

— Et comment!...

Pendant ce temps-là tous ceux qui avaient été admis
à lui serrer la main et à la féliciter, malgré les pro-
testations du médecin et les prières du mari, ne pouvaient se détacher d'elle pour laisser la place aux autres;
et, même s'ils s'éloignaient un peu de la banquette où

elle était assise entre sa belle-mère et la nourrice, ils restaient dans la salle pour épier avec des yeux avides le moindre de ses gestes, de ses regards, de ses sourires. Ceux qui étaient dehors tapaient sur les vitres, appelaient, faisaient des signes d'impatience et de colère; aucun de ceux qui étaient à l'intérieur ne faisait mine de comprendre; certains, même, se montraient effrontés au point de regarder avec un sourire moqueur et méprisant le spectacle de cette impatience et de cette colère.

Le succès du drame avait réellement été extraordinaire : un triomphe! La nouvelle de la mort de l'auteur répandue dans le théâtre en un éclair, pendant la première représentation, à la fin du second acte, quand tout le public était déjà pris, fasciné par la grande et puissante originalité du drame, avait suscité une manifestation de deuil mêlé d'enthousiasme, si neuve et solennelle, que maintenant encore, presque deux mois plus tard, persistait un frisson d'émoi chez tous ceux qui avaient eu la chance d'y participer.

Affirmant le triomphe de l'œuvre d'art, acclamant, criant, conjurant, sanglotant, on aurait dit que le public se soir-là voulait vaincre la mort : il était resté là, bien après la fin du spectacle, frénétique, comme s'il attendait que la mort abandonne sa proie à la gloire, la rende à la vie; et lorsque Laura Carmi, exultant, avait fait irruption sur l'avant-scène pour annoncer que l'auteur était vivante, un véritable délire s'était élevé, comme pour une victoire surnaturelle.

Le matin suivant tous les journaux étaient sortis en éditions spéciales pour décrire cette mémorable soirée et dans toute l'Italie, dans toutes les régions, la nouvelle avait volé, suscitant dans chaque ville d'impatients désirs de voir au plus vite le drame représenté et d'avoir en même temps des nouvelles, d'autres nouvelles de l'auteur et de son état, d'autres nouvelles de son travail.

Il suffisait de regarder Giustino Boggiolo pour se faire une idée de l'énormité de l'événement, de la fièvre de curiosité qui embrasait tout. Ce n'était pas sa femme, mais bien lui qui semblait tout juste sorti de l'étreinte de la mort.

Arraché, ce fameux soir, des bras des comédiens qui se cramponnaient à sa poitrine, à ses épaules, aux basques de sa jaquette pour l'empêcher de se présenter, ou plutôt de se précipiter sur scène à la place de sa femme; rendu fou furieux par les applaudissements qui avaient éclaté à l'ouverture de la scène, au début du second acte (au moment de l'approche de la nouvelle colonie, quand à la vue des femmes les premiers colons cessent de combattre et abandonnent Currao) sanglotant convulsivement, il avait été traîné chez lui par Attilio Raceni.

Comment n'était-il pas devenu fou à la vue de ce tragique remue-ménage, là, dans sa maison, devant ces trois médecins penchés sur sa femme sanguinolente, abandonnée, hurlant au massacre et au supplice de son corps exposé?

N'importe qui d'autre sans doute, jeté de la sorte d'une terrible et violente émotion à une autre, tout opposée mais non moins terrible et violente, serait devenu fou. Lui, non! Lui, au contraire, peu après être rentré chez lui, il avait dû et pu trouver la force surhumaine de tenir tête à la cruelle impertinence des journalistes accourus du théâtre dès que la première annonce de la mort avait commencé à circuler entre les loges et le parterre. Et pendant que lui parvenaient les hurlements, les longs et horribles ululements de sa femme, il avait pu, tout en sentant que ces hurlements, ces ululements lui arrachaient les viscères et le cœur, il avait pu répondre à toutes les questions que ces derniers lui posaient, et donner des nouvelles et des renseignements et même aller dénicher dans les tiroirs pour les distribuer aux rédacteurs des journaux les plus en vue des portraits de sa femme qui seraient reproduits dans les éditions spéciales du matin.

Et elle, en attendant, elle s'était – tant bien que mal – acquittée de son devoir; ce qu'elle devait faire, elle l'avait fait : il était là, au milieu de ses voiles, ce cher petit bonhomme, fragile et rose dans les bras de sa nourrice et on l'emportait pour qu'il se repose et s'alimente dans la paix et la nonchalance... Et lui, pendant ce temps-là... Il avait bien autre chose en tête que ce petit bonhomme! Un géant, lui, c'est un géant qu'il avait mis au monde; un géant qui, maintenant, tout de suite, voulait se mettre à marcher à travers toute l'Italie, toute l'Europe et même toute l'Amérique, pour y récolter des lauriers et ramasser de l'argent; et c'est lui qui devait le suivre, le sac à la main, lui qui était à bout de forces, tellement épuisé par la naissance de son géant.

Car en vérité, pour Giustino Boggiolo, le géant n'était point le drame composé par sa femme : c'était le triomphe dont il se reconnaissait le seul auteur. Mais oui! S'il n'y avait pas eu, lui, si lui n'avait pas opéré de miracles pendant tous ces mois de préparation, est-ce qu'autant de gens seraient à présent accourus à la gare, pour rendre hommage à sa femme, la féliciter, lui souhaiter bon voyage!

– Je vous en prie, je vous en prie... Faites-moi la grâce, soyez gentils... Le médecin, vous avez entendu?... Et puis, regardez, tous ceux qui attendent là-bas... Oui, merci, merci... Je vous en prie, par pitié... Chacun son tour, chacun son tour, a dit le médecin... Merci, par pitié... Il se tournait vers l'un, vers l'autre, les mains

tendues, cherchant à maintenir le plus de monde possible loin de sa femme, pour que ce service-là soit
également réglé de la façon la plus louable, pour que
la presse, ce soir même, puisse en parler comme d'un
nouvel événement. Merci, oh, je vous en prie, par pitié...
Oh, madame la marquise, quel honneur... Oui, oui,
allez, merci... Entrez, entrez Zago, voilà, je vous laisse
lui serrer la main, et après vous partez, c'est moi qui
vous le demande.

Un peu de place, je vous prie, messieurs... Merci,
merci... Oh la signora Barmis, signora Barmis aidez-
moi donc un peu, par pitié... Regardez, Raceni, si le
sénateur Borghi vient... De la place, de la place, par
charité... Oui monsieur, elle part sans même avoir
assisté à une seule représentation de sa pièce...
Comment dites-vous? Ah, oui, hélas oui, pas une seule
fois, pas même aux répétitions... Et comment faire?
Il faut qu'elle parte, parce que moi... Merci, Centanni... Elle doit partir, parce que... Comment dites-
vous? Oui madame, c'est la Carmi, la première
actrice... La Spera, oui madame!... Parce que moi...
Laissez-moi, oh laissez-moi... Ne m'en parlez pas, ne
m'en parlez pas, ne m'en parlez pas... A Naples, à
Bologne, à Florence, à Venise, à Turin. Je ne sais
plus comment me partager... sept, oui sept compagnies en tournées, oui messieurs...

Un mot à l'un, un mot à l'autre, pour faire plaisir
à tout le monde; et des clins d'œil et des sourires
d'intelligence aux journalistes; et toutes ces nouvelles
distribuées comme ça, comme par hasard; et tantôt ce
nom, tantôt cet autre prononcé volontairement très
fort pour que les journalistes en prennent note.

Cireuse, les lèvres exsangues, les narines dilatées,
les cheveux défaits, Silvia Roncella dont on ne voyait
que les yeux, paraissait petite, toute petite, misérable,

elle qui était le centre de tout ce mouvement : plus qu'étourdie, égarée.

Sur son visage, des signes de contrariété, des mouvements nerveux, des contractions trahissaient un pénible effort d'attention; comme si brusquement elle ne pouvait plus croire à ce qu'elle voyait et se demandait ce qu'en fin de compte elle devait faire, ce qu'on attendait d'elle, maintenant, au moment où elle partait avec son enfant; lui auquel ce rassemblement, tout ce remue-ménage pouvait peut-être causer autant de mal qu'il lui en causait à elle-même.

« Pourquoi ? Pourquoi ? disaient clairement ses efforts.

Mais c'est donc vrai, réellement vrai, ce triomphe ? »

Et on aurait dit qu'elle craignait de le croire vrai, ou bien qu'elle était brusquement assaillie par le soupçon qu'il y eût là-dessous quelque chose de manigancé, toute une machination ourdie par son mari qui se donnait tant de mal, une adulation, c'est cela, pour laquelle elle éprouvait plus que du mépris, de la honte, comme pour un indécent manque de respect à sa maternité, aux atroces souffrances qu'elle lui avait coûtées et pour une violence faite à ses habitudes de modestie et de retenue; une violence non seulement importune, mais même déplacée puisque elle-même en ce moment ne faisait rien pour attirer tout ce monde : elle devait partir, c'était tout, avec la nourrice et le petit et avec sa belle-mère, pauvre chère vieille dame tout abasourdie, et l'oncle Ippolito qui faisait le grand sacrifice de l'accompagner jusque là-haut, à la place de son mari, pour lui tenir compagnie dans la maison de Cargiore : voilà, comme ça, un petit voyage en famille, en prenant toutes les précautions nécessaires, malade comme elle l'était.

Si le triomphe était vrai, il était pour elle, en cet

instant, synonyme d'ennui, d'oppression, de cauchemar. Mais peut-être que... oui, peut-être qu'à un autre
moment, dès qu'elle aurait repris des forces... si c'était
vrai... qui sait?

Quelque chose comme un immense emportement,
tout ponctué de frissons, se levait du fond de son âme,
troublant, ravageant, déchirant affections et sentiments. C'était son démon, ce démon ivre qu'elle sentait
en elle, dont elle s'était toujours étonnée, dont elle
avait toujours tenté de vaincre le pouvoir pour ne pas
se laisser entraîner Dieu sait où, loin de ces affections,
de ces préoccupations dans lesquelles elle se réfugiait
pour être rassurée.

Ah, il faisait vraiment tout, tout, son mari, pour la
jeter en pâture à son démon! Et il ne lui venait pas
même à l'esprit qu'elle...

Non, non, voilà : contre ce démon surgissait en elle
un spectre beaucoup plus terrible, celui de la mort; il
l'avait touchée, il n'y avait pas si longtemps, touchée;
et elle savait ce que c'était : le gel, l'obscurité froide et
dure. Et ce choc! Ah, ce choc! Sous la tendre mollesse
des chairs, sous le flux ardent du sang, ce choc contre
les os de son squelette, contre sa propre carcasse! C'était
ça la mort, la mort qui la frappait avec les petits pieds
de son enfant qui voulait vivre en la tuant.

Sa propre mort et la vie de son enfant se dressaient
pour faire face au démon malicieux de la gloire : une
laideur sanguinolente, brutale, honteuse, et ce rose
d'aube, là, au milieu de ses voiles, cette pureté fragile
et tendre, chair de sa chair, sang de son sang.

Harcelée par la grande fatigue de sa convalescence,
ainsi jetée d'un sentiment à l'autre, Silvia se tournait
vers son enfant, entre deux saluts; ou bien elle baissait
la main pour donner un petit signe d'encouragement
à la vieille dame assise à ses côtés en lui serrant le

bras, ou alors elle répondait par un regard froid, presque hostile, aux vœux et congratulations d'un journaliste ou d'un écrivain, comme pour leur dire : « Tout cela m'importe peu, vous savez, à moi qui ai failli mourir ! » Parfois, à l'inverse, son visage s'illuminait à quelque autre vœu, quelque autre congratulation, un éclair semblait passer dans ses yeux et elle souriait.

— Elle est merveilleuse ! Merveilleuse ! Quelle ingénuité ! Primitivité enchanteresse ! Fraîcheur des prés ! ne cessait de s'exclamer Dora Barmis au milieu d'un groupe d'acteurs venus, eux aussi comme tant d'autres, voir pour la première fois, connaître enfin l'auteur du drame.

Ces derniers, pour ne pas montrer leur mauvaise humeur, hochèrent la tête. En effet ils étaient venus en étant certains d'un chaleureux accueil de la part de Silvia Roncella, en présence de tout ce monde, d'un accueil qu'ils méritaient, sinon comme les principaux artisans d'un tel triomphe, du moins comme ses collaborateurs les plus efficaces, difficilement remplaçables ou surpassables. Au lieu de cela ils avaient été accueillis comme tous les autres et, d'un seul coup les airs avec lesquels ils étaient entrés leur avait paru bêtes et leurs manières s'étaient refroidies.

— Sans doute, mais elle est souffrante, observait Grimmi avec sa voix de baryton et en faisant la moue. Il est clair qu'elle souffre. Regardez-la ! Moi je vous dis qu'elle souffre, la pauvre petite...

— Mais quelle force pour une si petite femme ! disait au contraire la Carmi en se mordillant les lèvres. Qui le croirait ? Je me l'imaginais toute différente.

— Ah, oui ? Moi pas du tout ! Moi pas ! Moi, vraiment comme ça ! affirma Dora Barmis. Mais si vous la regardez bien...

— C'est vrai, oui, dans les yeux... reconnut aussitôt

la Carmi. Il y a quelque chose! il y a quelque chose
dans les yeux... Certaines lueurs, oui, oui... Parce que
la grandeur de son art réside justement... je ne sais
comment dire... dans certains éclairs, hein? vous n'avez
pas cette impression? subits, imprévus... dans certains
arrêts brusques qui nous secouent et nous font perdre
le fil, à nous qui sommes habitués à un seul et unique
ton : l'un disant la vie est ceci, ceci et ceci, l'autre, la
vie est cela, cela et cela, n'est-ce pas? Roncella nous
dépeint elle aussi l'une des faces, puis d'un seul coup
elle se retourne et vous présente, brusquement, l'autre
face. Voilà, c'est l'impression que j'ai!

Et la Carmi, suçant comme un caramel la satisfaction d'avoir aussi bien parlé, tout haut, tourna les yeux
autour d'elle comme pour recueillir les applaudissements de toute la salle, ou tout au moins des signes
d'unanime approbation et se venger de la sorte, avec
une réelle supériorité, de la froideur et de l'ingratitude
de Silvia Roncella. Mais elle ne récolta pas même ceux
de son groupe, parce que Dora Barmis, comme ses
compagnons de scène, se rendirent bien compte qu'elle
n'avait pas tant parlé pour eux que pour être entendue
des autres, et surtout de Silvia Roncella. Seuls deux
témoins tapis dans un coin, la signora Ely Faccioli et
Cosimo Zago appuyé sur sa béquille, hochèrent la tête;
et Laura Carmi les foudroya dédaigneusement comme
si leur assentiment l'avait insultée.

Tout à coup un vif mouvement de curiosité se propagea dans la salle et presque tous ceux qui étaient là,
se découvrant, s'inclinant, s'empressèrent de s'écarter
pour laisser passer quelqu'un à qui la présence inattendue d'autant de monde causait d'une façon évidente
plus que de l'ennui et de la gêne, un trouble réel et
profond, un mélange de rage et de honte : un trouble
qui sautait aux yeux de tous et qui ne pouvait s'expli-

quer que par le dédain habituellement affiché par cet homme lorsqu'il était contraint de se donner en pâture aux gens.

Il devait y avoir quelque chose là-dessous; il y avait certainement autre chose. C'est ce que Dora Barmis disait tout bas à l'oreille de Raceni, avec une joie féroce.

Il a peur, il a peur que les journalistes fassent figurer son nom dans leur compte rendu de ce soir! Et c'est sûr qu'ils le feront! Qu'est-ce que je parie qu'ils le mettront! en premier, en tête de liste! Dieu sait où il aura dit qu'il allait, à la Frezzi; et le voilà ici; il est venu ici... Et ce soir quand Livia Frezzi lira les journaux, c'est son nom qu'elle lira en premier, et vous imaginez la scène qu'elle va lui faire! Elle est folle de jalousie, je vous l'ai déjà dit! Folle de jalousie : mais soyons justes, il y a de quoi, me semble-t-il... Pour moi, allons donc, il n'y a plus de doute.

— Mais taisez-vous donc! coupa Raceni. Que dites-vous là! Il pourrait être son père!

— Quel enfant vous faites! s'exclama Dora Barmis avec un sourire de pitié.

— Livia Frezzi est jalouse? Vous, vous le savez, moi je ne le sais pas, insista Raceni.

Dora Barmis écarta les bras :

— Mais, bon Dieu, tout Rome le sait!

— D'accord. Et qu'est-ce que ça veut dire? poursuivit Raceni qui commençait à s'échauffer. Jalouse et folle! Rien que ça! Ça ne peut pas être autre chose que de la folie... Mais à la première représentation il est parti dès la fin du premier acte. Tous les mauvais esprits l'ont remarqué, comme la preuve évidente que la pièce ne lui avait pas plu!

— C'est pour une tout autre raison, mon cher, pour une tout autre raison qu'il est parti! chantonna Dora.

— Merci, je le sais, mais laquelle? demanda Raceni.

Parce qu'il est amoureux de Silvia Roncella? On rira de vous si vous le dites. Ça ne tient pas debout! Qu'il soit parti à cause de Livia Frezzi, d'accord! Et alors, qu'est-ce que ça veut dire? Tout le monde le sait qu'il est l'esclave de cette femme. Que cette femme le torture! Et qu'il ferait n'importe quoi pour qu'elle lui laisse la paix!

— Et il vient ici? demanda finement Dora.

— Bien sûr qu'il vient ici! Bien sûr, répondit Raceni rageusement. Parce qu'il aura su comment les mauvaises langues avaient interprété sa sortie du théâtre. Il vient pour réparer.

S'il est troublé c'est parce qu'il ne s'attendait pas à trouver tout ce monde, pardi. Et il craindrait que ce soir, elle, comme vous ou n'importe qui, puisse jaser sur sa venue? Mais allons, allons donc! S'il en était ainsi, ou bien il ne serait pas venu, ou bien il ne serait pas aussi troublé. C'est clair!

— Enfant! répéta Dora Barmis.

Elle ne put rien ajouter d'autre, car, le départ étant imminent, Silvia Roncella entre Maurizio Gueli et le sénateur Romualdo Borghi, son mari ouvrant le passage, se disposait à sortir de la salle pour monter dans le train.

Tous les hommes se découvrirent; des vivats s'élevèrent au milieu d'un long crépitement d'applaudissements; et Giustino Boggiolo, déjà prêt, sur le qui-vive, regardant de tous les côtés, souriant, rayonnant, les yeux très brillants et les pommettes en feu, s'inclina à plusieurs reprises, pour remercier à la place de sa femme.

Dans la salle d'attente, derrière la porte vitrée, restée seule à sangloter dans son petit mouchoir parfumé : la signora Ely Faccioli, oubliée et inconsolable. Regardant prudemment, tout penché, avec sa grosse tête

triste, ébouriffée, Cosimo Zago, le boiteux, sauta à l'aide
de sa béquille à la place où s'était assise Silvia Roncella,
il s'empara d'une petite plume qui s'était détachée de
son boa et la fourra dans sa poche, juste à temps pour
ne pas être découvert par le romancier napolitain Raimondo Jacono qui, écœuré, soufflant d'indignation,
traversait la pièce pour s'en aller.

— Ohé! C'est toi? mais que fais-tu là? On dirait un
chien perdu. Tu entends ces cris, tu les entends? Ces
hosannas! C'est la sainte du jour! Des bouffons, pire
que le mari! Allons, du courage, mon fils! C'est la
chose la plus facile du monde, tu vois... Celle-là a pris
Médée et elle l'a transformée en va-nu-pieds de Tarente;
toi, tu n'as qu'à prendre Ulysse et le changer en gon-
dolier vénitien. Un triomphe, c'est moi qui te l'assure!
Tu verras de quelle façon on devient riche, oh! deux,
trois cent mille lires, comme rien! « Danse, commère,
pour que sonne la fortune! »

En revenant chez lui avec la signora Faccioli (qui,
la pauvre, ne pouvait détacher son mouchoir de ses
yeux, non tant pour la réelle douleur due au départ de
Silvia que pour dissimuler les longs et profonds dégâts
que les larmes avaient causés à sa « chimie »), Giustino
Boggiolo haussait les épaules, fronçait le nez, trépignait, absolument comme s'il avait eu quelque chose
contre elle. Mais non, pauvre signora Faccioli, elle n'y
était pour rien.

Trois minutes avant le départ du train un nouvel
ennui s'était abattu sur Giustino; il en avait pourtant
déjà son compte! Comme un bout de papier, un chiffon,
un liseron qui s'attacherait au pied d'un coureur tota-

lement absorbé par la compétition, sur une piste enva-
hie par la foule : tout en parlant avec Silvia qui se
tenait à la fenêtre de son compartiment, le sénateur
Borghi n'était-il pas allé jusqu'à lui demander le
manuscrit de *La nouvelle colonie* pour le publier dans
sa revue. Par bonheur, lui avait eu le temps d'intervenir pour démontrer que ce n'était pas possible : trois
éditeurs déjà, et parmi les plus grands, lui avaient fait
des offres somptueuses et encore il les avait tous trois
à l'œil, craignant que la diffusion du livre ne fasse
quelque peu diminuer la curiosité du public qui attendait, dans toutes les villes, avec une fébrile impatience
la représentation du drame. Et alors Borghi, en échange,
s'était fait promettre une nouvelle par Silvia – assez
longue, très longue même – pour *La vie italienne.*

– Mais, pardon, à quelles conditions ? commença
Giustino, exactement comme s'il avait eu à côté de lui
dans la voiture le sénateur, directeur et ancien ministre
et non l'inconsolable signora Ely, qui ne pouvait déci-
dément pas montrer ses yeux ni affronter une conversation dans un tel état. – A quelles conditions, il faudrait voir; il faut s'entendre à présent... Nous n'en
sommes plus au temps de *La maison des nains.* Ce qui
peut suffire à un nain, ma bonne dame, disons les
choses comme elles sont, ne peut suffire à un géant,
un point c'est tout! La gratitude, oui madame... la
gratitude ne doit en aucun cas être exploitée, voilà!
Que dites-vous ?

Elle approuva, elle approuva plusieurs fois de la tête,
dans son petit mouchoir, la signora Faccioli; et Giustino de poursuivre :

– Dans mon pays, celui qui exploite la gratitude perd
non seulement le mérite de son bienfait, mais il se
conduit... il se conduit plus mal que celui qui refuse
avec cruauté une aide qu'il aurait pu fournir. Celle-là,

attention! je la retiens comme bonne pensée pour le premier *album* qu'il m'enverra, lui, monsieur le sénateur. Et je vais même la noter. Comme ça il la lira...
Il sortit son carnet de sa poche pour y noter sa pensée.
— Croyez bien que si je n'agis pas ainsi... Ah, ma bonne dame, ma bonne dame! C'est cent têtes qu'il me faudrait, et encore ça ne suffirait pas! Quand je pense à tout ce que je dois faire, le vertige me prend! Maintenant il faut que j'aille au bureau leur demander six mois de disponibilité. Je ne peux pas faire autrement. Et s'ils ne me l'accordaient pas? Dites-moi, vous... s'ils ne me l'accordent pas? Ce serait une sale affaire; je me verrais contraint à... à... Que dites-vous?
Elle dit certainement quelque chose dans son petit mouchoir, la signora Ely, quelque chose qu'elle ne voulut ni répéter ni traduire par un signe; elle se contenta de hausser les épaules. Alors Giustino :
— Mais vous verrez, par la force des choses... vous verrez que par la force des choses ils m'obligeront à envoyer promener le bureau! Pour après se dépêcher de dire, j'en suis sûr! que je vis aux crochets de ma femme! Comme si ma femme, sans moi... il y a vraiment de quoi rire, allons donc! Et on le voit déjà : regardez maintenant; elle, elle est partie en villégiature; et qui reste ici, à travailler, à faire la guerre? La guerre, vous savez? vraiment la guerre... Maintenant nous entrons en campagne! Sept armées et cent villes! Si nous résistons... Allez donc penser à votre emploi! Et si demain je le perds, pour qui est-ce que je le perdrai? Je le perdrai pour elle... Bah, n'y pensons plus!
Il avait tant de choses en tête qu'il ne pouvait accorder plus de quelques minutes à l'expression du déplaisir, pourtant sérieux, que lui causait cette dernière contrariété. Cependant il ne put s'empêcher de repen-

ser, avant d'arriver chez lui, à la traîtreuse requête du
sénateur Borghi. Il l'avait vraiment trop énervé, voilà;
et aussi parce que, dans tous les cas, il pensait que ce
n'était pas à sa femme, mais à lui, qu'aurait dû s'adresser monsieur le sénateur. Mais enfin, par le Christ!
Un peu de discrétion! Cette pauvre petite partait pour
se refaire une santé, pour se reposer. Et si après, là-
bas à Cargiore, l'envie lui venait de penser à quelque
chose, mais c'est à un nouveau drame qu'elle penserait,
parbleu! et pas à ces bricoles qui vous dévorent tant
de temps et ne rapportent rien. Un peu de discrétion,
par le Christ!

A peine arrivé à la maison — paf! — un autre embê-
tement, un autre casse-tête, une autre cause d'énervement! Mais celui-ci beaucoup plus sérieux!

Il trouva dans son cabinet de travail un petit jeune
homme, long comme un jour sans pain, tout fluet, avec
une forêt de cheveux bouclés à la diable, un bouc en
croc, des moustaches agressives; au cou un vieux mouchoir de soie verte dissimulant sans doute l'absence de
chemise, une jaquette d'un noir verdâtre dont les
manches déchirées aux coudes découvraient des poignets osseux et faisaient paraître démesurément longs
les bras et les mains. Il le trouva, maître des lieux, au
milieu d'une exposition de vingt-cinq pastels répartis
tout autour de la pièce, sur les chaises, les fauteuils,
sur le bureau, partout : vingt-cinq pastels tirés des
scènes dominantes de *La nouvelle colonie*.

— Eh, pardon... pardon, pardon... s'exclama Giustino
Boggiolo en entrant, effaré, perdu dans tout ce débal-
lage. Mais qui êtes-vous, je vous prie?

— Moi? dit le jeune homme avec un sourire triom-
phant. Qui je suis, moi? Nino Pirino. Je suis Nino
Pirino, jeune peintre tarentais et donc compatriote de
Silvia Roncella. Vous, vous êtes son mari, n'est-ce pas?

Enchanté. Et voilà, moi j'ai fait ces choses-là et je suis
venu les montrer à Silvia Roncella, mon illustre payse.

— Et où est-elle? fit Giustino.

Le jeune homme le regarda, abasourdi.

— Où est-elle? Qui? Comment?

— Mais, mon bon monsieur, elle est partie!

— Partie?

— Tout Rome le sait, parbleu! Tout Rome était à la
gare, et vous ne le savez pas. Mais moi j'ai si peu de
temps, veuillez m'excuser... Mais... attendez un instant... pardonnez-moi, ce sont là des scènes de *La nouvelle colonie,* si je ne me trompe?

— Oui monsieur.

— Et, permettez. Comme ça *La nouvelle colonie* appartient à tout le monde. Vous prenez les scènes et... vous
vous les appropriez... comment, mais de quel droit?

— Moi? Que dites-vous là? mais non, fit le jeune
homme. — Moi je suis un artiste, moi j'ai vu...

— Mais non monsieur! protesta vivement Giustino.
— Qu'est-ce que vous avez vu? Vous avez vu *La nouvelle
colonie* de ma femme...

— Oui monsieur.

— Et où l'avez-vous jamais vue, vous? Elle existe sans
doute dans la réalité, sur la carte géographique, cette
île? Vous, vous n'avez pas pu la voir!

Le jeune homme était persuadé que tout cela n'était
qu'une plaisanterie dont il était, en vérité, tout disposé
à rire; mais attaqué de la sorte, contre toute attente,
il sentait son rire lui rentrer dans la gorge. Plus abasourdi que jamais, il dit :

— Avec mes yeux, non, sûrement pas avec mes yeux!
Je ne l'ai pas vue avec mes yeux. Mais je l'ai imaginée,
voilà tout!

— Vous? Mais non, monsieur! rétorqua Giustino. Ma
femme! C'est ma femme qui l'a imaginée, et pas vous!

Et si ma femme ne l'avait pas imaginée, vous, vous auriez peint des nèfles, c'est moi qui vous le dis! La propriété...

A ce point du discours Nino Pirino réussit à laisser éclater le rire qui gargouillait en lui depuis un bon moment.

— La propriété? ah oui? laquelle? celle de l'île? Elle est bien bonne, ah! elle est bien bonne, vraiment bien bonne! c'est seulement de l'île que vous voulez être le propriétaire? le propriétaire d'une île qui n'existe pas?

En l'entendant rire de la sorte, Boggiolo fut envahi par la colère et il cria, tout frémissant :

— Ah, elle n'existe pas! Mais elle existe, elle existe, elle existe, oui monsieur et je vais vous le faire voir, moi, si elle existe.

— L'île?

— La propriété! mon droit de propriété littéraire! Mon droit, mon droit existe; et vous allez voir si je saurai le faire respecter et le faire valoir! Si moi je suis ici, c'est justement pour ça. Maintenant tout le monde est habitué à le violer, ce droit qui émane pourtant d'une loi d'État, parbleu, d'une loi sacro-sainte! Mais je répète que moi je suis ici, à présent, et que je vais vous le faire voir.

— C'est bon... mais attention... monsieur, calmez-vous, attendez, lui disait en même temps le jeune homme, inquiet de le voir dans une telle fureur. Attention, moi je n'ai voulu usurper aucun droit, aucune propriété... Si vous vous énervez comme ça... moi je suis prêt à vous laisser ici tous mes pastels et à m'en aller. Je vous en fais cadeau et je m'en vais... J'avais uniquement l'intention de faire plaisir, de faire honneur à ma payse... Oui... je voulais aussi la prier de... de... de m'aider avec le prestige de son nom, parce que j'estime, c'est vrai, mériter un peu d'aide... Ils sont beaux, vous savez? Accordez-leur au moins un regard, à mes jolis pastels... Ce n'est pas mal, croyez-moi! Je vous les donne et je m'en vais.

Giustino se trouva brusquement désarmé et il resta idiot devant la générosité de ce richissime va-nu-pieds.

— Mais pas du tout... merci... veuillez m'excuser... je disais ça, je discutais pour le... pour la... pour le droit, pour la propriété, voilà. Je vous prie de croire que c'est là une affaire sérieuse... comme s'il n'existait pas... C'est une continuelle piraterie dans le camp littéraire... Je me suis échauffé, hein? mais parce que, voyez-vous... en ce moment je m'échauffe facilement : je suis fatigué, fatigué, fatigué à mourir; et rien n'est pire que la fatigue! Et moi je dois me défendre par-devant et par-derrière, cher monsieur; je dois sauver mes intérêts, il vous faut le comprendre.

— Mais bien sûr, mais naturellement! s'exclama Nino Pirino en reprenant son souffle. Pourtant écoutez-moi... sans vous remettre en colère... par pitié!... Vous pensez que je n'aurais pas le droit de faire un tableau... sur... disons sur *Les fiancés* * : je ressens une des scènes... et je n'ai pas le droit de la peindre?

Giustino Boggiolo fit un gros effort pour se concentrer et demeura pensif, tirant de deux doigts la petite mouche de sa barbe en éventail.

— Eh, eh, dit-il ensuite. Vraiment je ne sais pas... Peut-être que s'il s'agit de l'œuvre d'un auteur mort, déjà tombé depuis un moment dans le domaine public... Je ne sais plus. Il faudrait que j'étudie la question... Mais votre cas présent est de toute manière différent. Regardez! C'est un fait que si demain un musicien me demande de mettre en musique *La nouvelle colonie* (je prends cet exemple parce que je suis effectivement en

---

* Alessandro Manzoni : *I promessi sposi.*

pourparlers avec deux compositeurs, et non des moindres), même s'il fait faire le livret par quelqu'un d'autre, il devra me payer ce que je lui demande, ce qui n'est pas peu, croyez-moi! Et si je ne me trompe, votre cas est le même : vous pour la peinture, l'autre pour la musique...

– Oui, c'est vrai... commença par dire Nino Pirino, en accentuant de plus en plus le croc de son bouc; puis, d'un bond, revenant sur son affirmation : Mais non! vous vous trompez, vous savez! Écoutez... mon cas est différent! Le musicien paye parce que, pour son mélodrame, il prend les paroles, mais s'il ne prend pas ces paroles, s'il se contente d'exprimer musicalement dans une symphonie ou je ne sais quoi, les impressions, les sentiments qu'a suscités en lui le drame de votre femme, il ne paye pas, vous savez? Vous pouvez en être sûr, il ne paye pas.

Giustino tendit les deux mains en avant comme pour arrêter à sa source une menace ou un danger.

– Ce que j'en dis, c'est pour le principe, s'empressa d'ajouter le jeune homme. Parce que je vous ai déjà dit pourquoi j'étais venu et je suis prêt, je vous le répète, à vous laisser tous mes pastels.

A ce moment-là une idée lumineuse traversa l'esprit de Giustino. Le drame, tôt ou tard, serait édité. En faire une édition de luxe, illustrée, avec la reproduction en couleurs de ces vingt-cinq pastels... voilà! et de cette façon le livre n'irait pas dans toutes les mains; de cette façon il empêcherait l'exploitation de l'œuvre de sa femme par ce peintre tout en lui prêtant l'aide morale et matérielle demandée, puisqu'il solliciterait de l'éditeur un dédommagement convenable pour les pastels en question.

Nino Pirino se déclara enthousiasmé par cette idée et pour un peu il aurait baisé la main de son bienfaiteur

qui, pendant ce temps-là, avait une autre idée lumineuse et lui faisait signe d'attendre que la lumière se
fît entièrement...

— Voici : au volume, une préface de Gueli... Ainsi
toutes les mauvaises langues croassant que le drame
n'avait pas plu à Gueli... Et savez-vous qu'il est venu
ce matin à la gare présenter ses respects à ma femme ?
On pourra encore dire (je les connais si bien, moi !) que
c'était par pure courtoisie. Mais Gueli fait la préface...
Très bien, oui oui, très bien. Je vais y aller aujourd'hui
même, dès que je serai sorti du bureau. Mais vous voyez
que de nouveaux soucis, de nouvelles choses à faire vous
me donnez à présent ! Ce soir je dois partir pour Bologne.
C'est bon, c'est bon, je penserai à tout. Laissez-moi vos
pastels ici. Je vous promets que dès que je passerai à
Milan... mais dites... votre adresse ?

Nino Pirino serra les coudes au corps tout en étirant
le buste et il demanda, tout gêné :

— C'est que... quand... quand devez-vous passer à
Milan ?

— Je ne sais pas, dit Boggiolo. Dans deux ou trois
mois au maximum...

— Et alors, sourit Pirino, il est inutile que je vous
donne mon adresse. D'ici deux ou trois mois j'en aurai
certainement changé sept ou huit fois. Nino Pirino,
poste restante; voilà, écrivez-moi comme ça.

Quand, sur le tard, Giustino Boggiolo rentra chez
lui, ayant tout juste le temps de bâcler ses valises, il
était tellement fatigué et dans un tel état d'abrutisse-
ment que les pierres elles-mêmes en auraient eu pitié.
Il n'y avait que lui pour n'avoir pas pitié de lui-même.

A peine entré dans l'ombre épaisse du bureau, il se trouva, sans savoir ni pourquoi ni comment, dans les bras, sur le sein d'une femme qui le soutenait et lui caressait tout doucement la joue d'une main tiède et parfumée en lui disant d'une tendre voix maternelle :

— Pauvre petit... pauvre petit... Mais on le sait!... mais à ce rythme-là, vous allez vous détruire, mon cher!... oh, le pauvre, pauvre petit...

Et lui abandonné, sans volonté, renonçant tout à fait à deviner comment Dora Barmis se trouvait là, chez lui, dans le noir et comment elle pouvait savoir que lui, pour toutes les fatigues supportées, pour les embêtements rencontrés et pour son immense lassitude, il avait ce puissant besoin de réconfort et de repos, lui se laissa caresser comme un enfant.

Peut-être était-il entré dans le bureau en divaguant et en gémissant?

En vérité il n'en pouvait plus! Au bureau son chef l'avait reçu comme un chien et lui avait juré que sa demande de six mois de disponibilité, aussi vrai qu'il s'appelait Gennaro Ricoglia, il se débrouillerait pour la faire repousser, repousser, repousser...

Et après, chez Gueli... Oh mon Dieu, que s'était-il donc passé chez Gueli?... Il ne savait plus où il en était... Est-ce qu'il avait rêvé? Mais, comment? Gueli n'était-il pas venu à la gare ce matin? Était-il devenu fou?... Ou c'était lui-même qui était devenu fou, ou bien Gueli... Mais peut-être que, voilà, dans ce vertigineux remue-ménage, il s'était passé quelque chose à quoi il n'avait pas fait attention et qui expliquait qu'il n'y comprenne plus rien? et que Dora Barmis soit ici... Sans doute était-ce naturel, normal qu'elle soit ici... et ce réconfort compatissant, caressant, était même opportun, oui, et mérité... mais à présent... à présent, ça commençait à suffire, voilà.

Il tenta de se dégager. D'une main Dora retint sa tête sur son sein :

— Non, pourquoi? attendez...

— Je dois... mes... mes valises..., balbutia Giustino.

— Mais non, que dites-vous là! l'interrompit Dora. Vous n'allez pas partir dans cet état? Vous ne pouvez pas, mon cher, vous ne pouvez pas!

Giustino résista à la pression de sa main, jugeant ce réconfort quelque peu excessif et quelque peu étrange, bien qu'il sût que, souvent, Dora Barmis ne se souvenait plus du tout qu'elle était une femme.

— Mais comment... Mais..., continua-t-il de balbutier. Ici, sans lumière..., mais que fait la servante de Mme Ely?

— La lumière? C'est moi qui n'en ai pas voulu, lui dit Dora. On l'avait apportée. Là, là, asseyez-vous avec moi, là. On est bien dans le noir, là... là...

— Et mes valises? qui les fera? demanda piteusement Giustino.

— Vous voulez partir à tout prix?

— Ma chère dame...

— Et si moi je vous en empêchais?

Dans le noir Giustino sentit qu'on lui serrait violemment le bras. Plus abasourdi que jamais, effaré, tremblant il répéta :

— Ma chère dame...

— Mais quel idiot! éclata alors celle-ci avec un frémissement de rire convulsif, en le saisissant par l'autre bras et en le secouant. Idiot! Idiot! Que faites-vous là? Vous ne voyez pas... c'est idiot, oui idiot que vous partiez comme ça... Où sont vos valises? Elles doivent être dans votre chambre. Et où est votre chambre? Montons, allons, c'est moi qui vais vous aider!

Et Giustino se sentit traîné, arraché. Rétif, perdu, bredouillant :

— Mais... mais si nous n'emportons pas de lampe...

Un rire strident déchira l'obscurité; on aurait dit qu'il faisait chanceler la maison silencieuse.

Giustino était désormais habitué à ces accès subits de folle hilarité. Quand il avait affaire à Dora, il se trouvait toujours dans un état de perplexité angoissée, ne réussissant jamais à savoir comment il devait interpréter certains de ses actes, certains regards, certains sourires, certaines paroles. Mais en ce moment même, oui, en vérité, il lui semblait clair que... Mais s'il se trompait? Et puis... mais allons! Compte tenu de la situation dans laquelle il se trouvait... allons, ce serait tout bonnement une mauvaise action, dont il se sentait incapable.

Et c'est dans cette conscience qu'il avait de son inexpugnable honnêteté conjugale qu'il trouva le courage d'allumer résolument, et même avec un certain mépris, une allumette.

Un nouvel éclat de rire, plus strident, plus fou, s'empara de Dora et la fit se contorsionner à la vue de Giustino avec son allumette allumée entre les doigts.

– Mais pourquoi? demanda Giustino tout dépité. Dans le noir... c'est sûr que...

Et il fallut un bon moment avant que Dora n'en finît avec son rire convulsif, ne réussît à se maîtriser et à essuyer ses larmes. Pendant ce temps, lui avait allumé une chandelle qu'il avait trouvée sur le secrétaire, après avoir fait valser trois des pastels de Pirino.

– Ah, vingt ans! vingt ans! vingt ans! frémit Dora. Vous savez, vous les hommes, vous me faites penser à des cure-dents! Là, entre les dents, cassés, on les jette! Quelle bêtise! Quelle bêtise! Et l'âme dans tout ça, l'âme, l'âme... l'âme, où est-elle? Mon Dieu! mon Dieu! Ah, comme ça fait du bien de respirer... Dites-moi, Boggiolo : à votre avis, où se trouve-t-elle? dedans ou dehors? c'est de l'âme que je parle... A l'intérieur de

nous ou à l'extérieur? Tout est là! Vous, vous dites
dedans? et moi je dis dehors. L'âme est dehors, mon
cher : l'âme c'est tout, et nous quand nous serons morts,
nous ne serons plus rien, mon cher, plus rien, plus
rien... Allons, donnez donc de la lumière. Ces valises,
tout de suite... Moi je vais vous aider... Sérieusement!

— Vous êtes trop bonne, dit Giustino tout penaud,
tout effrayé, en se dirigeant le premier, avec sa chandelle, du côté de la chambre.

Dès qu'elle fut entrée Dora regarda le lit conjugal
et tout autour d'elle les autres meubles, plus que
modestes, sous le plafond mansardé :

— Ah, c'est ici..., dit-elle. Bien, oui... quelle bonne
odeur de famille, de maison, de province... Oui, oui,
bien... Vous avez de la chance, mon cher! C'est toujours
comme ça... Mais vous devez faire vite. A quelle heure
part le train? Aïe, tout de suite... Allons, allons, sans
perdre de temps...

Et elle se mit à disposer avec agilité et habileté, dans
les deux valises ouvertes sur le lit, les affaires que
Giustino sortait d'un tiroir pour les lui tendre. Et en
même temps :

— Savez-vous pourquoi je suis venue? Je voulais vous
avertir que la Carmi... tous les acteurs de la troupe,
mais plus spécialement la Carmi, mon cher, sont véritablement hors d'eux.

— Et pourquoi? demanda Giustino en s'arrêtant.

— Mais votre femme, mon cher, ne vous en êtes-vous
pas aperçu? répondit Dora en lui faisant signe de la
main de ne pas s'arrêter, votre femme... sans doute,
la pauvre, parce qu'elle est encore si... les a mal accueillis, mal, très mal...

Ravalant son amertume Giustino inclina plusieurs
fois la tête pour montrer qu'il s'en était bien aperçu
et qu'il le déplorait.

— Il faut réparer! reprit Dora. Vous, dès que vous serez revenu de Bologne, vous irez rejoindre la troupe à Naples... Voilà; la Carmi veut se venger à tout prix et vous, vous devez absolument l'aider à se venger.

— Moi? comment? demanda Giustino une nouvelle fois abasourdi.

— Oh, mon Dieu! s'exclama Dora Barmis en haussant les épaules; vous n'attendez quand même pas que je vous le dise, moi, comment. Ce n'est vraiment pas facile avec vous... Mais quand une femme veut se venger d'une autre... Regardez, la femme peut même être très bonne avec un homme, surtout s'il se donne à elle comme un enfant... Mais avec une autre femme, la femme est perfide, mon cher; capable de tout, si elle croit avoir subi d'elle un affront, une impolitesse. Et puis, l'envie! Si vous saviez ce qu'il y a d'envie entre les femmes et ce qu'elle les rend mauvaises! Vous, vous êtes un brave jeune homme, un très brave homme... excessivement brave, je comprends; mais si vous voulez veiller à vos intérêts... voilà... vous devez... vous devez faire un effort... vous faire un peu violence, peut-être. Du reste vous allez être pendant plusieurs mois loin de votre femme, n'est-ce pas? Alors, maintenant, vous n'allez pas me faire croire...

— Mais non! mais non, croyez-moi, chère madame! s'exclama Giustino. Moi je ne pense pas à cela! Je n'ai même pas le temps d'y penser! Moi, j'ai pris une femme, et ça me suffit!

— Vous en êtes esclave?

— Fini! Je n'y pense plus! Pour moi les autres femmes ne sont pas différentes des hommes, voilà; je ne fais plus aucune différence. La seule femme qui existe pour moi, c'est ma femme et c'est tout. Peut-être n'est-ce pas la même chose pour les femmes... mais quant aux hommes, vous pouvez me croire, tout au moins en ce qui me concerne... L'homme doit penser à tant d'autres choses... Vous vous imaginez si moi, avec tant de soucis, tant d'obligations...

— Mon Dieu, je le sais! Mais c'est dans votre intérêt que je parle, vous ne voulez pas le comprendre? reprit Dora plongeant la tête dans la valise pour dissimuler son envie de rire. Si vous voulez défendre vos intérêts, mon cher... Pour vous, d'accord; mais vous serez forcément en rapport avec des femmes : des actrices, des journalistes... Et si vous ne passez pas par où elles veulent? Si vous ne tenez pas compte de leur instinct? Qu'il soit mauvais, je vous l'accorde! Mais si ces femmes envient votre épouse? Si elles veulent se venger... vous comprenez? Je dis cela dans votre intérêt... Ce sont des nécessités, mon cher, vous n'y pouvez rien! Les nécessités de la vie! Allons, allons, voilà qui est terminé... Fermez, et nous partons tout de suite. Je vais vous accompagner jusqu'à la gare.

En voiture, instinctivement, elle lui prit la main; puis se rappelant brusquement, elle fut sur le point de la lui lâcher; mais ensuite... après tout! puisque c'était fait! Giustino ne se rebiffa pas. Il pensait à ce qui lui était arrivé chez Gueli.

— Pouvez-vous m'expliquer, vous? Moi je ne sais plus, dit-il à Dora. Je suis allé chez Gueli...

— Chez lui? Oh mon Dieu! qu'avez-vous fait!

— Mais pourquoi? répliqua Giustino. J'y suis allé pour... pour lui demander une faveur... Eh bien, le croiriez-vous? Il m'a accueilli comme s'il ne m'avait jamais vu...

— Livia Frezzi était présente?

— Oui madame, elle était là...

— Alors, quoi d'étonnant? Vous ne le savez pas...

— Mais pardon! reprit Giustino. C'est à tomber des

nues! Aller jusqu'à simuler de ne plus se souvenir être venu à la gare ce matin...

— Vous avez même dit cela, vous, en présence de Livia Frezzi? dit Dora en éclatant de rire. Oh, le pauvre Gueli! Pauvre Gueli! Quel gâchis, mon cher Boggiolo!

— Mais pourquoi? répliqua de nouveau Boggiolo. Excusez-moi, mais vous savez, moi je ne peux pas admettre que...

— Vous! Eh oui, nous en sommes toujours là! Vous voulez compter sans les femmes! Et il faudra bien vous l'ôter de la tête... Vous voulez obtenir une faveur de Gueli? qu'il fasse encore une fois preuve d'amitié envers votre femme? Mais mon cher, c'est à son ennemie qu'il faut tenter de faire un brin de cour. Qui sait!

— A celle là aussi?

— Je vous prie de croire qu'elle est loin d'être laide, Livia Frezzi! Sans doute n'est-elle plus... toute jeune... mais...

— Allons, ne dites pas cela, même pour plaisanter, fit Giustino.

— Mais moi je vous dis cela très sérieusement, cher, sérieusement, très sérieusement, il vous faut changer de registre! A votre manière, vous n'arriverez à rien!

Et encore, encore, jusqu'au moment où le train s'ébranla Dora Barmis continua de taper sur le même clou :

— Rappelez-vous... La Carmi! la Carmi! Aidez-la donc à se venger... Patience... cher... Adieu!... Faites un effort... dans votre intérêt... Faites-vous un tout petit peu violence... Adieu, cher, mille choses! adieu! adieu!

Où était-elle ?

En face, au-delà du pré, au-delà du sentier, au milieu d'un espace herbeux se dressait la vieille église dédiée à la Vierge *sidera seandenti*, avec son long campanile à flèche octogonale, ses fenêtres géminées et son horloge portant une bien étrange légende pour une église : *Chacun à sa façon* et à côté de l'église il y avait la cure toute blanche avec son jardin solitaire, et plus loin, entouré de murs, le petit cimetière.

A l'aube, la voix des cloches sur ces pauvres tombes. Peut-être pas leur voix, non, mais au moins le sombre bourdonnement qui se propage lorsqu'elles ont fini de sonner, pénètre-t-il dans ces tombes et réveille-t-il chez les morts un frémissement de désir angoissé ?

Oh femmes des hameaux épars, femmes de Villareto et de Gallaena, femmes de Rufinera et du Pian del Vermo, femmes de Brando et de Fornello, laissez-les venir du cimetière, ne serait-ce qu'une fois, à cette messe de l'aube, elles seules, vos anciennes et pieuses aïeules ; et laissez officier le vieux curé enseveli lui aussi depuis tant d'années et qui, peut-être, sa messe à peine finie, s'empressera d'aller regarder à travers la petite grille le jardin solitaire de la cure, pour voir si le nouveau curé y attache autant de prix que lui-même autrefois.

Mais non... Où était-elle ? Où était-elle ?

A présent elle connaissait tant d'endroits, avec leurs noms ; et même des endroits très éloignés de Cargiore. Elle était montée sur la Roccia Corba et jusqu'au col de Braïda pour y découvrir l'immense Valsusa. Elle savait que la grand-route, au-delà de l'église, descend parmi les châtaigniers et les chênes-verts jusqu'à Giaverno où elle était allée, en traversant tout en bas la curieuse via della Buffa, très large, avec au milieu son canal tout bruissant d'eau. Elle savait que c'était la

voix du Sangone qu'elle entendait constamment, plus
spécialement la nuit, et qui l'empêchait de dormir;
dans son énervement elle voyait toute cette eau courant
perpétuellement, sans jamais s'arrêter. Elle savait que
plus haut, dans la vallée de l'Indritto, le Sangone se
précipite avec un bruit énorme; elle était allée au milieu
de ce vacarme, dans les rochers, pour le voir : une
grande partie de ses eaux se déverse dans les canaux,
pour être utilisée; là-bas bruyante, libre, tourbillon-
nante, écumeuse, effrénée; ici calme dans ses canaux,
domptée, assujettie à l'industrie de l'homme.

Elle avait visité tous les hameaux de Cargiore, ces
groupes de maisons perdus parmi les châtaigniers, les
aulnes et les peupliers et elle connaissait leurs noms.
Elle savait que celui-là, loin, loin au levant, tout en
haut de la colline, c'était la Sacra de Superga. Et elle
savait les noms des montagnes qui l'entouraient, déjà
couvertes de neige : le Monte Luzera et le Monte Uja,
la Costa del Pagliaio et le Cugno del Alpet, le Monte
Brunello et la Roccia Vré. Et celle d'en face, au sud,
c'était le Monte Bocciarda; et plus loin, le Rubinett.

Elle savait tout; elle avait déjà été renseignée sur
tout par la mère (*madama* Velia, comme on l'appelait),
par Graziella et par ce cher signore Martino Prever,
le prétendant. Oui, sur tout. Mais elle... où était-elle?
où était-elle?

Elle sentait ses yeux s'emplir d'une splendeur impré-
cise, surnaturelle; elle avait dans les oreilles une onde
musicale permanente, qui était à la fois voix et lumière,
par laquelle son âme se laissait bercer, sereine, avec
une légèreté prodigieuse, à la seule condition qu'elle
ne soit pas assez indiscrète pour vouloir comprendre
cette voix, fixer cette lumière.

Était-il vraiment si plein de frémissements, comme
elle en avait l'impression, le silence de ces cimes vertes?

brodé, comme brusquement piqueté de longs zigzags infiniment fragiles, de filets de sons aigus, de froissements.

Ce frémissement perpétuel était-il le rire de tous ces petits ruisseaux courant dans les rigoles, les creux, les ravins escarpés et obscurcis par l'ombre des aulnes penchés; ruisseaux bénis qui, après avoir irrigué un pré, se hâtaient, en cascatelles gazouillantes, écumeuses, d'aller faire du bien ailleurs, dans l'autre champ qui les attend et dont toutes les feuilles semblent les appeler en luisant joyeusement?

Non, non, autour de tout cela – lieux, choses et personnes – elle voyait comme diffus un certain air de rêve vaporeux, grâce auquel les apparences les plus proches lui semblaient lointaines et comme irréelles.

Il est vrai que parfois cet air de songe se déchirait d'un seul coup devant elle, et qu'alors certaines apparences paraissaient lui sauter aux yeux, si différentes dans leur réalité toute nue. Troublée, choquée par cette stupidité inanimée, impassible, dure et froide qui l'assaillait avec une violence précise, elle fermait les yeux et pressait très fort ses mains sur ses tempes. Était-elle vraiment comme cela, cette chose-là? Non, elle n'était sans doute même pas comme cela! Et qui sait comment les autres la voyaient... à supposer qu'ils la voient! Et l'air de rêve se reformait en elle.

Un soir, sa belle-mère s'était retirée dans sa chambre, parce qu'elle avait mal à la tête. Elle était entrée avec Graziella voir comment elle allait. Dans la chambrette, propre et modeste, la seule lumière d'une lampe votive, sur une tablette, devant un vieux crucifix d'ivoire; mais la pleine lune l'envahissait tout entière de sa pâle lueur. A peine entrée, Graziella s'était mise à regarder à travers les vitres les prés verts inondés de lumière, et tout à coup elle avait soupiré :

– Quelle lune, madama! Mon Dieu, on dirait qu'il fait déjà jour...

La mère avait demandé qu'elle ouvre les volets à demi fermés.

Ah, quelle solennité dans cet enchantement muet! Dans quel rêve étaient absorbés ces hauts peupliers surgissant des prés que la lune inondait de limpide silence! Et Silvia avait eu l'impression que ce silence s'enfonçait dans le temps et elle avait pensé aux très lointaines nuits, comme celle-ci, veillées par la lune; et toute cette paix qui l'entourait avait alors acquis à ses yeux un sens secret. Très loin, continu, profond, comme un sombre avertissement, le gargouillis du San-gone dans la vallée. Et là, tout près de temps en temps, un étrange grincement.

– Qu'est-ce qui grince comme ça, Graziella? avait demandé la mère.

Et Graziella penchée à la fenêtre, dans l'air transparent, avait répondu gaiement :

– C'est un paysan. Il fauche son foin sous la lune. Il est en train d'aiguiser sa faux.

Mais d'où avait parlé Graziella? Silvia aurait cru qu'elle avait parlé de la lune.

Peu après, d'un lointain groupe de maisons s'était élevé un chant très doux, un chant de femmes. Et Graziella, parlant encore comme si sa voix venait de la lune, avait ajouté :

– On chante à Rufinera...

Elle, elle n'avait pu proférer une seule parole.

Depuis qu'elle avait quitté Rome, et qu'avec ce voyage tant et tant d'images neuves avaient tumultueusement envahi son esprit, sortant à peine des ténèbres de la mort, elle remarquait en elle, avec étonnement, un irréversible détachement à l'égard de toute sa vie passée. Elle n'était plus capable de parler ni de communiquer avec les autres, avec tous ceux qui désiraient poursuivre des relations jusqu'alors habituelles. Elle sentait que ces relations étaient irrémédiablement brisées par ce détachement. Elle sentait que désormais elle ne s'appartenait même plus à elle-même.

Ce qui devait arriver était arrivé.

Peut-être que là où on l'avait conduite lui manquaient les humbles objets familiers auxquels elle s'accrochait auparavant et auprès desquels elle avait coutume de trouver refuge ?

Elle s'était sentie comme égarée là-haut, et son démon en avait profité. C'est de lui que venait cette sorte d'ivresse sonore dans laquelle elle divaguait, ardente et étonnée puisqu'il transformait toute chose avec ces vapeurs de rêve.

Et lui, lui, en dissipant ces vapeurs, il s'arrangeait pour que, de temps en temps, la stupidité de ces choses lui saute aux yeux.

Elle en ressentait un atroce dépit. Et c'était plus particulièrement de tout ce qu'elle avait ou aurait voulu avoir de plus cher et de plus sacré qu'il s'amusait à dévoiler la stupidité : il ne respectait pas plus son enfant que sa maternité ! Et il lui suggérait que l'un et l'autre n'avaient aucun sens et qu'ils n'auraient de valeur que dans la mesure où, grâce à lui, elle en tirerait une belle œuvre. Et qu'il en était de même pour tout le reste. Qu'elle était née pour créer et non pour produire, matériellement, des inepties qui la gênaient et l'égaraient.

Qu'y avait-il là-bas, dans la vallée de l'Indritto ? L'eau canalisée, sage, domestiquée, et l'eau libre, bruissante et écumeuse. Il fallait qu'elle soit comme la dernière, et non comme la première.

L'heure sonnait... Et que disait l'horloge du campanile : *Chacun à sa façon* *.

> *Elle viendra bientôt la neige sans fin,*
> *Et tout sera blanc, les maisons, les prés,*
> *Le clocher, le toit de la vieille église*
> *D'où sortent à l'aube, par les grandes portes,*
> *Telles des brebis encloses,*
> *Les villageoises, leur galant au bras.*
> *Elles ont pensé à l'âme et pensé à la mort.*
> *(Tout près le cimetière semé de croix.)*
> *La vie les reprend, et elles parlent fort,*
> *Heureuses de leur voix*
> *Dans l'air neuf du jour de fête,*
> *Parmi les ruisseaux qui se hâtent*
> *Et les prés verts, là tout autour* **.

Voilà, voilà, comme ça! A SA MANIÈRE. Mais non! Mais quoi? Elle qui jusqu'à présent n'avait jamais écrit le moindre vers! Elle qui ne savait même pas comment on faisait pour en composer... Comment? Oh, la belle affaire! Mais comme ça, comme elle venait de le faire! Comme chantaient en elle... non pas les vers, mais les choses.

Vraiment, tout cela chantait en elle, tout était comme transfiguré, se révélait à elle sous d'imprévisibles aspects, nouveaux et fantastiques. Et elle en ressentait une joie quasi divine.

Ces nuages, ces montagnes... Bien souvent les montagnes ressemblaient à de gros et lointains nuages, pétrifiés; et les nuages à des montagnes d'air noir, lourdes et sombres. Et les nuages avaient tellement à

---

* « Chacun à sa façon » cf. *Gioventu* in « I Mattacini », 1902 (Ognuno a suo modo).
** « Elle viendra bientôt la neige sans fin... »
« Verra tra poco, senza fin, la neve... » Seconde strophe de *Cargiore*, de Luigi Pirandello publiée dans *La riviera ligure*, nº 46, février 1903, et dans *Saggi, poesie, scritti varii*, Milano, Mondadori, 1965, p. 826.

faire auprès de ces montagnes! Tantôt les assaillant de leurs furieuses charges de tonnerre et d'éclairs, tantôt s'étendant sur leurs flancs pour les couvrir de leurs caresses. Et elles ne semblaient pas plus soucieuses de leurs langueurs que de leurs fureurs, avec leur front azuréen perdu dans le ciel, tout absorbées par le mystère des âges les plus lointains enfermé en leur sein. Femmes, et nuages! Et les montagnes aiment la neige.

Et ce pré, tout là-haut, couvert de marguerites à cette saison? L'avait-elle rêvé? Ou bien était-ce la terre qui avait voulu faire une farce au ciel en blanchissant ce petit bout de terre avec des fleurs avant que lui ne le blanchisse de neige? Non, non : dans quelques replis du bois, humides et profonds, pointaient encore des fleurs; et devant tant de vie secrète, elle avait éprouvé une stupeur étrange, presque religieuse... Ah, l'homme qui prend tout à la terre et qui croit que tout est fait pour lui! Cette vie-là aussi? Non. Justement là, pour l'instant, le maître absolu était un gros bourdon vrombissant qui s'arrêtait pour boire avec une avide violence dans les délicats et tendres calices des fleurs, ployant sous lui. Et la brutalité de cette bête brune, bourdonnante, velue et striée d'or était offensante comme quelque chose d'obscène, et l'on ressentait un certain dépit devant la soumission avec laquelle ces tremblantes et graciles campanules subissaient son outrage, pour ensuite trembler légèrement sur leur tige, après que l'insecte, repu et engourdi s'en fût paresseusement éloigné.

De retour à la paisible maisonnette, elle souffrait de ne plus pouvoir être, ou tout au moins paraître, à la chère vieille dame la belle-fille qu'elle était auparavant. En vérité, et sans doute parce qu'elle n'avait jamais réussi à se tenir, à se composer, à se fixer dans un solide et définitif concept d'elle-même, elle avait toujours remarqué avec une vive inquiétude la mobilité extraordinaire et désordonnée de son être intérieur; et souvent, avec un étonnement aussitôt refoulé en elle comme une chose honteuse, elle avait surpris tant de mouvements inconscients, spontanés, de son esprit comme de son corps, étranges, bizarres comme ceux d'une bête remuante qu'on ne saurait dominer; elle avait toujours eu d'elle-même une certaine peur, mêlée de curiosité, née de la crainte qu'il n'y eût aussi en elle une étrangère susceptible de faire des choses qu'elle ne savait ni ne voulait faire : grimaces, actes défendus et autres mauvaises pensées qui n'étaient ni du ciel ni de la terre; mais oui! des choses horribles, parfois même tout à fait incroyables, qui la remplissaient de stupeur et d'épouvante. Elle! Elle si désireuse de ne jamais tenir trop de place et de passer inaperçue, ne serait-ce que pour éviter la gêne de tous ces regards sur elle. Elle craignait alors que sa belle-mère ne découvre dans ses yeux ce rire qu'elle sentait frémir en elle chaque fois que dans la salle à manger elle trouvait, renfrogné, les sourcils hirsutes, gonflé de sombre férocité, ce brave et innocent M. Prever, jaloux comme un tigre de l'oncle Ippolito qui continuait, ici aussi, à lisser tranquillement le pompon de son bonnet de bersagliere et fumer du matin au soir son interminable pipe, en se divertissant follement à le taquiner.

C'était, lui aussi, un beau vieillard, M. Prever, avec sa barbe encore plus longue que celle de l'oncle Ippolito, mais inculte et ébouriffée, ses yeux bleu clair comme ceux des enfants, en dépit de leur ferme intention de les rendre parfois féroces. Il avait constamment sur la tête une casquette de toile blanche, avec une large visière de cuir. Très riche, il ne recherchait que la compagnie des gens les plus humbles pour leur faire secrètement du bien; il avait aussi financé la construction d'un asile d'enfants. Il possédait à Cargiore une belle petite villa et, au sommet de la colline de Braida en Valgioje, une grande maison solitaire d'où l'on découvrait entre les châtaigniers, les hêtres et les bouleaux, toute la vaste, magnifique Valsusa bleuie de brumes. En remerciement de tant de bienfaits reçus, le petit village de Cargiore ne l'avait pas réélu maire; peut-être parce qu'il fuyait la compagnie du peu de personnes dites « bien ». Cependant il ne quittait jamais le pays, même en hiver.

La raison en était, et tout le monde le savait à Cargiore, son brûlant et durable amour pour *madama* Velia Boggiolo. Pauvre *monsu* Martino, il ne pouvait rester, il ne pouvait vivre sans la voir, sa petite *madama Velia* à lui. Tout le monde à Cargiore connaissait madama Velia et cependant personne n'en médisait, tout en sachant que *monsu* Martino passait quasiment tout le jour chez elle.

Lui, il aurait voulu l'épouser; elle, elle ne voulait pas; et elle ne voulait pas parce que... mon Dieu, parce que c'était désormais inutile, à leur âge! Se marier pour rire? N'était-il pas le vrai maître chez elle et tout le long du jour? Et alors? Ça pouvait bien lui suffire... Sa richesse? Mais tout le monde savait que Prever, sans parents proches ou lointains, donnerait un jour ou l'autre tout son bien, quelques legs aux serviteurs mis à part, à madama Velis, si elle lui survivait.

C'était une sorte de fascination, une attirance mystérieuse que *monsu* Martino avait ressentie, trop tard, pour cette petite femme qui avait pourtant toujours été aussi calme, humble, réservée et discrète. Trop tard pour lui, *monsu* Martino; mais en revanche trop tôt pour l'un de ses frères : trop tôt et avec une telle violence, qu'un jour, apprenant qu'elle était déjà fiancée, sans dire un mot, le pauvre garçon s'était tué.

Plus de quarante années s'étaient écoulées, et dans le cœur de *madama* Velia demeurait, sinon un remords, du moins un douloureux étonnement; et c'est sans doute aussi pour cela que, même si elle se sentait parfois un peu embarrassée – c'était le mot, pas vraiment ennuyée – par la continuelle présence de Prever dans sa maison, elle la supportait avec résignation. Graziella avait même dit tout bas à Silvia que madama le supportait de crainte que lui aussi, *monsu* Martino – si elle avait tenté la moindre chose pour l'éloigner un peu – ne fît, Dieu nous en garde!, la même chose que son frère. Mais oui, mais oui, parce que... Elle riait? Oh non! il n'y avait pas de quoi rire : il y avait sûrement un petit brin de folie chez ces Prever, tout Cargiore le disait, un petit brin de folie. Il fallait entendre comme il parlait tout seul, à haute voix, pendant des heures et des heures, *monsu*... Et peut-être bien que l'oncle, le signore Ippolito, il ferait bien de ne pas trop insister avec cette plaisanterie de vouloir, lui aussi, épouser *madama*. Et Graziella avait conseillé à Silvia d'inciter son oncle à faire enrager de préférence don Buti, le curé, qui lui aussi venait quelquefois à la maison.

– *Voilà, çui-là, oui! çui-là!*

Quelle déception, ce don Buti! Dans cette blanche cure avec son jardin tout autour, elle s'était imaginé un tout autre homme de Dieu. En fait elle y avait trouvé un long prêtre, maigre et voûté; tout chez lui était pointu : nez, pommettes et menton, avec deux yeux ronds, éternellement fixes et peureux. Déception d'un côté, mais de l'autre, quel plaisir elle avait éprouvé à l'entendre parler, ce brave homme, des prodiges de son vieux télescope utilisé comme un très efficace instrument religieux et par conséquent aussi précieux pour lui que le calice du maître-autel.

Les hommes, pensait don Buti, sont pécheurs parce qu'ils ne voient de grandes que les choses qui sont proches d'eux, celles de la tere; les choses du ciel auxquelles ils devraient penser avant tout, les étoiles, ils les voient mal et à l'inverse toutes petites, puisque Dieu a voulu les placer si haut et si loin. Les ignorants les regardent, *eh oui, et y disent qué sont pt'êt' belles,* mais elles leur paraissent si petites qu'ils ne peuvent pas les évaluer, qu'ils ne savent pas les évaluer, et c'est ainsi qu'une si grande partie de la puissance de Dieu leur reste inconnue. Il faut faire voir aux ignorants que la véritable grandeur est là-haut : d'où le télescope.

Et quand le soir était beau, don Buti l'installait sur le parvis, son télescope, et il appelait autour de lui tous les paroissiens qui descendaient de Rufinera et de Pian del Vermo, les jeunes chantant, les vieux courbés sur leur bâton, les enfants traînés par leur mère, pour voir « les grandes montagnes de la lune ». Et quels éclats de rire cela ne déclenchait-il pas chez les grenouilles au fond de leur ravin! On aurait dit que les étoiles elles-mêmes avaient des éclairs d'hilarité dans le ciel. Allongeant, raccourcissant l'engin afin de l'adapter à la vue de celui qui se penchait pour regarder, don Buti établissait un roulement, et on entendait de très loin, dans toute cette confusion, ses cris stridents :

– *Av'un soul! Av'un soul!*

Mais oui! Les femmes et les enfants, plus particulièrement, ouvraient la bouche en même temps et ils contorsionnaient leur figure avec mille grimaces pour réussir à tenir l'œil gauche fermé et le droit ouvert, et ils soufflaient et embuaient la lentille de la longue-vue, tandis que don Buti, croyant qu'ils étaient déjà en train de regarder, secouait les mains en l'air, en joignant le pouce et l'index et en s'écriant :

— *La grand'puissance de not' Seigneu, hein, la grand'-puissance de not'Seigneu!*

Et quelles scènes savoureuses lorsqu'il venait pour en parler avec l'oncle Ippolito et *monsu* Martino, dans ce cher nid tiède au milieu des montagnes, plein de ce confort familier rassurant qui s'exhalait de tous les objets à présent animés par les antiques souvenirs de la maison, sanctifiés par des soins amoureux, purs et honnêtes; quelles scènes, surtout les jours où il pleuvait au point qu'il était impossible de sortir, ne serait-ce qu'un instant!

Mais c'est justement ces jours-là, quand Silvia recommençait à peine à savourer la quiétude de la vie domestique qu'arrivait le facteur chargé de courrier et des bouffées de gloire faisaient irruption dans cet intérieur comme pour l'attaquer et l'envelopper tout entière avec ces tas de journaux que son mari lui expédiait de telle ou telle ville.

Elle triomphait partout, *La nouvelle colonie*. Et la triomphatrice, celle qu'acclamaient toutes les foules, eh bien, elle était là, dans cette petite maison ignorée, perdue sur ce vert plateau des Préalpes.

Mais était-ce vraiment elle? N'était-ce pas plutôt un moment d'elle-même, qui avait été? Une brusque lumière dans son esprit et, dans cette étincelle-là une vision dont elle-même éprouvait de la stupeur...

En vérité elle ne le savait plus elle-même, maintenant, comment et pourquoi elle lui était venue à l'esprit cette *Nouvelle colonie,* cette île avec ces marins... Et il y avait de quoi rire! Elle, elle ne le savait pas; en revanche ceux qui le savaient bien, et même très bien, c'étaient tous les critiques dramatiques et non dramatiques de tous les journaux quotidiens et non quotidiens d'Italie. Et que de choses n'en disaient-ils pas! Que de choses ne découvraient-ils pas dans son drame auxquelles elle n'avait pas même songé! Oh mais des choses, attention, qui lui apportaient un très grand plaisir, puisqu'elles étaient la raison des plus grandes louanges; louanges qui en vérité, plus qu'à elle qui n'avait jamais pensé à ces choses, allaient tout droit à messieurs les critiques qui les avaient découvertes. Mais, sait-on jamais, peut-être y étaient-elles vraiment si eux les avaient découvertes par-dessus le marché...

Dans ses lettres hâtives, Giustino se montrait satisfait, entre les lignes, et même très content. Il se décrivait, il est vrai, comme entraîné dans un tourbillon et ne cessait de gémir sur son extrême fatigue et sur les luttes qu'il devait soutenir avec les administrateurs des compagnies et les imprésarios, sur les colères qu'il prenait avec les comédiens et les journalistes; mais ensuite il parlait des grands théâtres regorgeant de spectateurs, des pénalités auxquelles les chefs de troupe s'exposaient de bon gré pourvu qu'ils puissent rester quelques semaines encore, au-delà des limites du contrat, dans telle ou telle « place » pour satisfaire à la demande d'un public qui lui ne se lassait pas d'accourir et d'acclamer avec délire.

En lisant ces journaux et ces lettres où flamboyait devant ses yeux la vision fascinante de ces théâtres, de tant et tant de foules qui l'acclamaient, qui l'acclamaient elle – l'auteur – Silvia se sentait soulevée par cette plénitude ponctuée de frissons qu'elle avait déjà ressentie dans la salle d'attente de la gare de Rome, alors que pour la première fois elle s'était trouvée face à face avec son triomphe, sans y être préparée, prostrée, égarée...

Une nouvelle fois soulevée par cette plénitude, et tout enflammée et vibrante, elle se demandait alors pourquoi elle n'était pas là-bas, elle, là où on l'acclamait avec tant de chaleur, plutôt qu'ici, cachée, isolée, mise à l'écart comme si ce n'était pas d'elle qu'il s'agissait.

Mais oui, même s'il ne le disait pas clairement, Giustino le laissait bien entendre qu'elle, cela ne la concernait pas et que c'était lui qui devait tout organiser, lui qui savait désormais à merveille comment on devait faire chaque chose.

Eh oui, lui. Elle se l'imaginait, elle le voyait, tantôt affairé, échauffé, tantôt hors de lui, tantôt exultant au milieu des acteurs et des journalistes; et en un sens cela n'éveillait en elle ni dégoût ni jalousie, mais plutôt une gêne impatiente, une sorte d'irritation encore mal définie, à mi-chemin entre l'angoisse, la peine et le dépit.

Que devaient-ils penser d'elle et de lui, tous ces gens? de lui plus particulièrement, à le voir comme ça, mais d'elle aussi? Qu'elle était peut-être une idiote. Idiote, non, puisqu'elle avait pu écrire ce drame... Mais, allons donc, une femme qui ne savait sans doute ni se tenir ni parler : absolument insortable!

En fait, c'était vrai : sans lui *La nouvelle colonie* n'aurait peut-être même jamais été mise en scène. C'est lui qui avait pensé à tout; et c'est de tout cela qu'elle lui était redevable. Mais voilà, tout ce mal qu'il s'était donné pouvait encore passer, ou tout au moins ne pas trop sauter aux yeux tant que son nom à elle était encore obscur et sa célébrité modeste, et qu'elle pouvait rester dans l'ombre, enfermée, à l'écart; mais à présent que le triomphe était venu couronner cette fervente entreprise, quelle figure faisait-il lui, tout seul là-bas, au milieu de ce triomphe? Pouvait-elle rester plus longtemps comme cela, retirée, maintenant, et le laisser lui seul bien en vue, comme l'artisan du tout sans qu'ils ne se couvrent tous deux de ridicule? A présent que le triomphe était là, à présent, que lui – contre

177

son gré à elle – avait finalement réussi dans son entreprise en la poussant, en la lançant vers la lumière
aveuglante de la gloire, il fallait – obligatoirement –
et même si c'était contre sa volonté et en se faisant
violence, il fallait qu'elle paraisse, qu'elle se montre,
qu'elle se mette en avant; et que lui – obligatoirement
– se retire, maintenant, qu'il ne soit plus aussi affairé,
aussi acharné, au milieu de tout, accaparant tout.

La première fois que Silvia avait ressenti le ridicule,
dont à ses yeux son mari commençait à se couvrir,
cela s'était passé à la lecture d'une lettre de Dora Barmis dans laquelle cette dernière parlait de Gueli et de
la visite inconsidérée que Giustino était allé lui faire
pour obtenir une préface au volume de *La nouvelle
colonie*. Dans ses lettres Giustino n'y avait jamais fait
la moindre allusion. Certaines phrases de Dora Barmis
concernant Gueli, des phrases pas très claires, tor-
tueuses, l'avaient poussée à déchirer cette lettre avec
dégoût.

Et quelques jours plus tard, lui parvint justement
une lettre de Gueli, pas très claire elle non plus, qui
accrut sa mauvaise humeur et son trouble. Gueli s'ex-
cusait auprès d'elle de ne pouvoir faire la préface à
l'édition de son drame avec quelques vagues allusions
à des raisons secrètes qui l'auraient empêché d'assister
en entier à sa première représentation; il parlait également de certaines misères (sans dire lesquelles) à la
fois ridicules et tragiques, qui embrouillent les esprits,
leur barrent la route, quand encore elles ne leur ôtent
le souffle; et il terminait en la priant (au cas où elle
souhaiterait lui répondre) d'adresser sa lettre, plutôt
que chez lui, au bureau de rédaction de *La vie italienne*,
où il se rendait de temps à autre pour parler d'elle
avec Borghi.

Cette lettre-là aussi Silvia la déchira avec dégoût :

l'étrange prière de la fin l'offensait; mais la lettre tout entière lui avait déjà paru une offense. La « misère ridicule et tragique » ne pouvait être pour lui autre chose que Livia Frezzi; mais il lui en parlait, à elle, comme de quelque chose qu'elle était censée connaître et comprendre par sa propre expérience. En somme il en ressortait clairement une allusion à son mari. Et Silvia fut d'autant plus vexée par cette allusion qu'elle commençait tout juste à découvrir le ridicule de ce dernier. Pendant ce temps l'hiver était survenu, horrible dans ces hauteurs. Pluie continuelle, et vent, et neige, et brouillard, un brouillard suffocant. A supposer qu'elle n'ait eu en elle-même suffisamment de motifs d'impatience et d'oppression, ce temps lui en aurait donnés. Et elle se serait enfuie, toute seule, rejoindre son mari si le souci d'abandonner son enfant avant la date prévue ne l'en avait empêchée.

Elle avait pour cette petite créature des moments de tendresse angoissée, comprenant bien qu'elle ne pouvait être pour elle la mère qu'elle aurait voulu être. Et l'angoisse même que lui causait la pensée de son fils, elle l'imputait avec une sourde rancœur à ce mari qui, par sa rage têtue, l'avait poussée et détournée si loin de ces pieuses affections, de ces modestes préoccupations.

Ah sans doute l'avait-il déjà bien tracé, son plan : la faire écrire, là-haut, comme une machine; et pour que la machine n'ait pas de ratés, l'isoler, grâce à son enfant; et lui de son côté veiller à tout, au-dehors, gérer lui-même cette vaste entreprise littéraire. Ah non! Non! S'il lui fallait ne plus rien être, pas même une mère...

Mais peut-être était-elle injuste? Dans ses dernières lettres son mari lui parlait de la nouvelle maison que bientôt, au printemps, ils allaient avoir à Rome; et il lui disait de se préparer à sortir enfin de sa coquille, entendant bien que son salon fût demain le rendez-vous de la fine fleur des arts, des lettres et du journalisme. Et pourtant même cette idée-là, celle de devoir jouer un rôle, le rôle de la « grande dame » au sein de la stupide vanité de tant de gens de lettres, d'échotiers et de femmes dites intellectuelles, la déconcertait et lui causait au même instant de l'ennui et comme une sorte de nausée.

Peut-être valait-il mieux, était-il préférable de rester cachée ici, dans ce nid au milieu des montagnes, auprès de cette chère vieille dame et de son enfant, ici, entre M. Prever et l'oncle Ippolito, lui qui disait aussi ne vouloir plus jamais, jamais, jamais partir d'ici – et il clignait traîtreusement de l'œil à l'intention de *ç'ui-là*, de *monsu Martino* qui se rongeait intérieurement à l'entendre parler de la sorte.

Ah, le pauvre oncle! Jamais plus, jamais plus en effet, pauvre oncle! En effet c'est bien pour toujours qu'il devait y rester, à Cargiore!

Un soir, pendant qu'il s'essoufflait à tempêter contre Giustino dont une lettre tout juste arrivée annonçait que, mis au pied du mur, il avait quitté son emploi, et à tempêter contre M. Prever qui lui s'obstinait mystérieusement à dire qu'en fin de compte ce n'était pas un bien grand malheur puisque... puisque... un jour... qui sait! (sans doute faisait-il allusion à ses dispositions testamentaires), tout à coup ses yeux avaient chaviré, à l'oncle Ippolito, et il avait tordu la bouche comme pour esquisser un bâillement; un grand sursaut de ses larges épaules et de sa tête avait fait sauter sur son visage le pompon du bonnet de bersagliere; puis la tête était retombée sur sa poitrine et tous ses membres s'étaient abandonnés.

Foudroyé!

Et que de temps, que de peines perdus par M. Prever pour aller dénicher, par cette tempête, le médecin de la commune qui arriva tout essoufflé pour constater ce que tout le monde savait déjà, et par Graziella pour amener le curé avec les saintes huiles!

« Doucement! doucement! N'abîmez pas sa belle barbe! » aurait-elle voulu dire à tous ceux-ci, en s'éloignant pour le regarder encore un peu, son pauvre oncle, là sur son lit, immobile et sévère avec ses bras croisés.

– Que faites-vous donc, monsieur Ippolito?

– Le jardinier...

Et, en le regardant elle ne parvenait pas à chasser l'image du pompon du bonnet qui, dans l'horrible sursaut, avait sauté sur son visage, pauvre oncle! pauvre oncle! Tout n'était à ses yeux qu'une seule et même folie : l'entreprise obstinée de Giustino et la littérature, les livres et le théâtre... Ah oui, mais sans doute folie également la vie tout entière, chaque effort, chaque souci, pauvre oncle!

Il désirait rester ici? Eh bien voilà, il y restait. Ici, dans le petit cimetière, près de la blanche cure. Son rival, M. Prever qui ne parvenait pas à se consoler d'avoir éprouvé autant de dépit à son arrivée, c'est lui qui l'accueillait dans sa chapelle privée, la plus belle de tout le cimetière de Cargiore...

Les jours qui suivirent la mort subite de l'oncle Ippolito furent pour Silvia pleins d'une tristesse horrible, dure, fermée et qui lui faisait voir plus crûment que jamais la stupidité de toutes choses, la stupidité de la vie.

Giustino continuait à lui envoyer, d'abord de Gênes, puis de Milan et de Venise, des masses et des masses de journaux et de lettres. Elle ne les ouvrit pas, elle n'y toucha même pas.

La violence de cette mort avait brisé le très léger et très superficiel accord de sentiments entre elle et les êtres, et même les choses qui l'entouraient ici; accord qui aurait pu se maintenir, pour un très bref délai et à la seule condition que rien de grave ou d'imprévu n'intervienne pour dévoiler l'intérieur des âmes, la diversité des sentiments et des caractères.

Brusquement disparu celui qui la réconfortait par sa seule présence, celui qui avait dans les veines le même sang qu'elle et qui représentait sa famille, elle se sentit seule et comme exilée dans cette maison, dans ces lieux; sinon tout à fait parmi des ennemis, tout au moins parmi des étrangers qui ne pouvaient la comprendre, ni participer directement à sa douleur et qui, par la façon dont ils la regardaient et suivaient, muets et comme en attente, ses mouvements et les actes par lesquels elle exprimait sa profonde douleur, lui faisaient encore mieux saisir, voir, presque toucher du doigt sa solitude, rendant de plus en plus amère la sensation qu'elle en avait. Elle se voyait exclue de tous côtés : par sa belle-mère et par la nourrice puisque l'enfant devait rester là, confié à leurs soins et qu'elles l'excluaient dès à présent de sa maternité; par son mari qui, courant de ville en ville et de théâtre en théâtre l'excluait de son triomphe; et de cette façon se détérioraient pour elle les choses les plus précieuses et personne ne se souciait d'elle, laissée là toute seule, dans ce vide. Que devait-elle faire? Elle n'avait plus personne de sa famille : son père mort et maintenant son oncle mort lui aussi; hors de son village et si loin de lui; coupée de toutes ses habitudes, poussée, lancée sur une voie qu'elle refusait de parcourir de cette façon-là : pas de son propre pas, librement, mais contrainte par la violence d'autrui, poussée par-derrière, par un autre... et sans doute sa belle-mère l'accusait-elle dans son for intérieur d'avoir, elle, dévoyé son mari, de lui avoir empli l'esprit de fumée et enflammé la tête au point de lui faire perdre son emploi. Mais oui! Mais oui! elle avait déjà clairement perçu cette accusation dans quelques regards fuyants, saisis à l'improviste. Ces petits yeux vifs dans la pâleur du visage, qui se détournaient toujours comme pour atténuer leur intensité, ils montraient bien une défiance un peu craintive à son égard, un regret qu'elle voulait dissimuler, pleine d'angoisses et de craintes pour son fils.

Et cependant le mépris que lui inspirait cette injustice se retournait, dans le cœur de Silvia, plutôt contre son lointain mari que contre cette vieille dame ignorante. C'est lui qui était cause de cette injustice, lui tellement aveuglé par sa passion qu'il ne voyait même plus le mal qu'il lui faisait à elle, ni celui qu'il se faisait à lui-même.

Il fallait l'arrêter, lui crier qu'il cesse. Mais comment? Était-ce encore possible à présent que les choses étaient allées aussi loin, à présent que ce drame, composé dans le silence, dans l'ombre et dans le secret, avait soulevé tant de bruit et mis tant de lumière autour de son nom? Comment pouvait-elle juger, elle dans son coin, sans avoir encore rien vu de ce qu'elle aurait dû ou pu faire? Elle ressentait confusément qu'elle ne devait, qu'elle ne pouvait plus être celle qu'elle avait été jusqu'alors; qu'elle devait définitivement rejeter ce côté borné et primitif qu'elle avait voulu conserver à son existence et donner à l'inverse libre cours, s'abandonner à cette secrète puissance qu'elle avait en elle et que jusqu'alors elle n'avait pas consenti à reconnaître. Elle se sentait troublée, toute remuée en profondeur par le seul fait d'y penser. Et ce qui se révélait encore plus précisément à ses yeux c'était que, elle changée, son mari ne pourrait plus rester devant elle, « dans ses pieds », à cheval sur sa célébrité à elle, la trompette à la bouche.

Avec quelles étranges poses, des poses de fous, se contorsionnaient les troncs squelettiques des arbres profondément enfoncés dans la neige : des fouillis, des lambeaux, des loques de brouillard s'empêtraient dans leurs branches hérissées. En les regardant par la fenêtre, elle passait machinalement sa main sur son front et sur ses yeux, comme pour ôter ces lambeaux de brume de ses pensées elles aussi hérissées, avec des poses folles, comme ces arbres, dans le gel de son âme.

Des yeux elle fixait sur la rampe de bois pourri, humide, du balcon, une rangée de gouttes de pluie pendantes, brillant sur le fond plombé du ciel. Arrivait un souffle d'air qui heurtait ces gouttes frémissantes : l'une tombait sur l'autre, puis toutes ensemble elles descendaient en un seul petit ruisseau le long d'un barreau de la rampe. Elle, entre deux barreaux, elle tendait son regard jusqu'à la cure qui se dressait juste en face, à côté de l'église; elle voyait ses cinq fenêtres vertes regardant le jardin solitaire sous la neige; la blancheur des petits rideaux qui les garnissaient disait qu'ils avaient été lavés et repassés en même temps que le linge d'autel. Quelle douce quiétude dans cette blanche cure! Et tout près, le cimetière...

Silvia se levait brusquement, elle enroulait son châle autour de sa tête et partait, dans la neige, droit au cimetière faire une visite à son oncle. La tristesse de son âme était dure et froide comme la mort.

Cette tristesse commença de se dissiper avec l'arrivée du printemps, au moment où sa belle-mère, qui l'avait tant priée de ne pas aller au cimetière avec cette neige, avec ce vent, avec cette pluie, se mit au contraire à lui demander, maintenant que les beaux jours étaient là, d'aller au soleil avec la nourrice et le petit, sur la route de Giaveno. Elle se mit donc à sortir avec son enfant; elle envoyait la nourrice en avant en lui disant de l'attendre au premier oratoire qui se trouvait sur cette route. Et elle entrait au cimetière pour l'habituelle visite à son oncle.

Un matin, devant ce premier oratoire, elle trouva en compagnie de la nourrice, planté derrière un appareil photographique, un jeune journaliste venu de Turin exprès pour elle ou, comme il le disait : « à la découverte de Silvia Roncella et de son ermitage ». Ce qu'il la fit rire et parler, cet aimable fou qui voulait tout savoir, tout voir et tout photographier, et surtout elle dans toutes les attitudes possibles : avec et sans nourrice, avec et sans enfant, se déclarant vraiment ravi d'avoir découvert cette mine, cette mine absolument inexplorée, cette mine vierge, cette mine d'or.

Lorsqu'il fut parti, Silvia resta un bon moment tout étonnée d'elle-même : elle aussi, elle aussi s'était découverte une autre, à l'instant, en face de ce journaliste. Elle s'était sentie elle aussi brusquement heureuse de parler, de parler... et elle ne savait même plus ce qu'elle lui avait dit. Tant de choses! Des bêtises? Peut-être... mais elle avait parlé, finalement. Elle avait été celle qu'elle devait être désormais.

Et le lendemain elle ne cessa de se réjouir en voyant son image reproduite dans tant d'attitudes différentes sur le journal que ce dernier lui envoya et en lisant toutes les choses qu'il lui avait fait dire; mais surtout en découvrant l'expression d'un émerveillement et d'un enthousiasme que le journaliste ressentait, plus pour la *femme* encore inconnue de tous, que pour l'artiste désormais célèbre.

C'est un exemplaire de ce journal que Silvia voulut,

à son tour, envoyer immédiatement à son mari, pour lui donner la preuve que, mon Dieu – si elle s'y mettait – il n'y avait pas que lui, mais qu'elle était aussi capable d'assez bien faire les choses.

5.

La chrysalide et la chenille

Qu'ils soient déçus, passe encore; mais qu'ils puissent par-dessus le marché être assaillis de remords, après avoir été unis et absorbés par une œuvre dont ils n'attendaient que louanges et reconnaissance, c'en était vraiment trop! Et pourtant...

Il aurait voulu qu'ils volent, Giustino, que les deux fiacres volent pour arriver plus vite à la maison en revenant de la gare où il était allé accueillir Silvia en compagnie de Dora Barmis et de Raceni.

– Le voyage... Elle doit être fatiguée... Et puis toute seule... dit Raceni à Giustino qui semblait lui aussi impressionné par le visage bizarre et les traits figés de Silvia.

– Eh oui... reconnut aussitôt Giustino. Je comprends. J'aurais dû aller la chercher là-haut. Mais comment faire? Avec la maison sur les bras, par-dessus le marché. Et puis, vous savez, la mort de son oncle... il y a ça aussi. Elle en a été très éprouvée, trop éprouvée.

Cette fois-ci ce fut au tour de Raceni de s'empresser de reconnaître :

– Ah oui... Ah oui... C'est sûr, c'est sûr...

Et que de choses auxquelles ils n'avaient pas pensé,

passionnés comme ils l'étaient tous trois par la décoration de la nouvelle maison!

Ils étaient partis tout joyeux à la gare, avec la satisfaction d'avoir réussi, au prix d'incroyables fatigues, à lui permettre de trouver tout en ordre; et voilà qu'à l'instant, ils s'apercevaient brusquement que non seulement ils ne méritaient ni remerciement ni reconnaissance pour tout ce qu'ils avaient réalisé, mais qu'ils devaient par-dessus le marché se repentir de n'avoir pas pensé, sans même parler du deuil récent, tout au moins au déchirement de cette mère se séparant de son enfant.

A présent chaque minute semblait une heure à Giustino. Il espérait que Silvia, dès qu'elle serait rentrée dans la nouvelle maison, de stupeur, ne penserait plus à rien... C'est intentionnellement qu'il n'en avait jamais soufflé mot dans ses lettres.

Des prodiges — c'était le mot — ils avaient fait des prodiges, grâce aux conseils et à l'aide assidue de Dora et aussi... aussi de Raceni, le pauvre!

Il disait une maison, comme ça, façon de parler. Une maison? Ce n'était pas une maison. C'était... — mais silence, par pitié, que Silvia ne le sache pas encore! C'était une villa-silence — un hôtel particulier dans cette nouvelle avenue toute en hôtels particuliers, du pont Margherita aux Prati, l'avenue Plinio. L'une des premières, avec un jardin tout autour, une grille et tout et tout. Au diable? Comment au diable! On était à deux pas du Corso. Une avenue résidentielle, silencieuse : la meilleure que l'on pût choisir pour quelqu'un qui devait écrire! Mais il y avait mieux. Ce n'était pas du tout en location qu'il l'avait prise, cette villa — taisez-vous par pitié! Il l'avait achetée. Oui messieurs, achetée, pour quatre-vingt-dix mille lires. Soixante mille lires à verser tout de suite, cash; les

trente autres à payer par échéances, en trois ans. Et
aussi – chut – environ vingt mille autres lires qu'il
avait dépensées jusqu'à maintenant pour le mobilier :
merveilleux, ce mobilier! Avec la science de Dora en
la matière... Tout du mobilier neuf et de style : simple,
sobre, élégant et solide : des meubles de Ducrot! Il
fallait voir le salon, à gauche, tout de suite en entrant;
puis à côté l'autre salon; et ensuite la salle à manger
qui, elle, donnait sur le jardin. Le bureau était en
haut, au premier étage et on y accédait par un bel et
large escalier de marbre orné d'une rampe à colon-
nades qui s'amorçait un peu après l'entrée du salon.
En haut, donc, le bureau et les chambres : deux belles
chambres l'une à côté de l'autre, deux chambres
jumelles. En vérité Giustino ne savait pas très bien
quel était le point de vue de Silvia à ce sujet, mais,
pour son compte personnel, il aurait préféré une
chambre unique. Dora Barmis s'en était montrée indignée, horrifiée.
– Mais par pitié! Ne le dites même pas... Vous
voulez tout gâcher? Séparés, séparés, séparés! Appre-
nez donc à vivre, mon cher! Vous m'aviez pourtant dit que dorénavant vous prendriez toujours le
thé...
Deux chambres. Ensuite la salle de bains, les toilettes, la penderie... Des merveilles! Des merveilles ou
des folies? Voilà, à vrai dire, il semblait avoir perdu
son fameux petit carnet, Boggiolo, à cette occasion. Il
avait déséquilibré son budget, et comment! Mais il
avait tant d'argent en main! Et puis, la tentation...
Pour chaque objet qui lui avait été présenté en plusieurs exemplaires à des prix différents, il avait seulement vu ce petit rien qu'il dépenserait en plus en
choisissant le plus beau; et oui, messieurs, tous ces
petits riens en plus, ajoutés l'un à l'autre avaient

arrondi une très belle panse de zéros au coût du mobilier.

Mais en revanche, l'achat de la villa, il ne le regrettait pas. Comment! Puisqu'il pouvait le faire, ayant en main de quoi échapper à l'usure tyrannique des propriétaires fonciers, ç'aurait été une folie de ne pas acheter et de continuer à jeter en l'air deux ou trois cents lires par mois, pour un bout d'appartement tout juste décent. La villa leur restait alors que les sous de la location auraient filé dans la poche du propriétaire. Il est vrai que s'il n'avait pas acheté la villa, le capital lui serait resté... D'accord. Il fallait donc faire le calcul pour voir si avec les intérêts d'un capital de quatre-vingt-dix mille lires on aurait pu payer un loyer mensuel de trois cents lires? On ne l'aurait jamais payé! Et, en attendant, au lieu du tout petit appartement tout juste décent, avec quatre-vingt-dix mille lires, on avait cette villa, ce palais! Mais, et les charges? Oui, c'est vrai, les impôts et bien d'autres choses en plus. Entretien, éclairage, service... Avec une maison de cette classe, certes, ne pouvait suffire une petite bonne des Abruzzes : il fallait, au bas mot, trois domestiques. Giustino, pour l'instant, en avait pris deux à l'essai; et même un et demi, ou plutôt deux demis : un demi-cuisinier et un demi-homme à tout faire (un *valet de* chambre, *un valet de chambre** *, comme Dora lui avait suggéré de l'appeler) : un garçon svelte, avec une belle livrée, pour faire le ménage, servir à table et ouvrir la porte.

Voilà, maintenant, tout de suite... dès que les deux fiacres arriveraient à la grille, Emere (il s'appelait Emere)... – Ohé, Emere!... Emere!... cria Giustino, descendant de la voiture, dans la nuit, puis, se tournant

---

* Par snobisme Dora Barmis utilise le terme français.

vers Raceni : – Vous avez vu ?... Il n'est pas à son poste...
Qu'est-ce que je lui avais dit ?...

Ah, le voici : il est en train d'allumer la lumière,
en haut d'abord, ensuite en bas, et toute la villa appa-
raît avec ses fenêtres illuminées, splendide sous le ciel
étoilé; on dirait une féerie! Mais il faut que Silvia,
déjà descendue avec Dora, attende devant la grille que
Raceni sorte les bagages du coffre, tandis qu'un chien
aboie dans la villa voisine et que Giustino se dépêche
de payer les cochers pour aussitôt courir vers sa femme
et lui montrer, sur l'un des piliers qui soutiennent la
grille, la plaque de marbre avec l'inscription : *Villa
Silvia*.

Et tout de suite il regarde ses yeux. Pendant le trajet
il avait supposé qu'elle dans l'autre voiture, parlant
avec Dora de la mort de son oncle et de l'enfant qu'elle
avait dû abandonner, allait pleurer. Hélas, non, elle
n'avait pas pleuré. Elle avait le même air qu'à son
arrivée : bizarre, raide, glacé.

– Tu vois? Elle est à nous! lui dit-il, à toi... à toi,
Villa Silvia, tu vois? Elle est à toi... Je l'ai achetée!

Silvia fronça les sourcils, regarda son mari, regarda
les fenêtres illuminées.

– Une villa?

– Vous allez voir cette beauté, madame Silvia! s'exclama Raceni.

Emere accourait pour ouvrir la grille et il se mit
en position, ôtant sa casquette galonnée et la tenant
avec son bras à la hauteur de sa tête, sans le moins
du monde perdre contenance devant les reproches que
Giustino lui lançait à la face.

– Belle rapidité! Belle ponctualité!

L'irritation de Giustino était accrue par l'air maus-
sade de Dora. Il était certain que Silvia, en voiture,
n'avait pas été gentille avec elle. Elle qui s'était donné

tant de mal, qui s'était tant évertuée à l'aider, cette pauvre femme. Belle façon de remercier les gens!

— Tu vois? reprit-il, tourné vers sa femme qui venait d'entrer dans le vestibule. Tu vois, hein? Je ne suis pas allé te chercher... à Cargiore, mais tu vois... hein? c'était pour te préparer cette surprise, hein? avec l'aide de... comment dis-tu? hein? ce vestibule! avec l'aide de notre chère amie et de Raceni.

— Mais non! Que dites-vous là! Voulez-vous vous taire! tenta d'interrompre Dora.

— Mais si, mais si! insista Giustino. Si vous n'aviez pas été là! Parce que moi tout seul... A présent — tout cela n'est rien — à présent tu vas voir... Nous avons des raisons, non seulement de vous remercier, mais de vous rester éternellement reconnaissants...

— Oh, mon Dieu, comme vous exagérez! sourit Dora. Laissons cela. Occupez-vous plutôt de votre femme qui doit être très fatiguée.

— Oui, c'est vrai, très fatiguée... dit alors Silvia avec un sourire à la fois doux et froid, et je vous demande de bien vouloir m'excuser si je ne remercie pas comme il le faudrait... Cet interminable voyage...

— Le dîner doit être déjà servi, s'empressa de dire Raceni, tout ému par ce sourire (enfin!) et par ces bonnes paroles (ah quelle voix Silvia avait prise! et quelle douceur! une tout autre voix... oui elle lui semblait, tout entière, être une autre!).

— Une petite collation; et, tout de suite après, au lit!

— Mais d'abord, dit Giustino en ouvrant la porte du salon... comment! au moins comme ça, en vitesse, il faut qu'elle voie... En avant, en avant.. ou plutôt, voilà, j'ouvre la marche...

Puis il commença ses explications, interrompu de temps à autre par les « Mais oui... mais continuez... mais ça elle le verra après » de Dora à chaque détail sur lequel elle le voyait s'attarder, en répétant d'une façon ridicule, avec d'horribles bévues, tant ce qu'elle lui avait dit pour en expliquer les propriétés, la finesse, l'à-propos, le bon goût.

— Tu vois ? En porcelaine... Ils sont de... de qui sont-ils madame ? ah, oui, de Lerche... Lerche, un Norvégien. Ça n'a l'air de rien, et pourtant, ma chère... qu'est-ce que ça coûte ! qu'est-ce que ça coûte ! Mais quelle finesse, hein ?... Ce petit chat, hein ? quel amour ! Oui, continuons, continuons !... Ce sont tous des Ducrot !... c'est le meilleur, tu sais ? De nos jours c'est le meilleur, n'est-ce pas, madame ? Il n'y a que lui... Des meubles de Ducrot ! Tous des meubles de Ducrot... Ça aussi... et regarde ce fauteuil, là... comment l'appelle-t-on ? tout en cuir fin... je ne sais plus quel cuir... et tu as les deux mêmes en haut, dans ton bureau... aussi de Ducrot ! Tu vas voir ce bureau !

Si seulement Silvia avait dit un mot, ou tout au moins par un regard, par un signe, même léger, montré quelque curiosité, un peu de reconnaissance ou d'étonnement, Dora Barmis aurait commencé à parler, à lui donner brièvement, et avec son tact habituel, avec le relief nécessaire, les nuances nécessaires, l'explication de toutes ces choses exquises, mais elle souffrait tellement des commentaires grotesques de Boggiolo qu'ils lui semblaient chiffonner, mutiler, froisser chaque objet.

Silvia souffrait encore plus qu'elle de voir et entendre son mari parler de la sorte ; elle souffrait pour elle et pour lui : et en même temps elle imaginait le plaisir que cette femme, sinon Raceni, avait dû prendre à arranger cette maison à son idée avec l'argent de l'autre ; et elle en éprouvait du mépris, du dépit, de la honte, et, à mesure qu'ils avançaient, elle se raidissait de plus en plus ; elle n'interrompait pas pour autant ce supplice, retenue qu'elle était par la curiosité (elle s'efforçait de ne pas la montrer), par la curiosité de voir cette maison qui ne lui paraissait pas être à elle, mais plutôt une maison étrangère, non pas faite pour y vivre comme elle avait vécu jusqu'alors, mais pour y représenter désormais, toujours et par nécessité, une comédie; également vis-à-vis d'elle-même; contrainte de traiter avec tous les égards dus ces objets d'une exquise élégance qui la tiendraient dans une perpétuelle sujétion; contrainte de se souvenir continuellement du rôle qu'elle devait jouer parmi eux. Et elle pensait que, de même qu'elle n'avait plus son enfant, elle n'avait plus de maison non plus – du moins telle qu'elle l'avait jusqu'alors comprise et aimée. Mais il devait en être ainsi, hélas! Et rapidement donc, en bonne actrice qu'elle était, elle allait prendre possession de ces pièces, de ces meubles-là, de cette scène de théâtre d'où toute intimité familiale devait être bannie.

Lorsqu'elle vit, en haut, sa chambre indépendante de celle de son mari :

– Ah, oui, voilà, dit-elle, c'est bien, très bien...

Et ce fut, ce soir-là, la seule approbation qui sortit de sa bouche.

Giustino, qui avait un véritable roc sur la poitrine à l'idée de cette innovation, peut-être discutable, que Silvia allait découvrir dans la nouvelle maison, retournait déjà dans son esprit la meilleure façon de lui présenter la chose et de la lui faire valoir, sans l'offenser d'une part et sans provoquer de l'autre le rire de Dora; il se sentit d'un seul coup soulagé et ravi, sans pour autant bien comprendre le motif de l'acquiescement de sa femme.

– Et moi, je suis ici, tu vois? Ici, à côté, s'empressat-il d'expliquer : Ici, juste ici... Des chambres, comment les appelle-t-on? ah, des chambres jumelles, parce que, tu vois, celle-ci, c'est la mienne! Et toi, qu'est-ce que tu as là? Mon portrait! Et moi qu'est-ce que j'ai ici : ton portrait. Tu vois, des chambres jumelles. Elles te plaisent, hein? Eh, oui maintenant tout le monde fait comme ça... C'est bien, je suis vraiment content.

Dora et Raceni, le voyant ce soir-là comme un petit toutou autour de sa femme, s'en étonnaient et se regardaient de temps en temps dans les yeux en souriant.

Mais si ce soir-là Giustino était aussi soumis et soucieux de l'approbation de sa femme, ce n'était pas que, revenant de la tournée triomphale de *La nouvelle colonie* à travers les principales villes de la péninsule, son estime pour elle eût augmenté et qu'à l'heure présente elle lui inspirât plus de respect et de considération; ni davantage parce que l'air qu'elle avait lui fît deviner, ou tout au moins entrevoir, un changement d'esprit à son égard. Son estime était la même qu'auparavant. En réalité, il ne s'était jamais reconnu bon juge du véritable mérite artistique de sa femme et ne s'en souciait pas le moins du monde, à condition que ce mérite fût reconnu par les autres; et il était sûr que s'il en était ainsi – au moins dans cette mesure – c'était grâce à l'œuvre extraordinaire qu'il avait lui-même mise en train et qu'il continuait à bâtir. La reconnaissance de ce talent était, comme on le sait, son œuvre à lui. Quant à l'âme de Silvia, comment aurait-il pu douter, maintenant moins que jamais, qu'elle ne fût pleine d'admiration et de gratitude?

Et alors? Alors, il devait y avoir d'autres raisons que ni Dora ni Raceni ne pouvaient imaginer.

Il regrettait, Giustino, il regrettait d'avoir trop dépensé pour le mobilier et, si d'un côté il craignait que cela puisse justement le faire quelque peu déchoir dans cette admiration et cette gratitude, de l'autre il souhaitait son approbation comme un baume qui apai-

serait son remords. Et puis, il était sincèrement désolé
d'avoir laissé sa femme voyager seule pour la première fois sans avoir pensé à sa séparation d'avec
l'enfant et à la mort de son oncle (ces dernières,
uniques raisons, à ses yeux, de la raideur de Silvia).
Et enfin... il y avait une autre raison, une raison
intime, très particulière, qui avait son fondement
dans le plus rigoureux, le plus scrupuleux respect de
ses devoirs conjugaux, pendant près de six longs mois.
Dora, elle au moins, aurait pu devenir cette raison-
là. En fait, elle souriait, en douce... Mais oui, allons!
Sans doute avait-elle deviné...

Mais ce n'est cependant pas pour cette seule raison
que, lorsque fut arrivée l'heure du dîner (déjà
commandé et préparé pour quatre dès avant le départ
pour la gare), celle-ci ne voulut en aucune manière
céder aux instantes prières de Boggiolo et qu'elle partit.
Raceni pensait, d'un côté, qu'il serait inconvenant de
ne pas suivre Dora; mais de l'autre, il avait été tellement ébloui par Silvia dès le moment où il l'avait
revue, qu'il fut incapable de répondre non lorsqu'elle
lui dit avec un sourire :

— Vous au moins, vous allez rester...

Et ce soir-là, de propos délibéré, Silvia continua de
l'éblouir pendant tout le repas, pour la plus grande
stupeur et le plus grand dépit de Giustino qui, à un
moment donné, ne put se contenir et soupira :

— Mais pour Dora, quand même, ça m'ennuie!

— Oh mon Dieu! s'exclama Silvia. Si elle ne voulait
pas rester... Tu ne l'en as d'ailleurs pas beaucoup priée!

— Mais c'est toi qui aurais dû l'en prier! riposta
aussitôt Giustino.

Et Silvia froidement :

— Il me semble le lui avoir demandé comme je l'ai
demandé à Raceni...

– Mais tu n'as pas du tout insisté! Tu aurais pu insister.

– Je n'insiste jamais, dit Silvia, puis elle ajouta en se tournant toute souriante vers Raceni : Ai-je insisté avec vous? Je n'en ai pas l'impression. Si Dora avait eu du plaisir à rester avec nous...

– S'il te plaît! s'il te plaît! Et si elle était partie, éclata Giustino au comble de la fureur, si elle était partie pour ne pas te déranger après ton voyage?

– Giustino! le reprit aussitôt Silvia sur un ton de reproche, mais sans cesser de sourire. Maintenant tu fais un affront à Raceni qui est resté. Pauvre Raceni!

– Pas du tout! Pas du tout! se révolta Giustino. Moi je défends Dora contre tes soupçons. Raceni sait très bien que ça nous fait plaisir si nous l'avons retenu.

En vérité, Raceni n'eut pas l'impression que ça lui faisait bien plaisir à lui; mais à elle certainement, et il n'y comprenait plus rien, le pauvre jeune homme! Il était rouge comme un coquelicot et il sentait son sang parcourir ses veines comme un liquide incandescent et avec une telle violence qu'il en était tout étourdi.

Et Giustino qui le voyait dans cet état et entendait en même temps Silvia répéter sans cesse avec des sourires : « Pauvre Raceni!... Pauvre Raceni! » se sentait à son tour consumé par une autre sorte de feu : feu de dépit et même de rage venant de sa déception de n'avoir encore découvert chez sa femme le moindre signe de plaisir, d'étonnement ou d'admiration pour cette salle à manger, ce service de table, cette splendide jardinière toute pleine d'odorants œillets blancs, pour l'irréprochable service d'Emere qui, ici dans sa belle livrée, comme là-bas la cuisinière dans sa cuisine faisait son premier essai. Rien! Pas même un signe! Comme si elle avait toujours vécu au milieu de toutes ces splen-

deurs, comme si elle avait été habituée à être servie
de la sorte, à dîner de cette façon, à avoir à table des
commensaux de cette qualité; ou comme si, avant d'arriver, elle avait déjà été au courant de tout et s'était
attendue à se trouver propriétaire de cette villa, meu-
blée de cette manière; mieux même : comme si ce
n'était pas lui, mais elle, elle seule, qui avait pensé à
tout et tout organisé.

Mais comment? Était-ce dirigé contre lui? Et pourquoi? Comment était-ce possible? Seulement parce qu'il
n'était pas allé la chercher à Cargiore? Parce qu'il
n'avait pas pensé qu'elle quittait son enfant? Mais elle
n'en paraissait pas plus affligée que ça! Elle était là, à
rire... Mais quelle façon de rire, à présent? Et elle y
allait encore, avec son « pauvre Raceni! ».

Giustino crut véritablement devenir sourd et il se
sentit intérieurement déchiré, des doigts de pied à la
racine des cheveux, quand Silvia annonça à Raceni une
grande nouvelle : elle avait écrit des vers à Cargiore,
beaucoup de vers, dont elle promit de lui donner un
exemplaire, en cadeau, pour *Les Muses*.

— Des vers? Quels vers? Toi, tu as fait des vers?
explosa-t-il. Mais allons donc!

Silvia le regarda comme si elle ne le comprenait pas
du tout.

— Pourquoi? dit-elle. Je n'avais pas le droit d'en
écrire? Je n'en avais jamais écrit, c'est vrai. Mais ils
me sont venus tout seuls, croyez-moi, Raceni. S'ils sont
bons ou mauvais, je n'en sais vraiment rien. Peut-être
sont-ils mauvais...

— Et tu voudrais les publier dans *Les Muses?*
demanda Giustino avec des yeux de plus en plus aigris
par le dépit.

— Mais, pardon, pourquoi pas, Boggiolo? dit Raceni
sur un ton irrité. Vous croyez vraiment qu'ils puissent

être mauvais? Imaginez avec quelle émotion ils vont être recherchés, et lus, comme une nouvelle manifestation, inattendue, du talent de Silvia Roncella.

— Non, non, par pitié, ne parlez pas ainsi, Raceni, s'empressa de protester Silvia. Sinon je ne vous les donne plus. Ce sont des vers de rien du tout, auxquels vous ne devez attacher aucune importance. Je vous les donne à cette seule condition, et uniquement pour vous faire plaisir.

— C'est bon, c'est bon... bafouilla Giustino. Mais, tu permets? Je te ferais observer... pas pour Raceni qui... c'est bon, tu les lui as promis; n'en parlons plus... Et pourtant tu avais d'abord promis une nouvelle au sénateur Borghi, et tu ne la lui as pas faite!

— Oh, mon Dieu, je la lui ferai, quand elle me viendra... répondit Silvia.

— Eh bien... moi je dis que... au lieu de ces vers... tu aurais au moins pu faire la nouvelle, à Cargiore! ne put s'empêcher de grogner Giustino. Et, en attendant... maintenant que tu ne peux plus donner ces vers au sénateur, puisque tu les as promis à Raceni... Je dirais de... d'attendre au moins que la nouvelle pour Borghi soit prête.

Tout allait de travers, tout, ce soir, tout pour lui gâcher la joie de la prise de possession de la villa, prix de tant de tourments! Et à présent elle voulait retourner en arrière, sa femme, aux beaux temps où elle distribuait, comme ça, ses travaux en cadeau à tout le monde? Et elle voulait aussi se mettre à tout faire par elle-même, profitant de ce que lui, ce soir, ne voulait pas perdre avec elle la courtoisie qui lui était due.

Il remarquait bien, hélas, qu'il était précisément en train de la perdre; raison pour laquelle il sentait croître son énervement. Mais dame! c'était forcé! Sa déception en face de ce refus de compliments, d'admiration, de tout son comportement. Son impolitesse envers Dora, et maintenant cette promesse à Raceni...

Pour se soulager et pour en quelque sorte dissimuler sa fureur, dès que ce dernier fut sorti, il déversa sur lui un chapelet d'injures et d'insanités : – Idiot! Imbécile! Polichinelle!

Mais voilà que Silvia prenait sa défense, en souriant!

– Et la reconnaissance, Giustino? Lui qui t'a tellement aidé.

– Lui? Mais il m'a gêné! Uniquement gêné! éclata Giustino hors de lui. Uniquement gêné! Comme maintenant! Comme toujours! Dora, elle, m'a vraiment aidé, tu comprends? elle, oui! Dora Barmis que tu as fait partir de cette façon. Et à l'autre : des sourires, des compliments, *pauvre Raceni! pauvre Raceni!* et par-dessus le marché les vers en cadeau, dame!

– Mais ne travaillent-ils pas ensemble, tous les deux? dit Silvia. Lui comme directeur, elle comme rédactrice?... Il vaudrait mieux, crois-moi, dès maintenant, pour toute l'aide qu'ils t'ont donnée, les dédommager de temps en temps, pour qu'ils n'aient plus la satisfaction de nous servir pour... pour je ne sais trop pourquoi.

– Ah non, chérie, ça non, chérie, écoute-moi, chérie... se mit alors à dire Giustino piqué au vif et achevant de perdre tout contrôle de lui-même, tu vas me faire le plaisir de ne pas te mêler de ces choses-là qui sont mon affaire! Mais as-tu vu, dis-moi, as-tu tout bien vu?... Moi je ne sais pas... Toutes ces choses-là... tout est à nous! Et c'est le fruit, je te l'ai dit, le fruit de mon travail, d'une foule de soucis et de tracas! Et maintenant c'est toi, pardon, qui veux m'apprendre comment il faut faire et ce que l'on doit dire?

Silvia coupa aussitôt court à la discussion en déclarant qu'elle était morte de fatigue après ce long voyage et désireuse de se reposer.

Elle comprit bien que sur ce point, il ne céderait jamais et qu'à vouloir empêcher ou faire quelque obstacle à ce qu'il considérait désormais comme son emploi, sa profession, se produiraient inévitablement entre eux des heurts susceptibles de provoquer une rupture définitive.

Et elle le comprit encore mieux quand après qu'elle l'eut repoussé, il commença, tout en se déshabillant dans la chambre voisine, à donner libre cours, sans la moindre retenue, à son désenchantement, à son amer dépit et à sa rage, avec des imprécations, des semonces, des reproches, des regrets ponctués d'éclats de rire méchants qui la dégoûtaient et la blessaient d'autant plus qu'ils accroissaient sous ses yeux son trop évident ridicule.

– Mais oui! C'est l'autre qui avait raison! *Aidez-la, Boggiolo, aidez-la à se venger!* Et moi, idiot, qui ne l'ai pas fait! Voici la récompense! Voici le merci! Idiot!... Idiot!... Idiot!... cent mille occasions... ah, c'est bon! Et cela n'est encore rien, messieurs! Nous n'avons encore rien vu! Mais à présent, nous allons voir!... Donnons, donnons!... faisons des vers et donnons-les... De la poésie, maintenant!... Elle sort toute seule, la poésie... Mais oui, commençons à vivre dans les nuages, sans un coup d'œil pour toutes ces dépenses... De la prose, de la prose, celle-là, qu'on ne peut calculer... Tant de peines, tant de travail, tant d'argent : voici le merci! On le savait... mais oui, choses sans importance... Une villa? Bof! Et puis après? Des meubles de Ducrot? Bof! on connaissait... Ah, nous voici au lit... beau lit de roses! Quel délice de l'étrenner, cher monsieur Ducrot! Cours par ici, idiot! file par-là! casse-toi le cou! perds-y le souffle! perds-y ton emploi! prie!

menace! intrigue! Voici le merci! messieurs, voici le merci!

Et il continua comme ça, dans le noir, pendant plus d'une heure, s'agitant, se retournant dans son lit, toussant, soufflant, ricanant...

Elle, pendant ce temps-là, de l'autre côté, toute recroquevillée sous les couvertures, le visage enfoui dans son oreiller pour ne pas l'entendre, maudissait, maudissait la célébrité à laquelle elle était parvenue, grâce à son aide à lui, c'est-à-dire au prix de tant de rires et tant de moqueries. A présent elle se sentait assaillie, fouettée, enveloppée par tous ces rires et toutes ces moqueries comme par le ronronnement qui lui était resté dans les oreilles après le vacarme du train. Ah, comment ne s'en était-elle pas aperçue plus tôt? Ce n'était que maintenant que la façon dont il s'était donné en spectacle lui sautait aux yeux et elle se le représentait avec une si cruelle vérité qu'elle en éprouvait un véritable déchirement : toutes les fois qu'il s'était donné en spectacle, depuis la première, celle du banquet, quand il s'était levé en même temps qu'elle aux toasts de Borghi, comme si ces toasts s'adressaient nécessairement à lui en tant que mari, jusqu'à la dernière à laquelle elle avait assisté, là-bas, à la gare, avant son départ pour Cargiore, quand lui, ouvrant le passage, s'était incliné à sa place aux applaudissements qui avaient éclaté dans la salle d'attente.

Ah, pouvoir retourner en arrière, se renfermer dans sa coquille pour travailler tranquille et ignorée! Mais lui ne permettrait jamais que soit ainsi détruite l'œuvre de tant d'années et dans laquelle il mettait désormais toute sa complaisance. Avec cette villa qu'il considérait, sans doute à juste titre, comme le fruit de son travail, il avait en quelque sorte entrepris l'édification d'un temple à la Célébrité, pour y officer, pour y pontifier!

Folie d'espérer qu'à présent il consente à y renoncer!
Il s'était lancé là-dedans à corps perdu et il resterait
obligatoirement et pour toujours attaché à cette renommée dont il s'estimait l'artisan. Et il chercherait continuellement à l'amplifier, quitte à paraître, lui, de plus
en plus ridicule.

C'était son affaire, et donc inévitable.

Mais comment allait-elle faire pour résister à ce
supplice maintenant que le bandeau lui était tombé
des yeux?

Quelques jours plus tard, Giustino voulut marquer
avec solennité l'instauration des « lundis littéraires de
la villa Silvia », comme le lui avait suggéré Dora Barmis.

Pour ce premier lundi il étendit les invitations à
tous les plus célèbres « maestros » et critiques musicaux
de Rome, car le prétexte de l'inauguration était la
lecture au piano de quelques morceaux de l'opéra *La
nouvelle colonie* que venait de réaliser le jeune Aldo di
Marco.

Le nom de ce maestro était absolument inconnu.
On savait seulement que di Marco était un Juif vénitien, extrêmement riche et que pour mettre en musique
La nouvelle colonie il avait fait des offres telles que
Boggiolo s'était empressé d'interrompre les négocia-
tions déjà bien avancées avec l'un des compositeurs
des plus renommés.

Bien que la réussite importât assez peu à Boggiolo
et qu'il l'eût même préférée modeste pour qu'elle ne
porte pas ombrage au drame, il n'en avait pas moins
fait annoncer par ses amis journalistes que cet opéra

révélerait sous peu à l'Italie, etc, etc., et avait aussitôt fait paraître dans les journaux la maigre figure, hélas guère chevelue, du jeune compositeur vénitien, lequel..., etc.

Cette annonce lui avait paru nécessaire et opportune, non seulement en considération de l'énorme somme déboursée par ledit maestro pour mettre en musique le célèbre drame (mis en vers par Cosimo Zago) mais aussi pour accroître la solennité de l'inauguration.

Il aurait pu s'en dispenser.

Ce déchiffrage au piano, avec ce jeune inconnu à l'aspect si peu prometteur, représentait pour tout le monde de la gêne et de l'ennui. En revanche la curiosité de voir Roncella chez elle comme une simple femme, après son triomphe, était des plus vives.

Silvia s'y attendait; et dans l'énervement que lui causait l'idée de devoir affronter bientôt cette curiosité et le fait de voir son mari plein d'angoisses dans ses préparatifs (tout en gardant l'air de celui qui sait tout et n'a besoin de personne), elle aurait voulu lui crier :

« Ça suffit! Laisse donc tout cela; ne te fatigue plus! C'est pour moi qu'ils viennent, pour moi seule! Cela ne te regarde plus; tu n'as plus rien à faire, si ce n'est à te tenir tranquille, sans un mot, dans ton coin! »

Son énervement ne lui venait pas seulement de la curiosité qu'il lui faudrait affronter; il lui venait de lui, surtout de lui.

Elle alla même jusqu'à feindre d'être jalouse de Dora et l'empêcher de recourir à cette dernière pour les préparatifs, espérant que privé de cette aide, lui ne se donnerait plus autant de mal, se laisserait persuader qu'il en avait déjà assez fait et interromprait son activité.

A l'idée que sa femme arrivée (fût-ce grâce à lui) à la célébrité pût commencer à être, bien à tort, un tout petit peu jalouse, Giustino éprouva un certain plaisir qui lui fit manifester par un petit sourire confus et fat l'irritation que cette jalousie venait de lui causer.

L'aide de Dora lui aurait été indispensable. Mais Silvia tint bon :

— Non, pas celle-là ! pas celle-là !

— Mais mon Dieu... Silvia, tu parles sérieusement ? Moi...

Silvia secoua rageusement la tête et cacha son visage dans ses mains pour l'interrompre. Elle avait eu brusquement honte de ce qu'elle avait voulu simuler : honte et dégoût de voir qu'au fond lui s'en réjouissait; honte et dégoût parce qu'elle avait l'impression qu'elle aussi commençait à présent à se moquer de lui, comme tous les autres, à la vue de sa fatuité.

Tout à coup, espérant le secouer, pour le sauver et se sauver, en lui faisant tomber à lui aussi le bandeau des yeux, elle éclata :

— Mais pourquoi, pourquoi veux-tu pousser les gens à rire ? A rire de toi et de moi ? Encore ? Tu ne vois donc pas que Dora Barmis rit de toi et qu'elle en a toujours ri ? Et tous les autres avec elle, tous ! Tu ne t'en rends pas compte ?

Giustino ne broncha pas le moins du monde à cet éclat de rage de sa femme; il la regarda avec un sourire de pitié et il leva la main dans un geste d'insouciance philosophique, plus que de dédain.

— Ils rient ? Eh, depuis longtemps..., dit-il. Mais fais le bilan, ma chère et dis-moi si les sots sont ceux qui rient ou moi qui... voilà : j'ai fait tout ceci et je t'ai placée à la tête ! Laisse-les donc rire ! Tu vois ? Eux ils rient et moi je me sers de ces rires et j'obtiens d'eux tout ce que je veux. Les voici ici, les voici là, tous leurs rires.

Silvia resta bouche bée à le regarder; les bras lui en tombèrent.

Donc, il savait? Il s'en était déjà aperçu? Et il avait continué sans s'en soucier, et il voulait encore continuer? Ça ne lui faisait absolument rien que tout le monde rie de lui et d'elle? Oh, mon Dieu! Mais alors... S'il était sûr, tellement sûr que sa célébrité à elle était uniquement son œuvre à lui, et que cette œuvre au fond n'avait consisté qu'à faire rire de lui pour ensuite convertir ces rires en gains substantiels, en villa et en beaux meubles pour l'orner, qu'est-ce que tout cela voulait dire? Ça voulait sans doute dire que la littérature était pour lui une chose tout à fait dérisoire, une chose dont un homme sain d'esprit, sage et averti n'aurait pu s'embarrasser si ce n'est de cette façon, c'est-à-dire à condition de tirer profit des rires de ceux qui la prenaient au sérieux. Était-ce ce que cela voulait dire? Mais non!

En continuant à regarder son mari, Silvia reconnut aussitôt qu'en supposant cela elle lui prêtait une façon de voir qui n'était pas la sienne. Non! Non! Il ne pouvait pas l'avoir voulu, le ridicule dont il s'était couvert. Depuis le jour où là-bas, à Tarente, étaient arrivés les trois cents marks de la traduction des *Mouettes*, il avait commencé à prendre la littérature tellement au sérieux que la seule bêtise pour lui eût été de ne pas se soucier des fruits que — comme tout autre travail bien administré — elle peut produire... Et il s'était mis à administrer, à administrer avec tant de ferveur et même avec un tel acharnement qu'il avait attiré sur lui les rires de tout le monde. Non pas qu'il les ait intentionnellement provoqués, ces rires, pour faire marcher son commerce, mais il avait été contraint de les supporter; et s'il les traitait à présent de sots, c'était uniquement parce que lui, fût-ce par eux et grâce à eux, avait réussi dans son entreprise. Mais sa sagesse avait ces rires pour piédestal et elle n'était composée que de ces rires : il ne fallait plus qu'il bouge doré-navant : au moindre mouvement la déchirure d'un rire! Et maintenant, plus il voudrait paraître sérieux et plus il paraîtrait ridicule.

Ah, cette soirée de l'inauguration! Jusqu'au frou-frou des vêtements, aux légers grincements des souliers assourdis par l'épaisseur des tapis, jusqu'au moindre bruit, fût-ce celui d'une chaise déplacée, d'une cuiller agitée dans une tasse... et ce vacarme du piano quand Di Marco commença de jouer; et les sourires en des-sous, les petits rires, les grands éclats de rire bruyants, effrénés, immodérés, que Silvia crut remarquer et la moquerie qu'elle crut voir dans chaque sourire res-pectueux ou complaisant qui lui était adressé; la moquerie qu'elle crut découvrir dans chaque regard, chaque parole, chaque geste des invités.

Elle s'efforça de détourner son attention de son mari; mais comment faire si elle l'avait constamment devant elle, là, petit, trop empressé, n'arrêtant pas, rayonnant et qu'elle l'entendait appelé de tous les côtés? Voilà, maintenant c'était Luna qui le prenait par le bras, puis quatre, cinq autres journalistes couraient autour de lui, en bande; et maintenant c'était la signora Lam-pugnani qui l'appelait par là, dans son cercle de femmes d'esprit.

Elle, elle aurait voulu être partout ou retenir tout le monde autour d'elle; ne pouvant y réussir dans le bouillonnement de son indignation, elle avait de temps en temps la tentation de dire ou de faire quelque chose d'inhabituel, quelque chose d'inouï, pour ôter à tout le monde son envie de rire, de venir ici se gausser de son mari et par conséquent d'elle-même.

Il lui fallait en revanche supporter la cour, presque

outrageante, que tous ces jeunes journalistes ou écrivains se permettaient de lui faire, comme si elle, ayant
par bonheur un mari de cette sorte, si agréablement
décidé à l'exhiber devant tout le monde, un mari qui
s'évertuait tant à lui obtenir les bonnes grâces de tout
le monde, un mari que pas même elle n'aurait pu
prendre au sérieux, elle ne devait, elle ne pouvait la
refuser, cette cour, ne serait-ce que pour lui éviter ce
déplaisir.

Et en effet, ne s'approchait-il pas de temps en temps
pour lui recommander d'être aimable, tantôt avec l'un,
tantôt avec l'autre, et justement avec les plus effrontés,
avec ceux qu'elle avait éloignés avec un dur et froid
mépris? Betti, ce Betti qui avait jusqu'alors saisi chaque
occasion de la dénigrer dans plusieurs journaux; et ce
Paolo Baldani, arrivé depuis peu de Bologne, fort beau
jeune homme et critique des plus érudits, faiseur de
vers et journaliste, ne lui avait-il pas tourné, avec une
incroyable arrogance, une déclaration d'amour en
règle?

Alors non seulement les rires et les moqueries —
mais pour réussir, bien entendu, il fallait aussi cela —
se demandait Silvia, aux brèves et furtives recomman-
dations de son mari, qui ne pouvaient lui paraître
innocentes à elle comme elles semblaient l'être pour
son mari? Même cela?

Et elle frissonnait de dégoût et elle brûlait d'indignation.

Pendant ce temps les plus étranges idées traversaient
son esprit, lui inspirant à elle-même de l'effroi, car
elles découvraient toujours plus au fond de son être
des zones encore inexplorées, tout ce qu'elle avait voulu
jusqu'alors ignorer d'elle, mais dont elle pressentait
déjà jusqu'où cela l'entraînerait du jour où son démon
s'en emparerait. Dans sa conscience achevait de se

détériorer chaque concept qu'elle s'était efforcée de garder intact jusqu'alors, et elle entrevoyait qu'ainsi abandonnée à son nouveau sort, ou plus exactement aux caprices du hasard, ayant désormais perdu toute consistance intérieure, son esprit pouvait se transformer en un point, se révéler d'un instant à l'autre capable de tout, des résolutions les plus inimaginables et les plus inattendues.

– Il me semble que... je dis... il me semble que... tout était bien? hein? très bien?, il me semble, s'empressa de dire Giustino, quand se furent retirés les derniers invités, et pour la secouer de la posture dans laquelle elle était restée : debout, toute raide, les yeux fixes et brillants, la bouche serrée.

Elle sentait encore dans sa main l'étreinte brûlante de Baldani qui venait à peine de prendre congé.

– Tout était bien, n'est-ce pas?... répéta Giustino. Et, tu sais, en passant un peu partout, j'ai entendu qu'on disait de toi beaucoup de bonnes choses, beaucoup de bonnes choses... oui.

Silvia se secoua et le regarda avec de tels yeux qu'il resta un moment abasourdi, avec sur les lèvres le sourire vain de celui qui s'aperçoit que quelqu'un est en train de lui révéler un aspect de lui que l'on ne connaît pas encore.

– Tu ne trouves pas? demanda-t-il ensuite. Moi je te dis que tout était très bien... Il n'y a que cette musique de Di Marco qui me paraît... tu as entendu? savante, oui... ce doit être de la musique savante, mais...

– Et il faudra continuer comme ça? demanda brusquement Silvia d'une voix étrange, comme si seule sa voix était là et qu'elle fût elle-même totalement absente, à une distance infinie. Je tiens à t'avertir tout de suite que dans de telles conditions, moi je ne peux plus rien faire.

– Comment... mais pourquoi? même maintenant que... mais comment? fit Giustino, comme s'il était tout à coup attaqué de tous les côtés à la fois. Avec ce bureau, là-haut...

Silvia plissa les yeux, contracta son visage et secoua violemment la tête.

– Mais comment? répéta Giustino. Là-haut tu peux t'enfermer... qui te dérangera?... Avec un tel silence... Et puis, je voulais aussi te dire... que tout le monde demande ce que tu prépares de nouveau. J'ai répondu : Rien pour l'instant. Personne ne veut le croire. Sûrement un nouveau drame, disent-ils. Ils donneraient n'importe quoi pour avoir une indication, un renseignement, un titre... Tu devrais y penser, oui, te remettre au travail maintenant...

– Comment? comment? comment? cria Silvia en secouant les poings, furieuse, exaspérée. Je ne peux plus penser, je ne peux plus rien faire, moi! Pour moi, c'est fini! Inconnue je pouvais travailler, quand je ne me connaissais pas moi-même! Maintenant je ne peux plus rien! C'est fini! Je ne suis plus celle que j'étais! Je ne me retrouve plus en moi! C'est fini! fini!

Giustino la suivit des yeux dans son emportement; puis, avec un mouvement de tête :

– Nous voilà bien! s'exclama-t-il. A peine commencé c'est déjà fini? Mais qu'est-ce que tu dis là? Excuse-moi, mais quand on travaille, pourquoi travaille-t-on? Pour atteindre un but, il me semble! Et toi tu voulais travailler et rester inconnue? Travailler, mais alors, pourquoi? pour rien?

– Pour rien! pour rien! pour rien! hurla Silvia. C'est ça, absolument comme ça, pour rien! travailler pour travailler et pour rien d'autre! sans savoir ni pourquoi ni comment, en cachette de tout le monde et presque en cachette de moi-même.

— Mais ce sont des folies qui te viennent à présent à l'esprit, cria Giustino qui commençait à se fâcher lui aussi. Et alors moi, tout ce que j'ai fait? j'ai mal agi en faisant valoir ton travail, n'est-ce pas, c'est ce que tu veux dire?

Silvia cacha son visage dans ses mains et fit signe que oui, à plusieurs reprises.

— Ah oui? reprit Giustino. Et alors, pourquoi m'as-tu laissé faire jusqu'à maintenant? Tu me le dis pour me remercier à présent que tu récoltes les fruits auxquels aspirent tous ceux qui travaillent comme toi : la gloire et l'aisance? Et tu t'en plains?... Et ce ne serait pas une folie? Mais, allons, chérie ce sont tes nerfs! Du reste, chérie, en quoi cela te concerne-t-il? Qui te dit de te mêler de choses qui ne te regardent pas?

— Qui ne me regardent pas?

— Non, chérie, qui ne te regardent pas! répliqua aussitôt Giustino. Toi, tu n'as qu'à travailler pour rien, comme avant; retourne travailler comme bon te semble et comme il te plaira; et laisse-moi, à moi, le souci du reste. Eh, je le sais bien... la belle nouveauté!... moi je le sais bien que s'il n'y avait que toi... Mais pardon, si le suc c'est moi qui l'extrais par mon efficacité, toi, en quoi cela te concerne-t-il? Je te chargerais en plus de cela? C'est mon affaire à moi. Toi tu n'as qu'à me donner du papier écrit; écris pour rien, comme tu le désires et jette tout; moi je le prends et te le change en bons écus sonnants et trébuchants. Peux-tu m'en empêcher? C'est mon affaire à moi et ça ne te regarde pas. Toi tu n'as qu'à travailler comme tu as travaillé jusqu'à maintenant. Travaille pour travailler, mais travaille! Parce que si tu ne travailles plus... moi... moi, qu'est-ce que je vais devenir, moi, tu peux me le dire? Moi qui ai perdu mon emploi, ma chère, oui, pour m'occuper de tes travaux. Hé, il faudrait quand même que tu y penses un peu, à ça! A présent c'est moi qui en ai la responsabilité, de ton travail... Que vous ayions beaucoup gagné, c'est un fait, et il en viendra encore, avec *La nouvelle colonie*. Mais tu vois bien qu'ici les charges ont augmenté... A présent nous avons un tout autre train de maison. Nous devons encore verser mille lires pour la villa. J'aurais pu les payer, mais j'ai préféré laisser quelque chose de côté pour que tu aies un peu de répit. Et maintenant tu vas te reprendre. Le choc a été trop fort, le changement brutal... Tu vas t'habituer, ma chérie, tu vas bien vite retrouver ton calme... Le plus gros est fait, ma chérie. La maison, nous l'avons, et c'est absolument comme ça que je la voulais; j'ai fait des dépenses, j'en conviens... mais, quand il s'agit de paraître, tu sais... tout compte! A présent ta signature a de la valeur, de la valeur en elle-même... Il ne faut faire cadeau de quoi que ce soit à qui que ce soit! Et si Raceni compte sur les vers que tu lui as promis, il peut toujours se brosser! Moi, je ne les lui donne pas. *Pauvre Raceni! pauvre Raceni!* Tu vas voir ce qu'ils vont rapporter, ces vers-là! Et maintenant laisse-moi faire! Il suffit que tu te remettes à écrire... écris et ne pense à rien d'autre. Là-haut, parbleu, dans ce beau bureau...

Dans ce long discours de Giustino, Silvia ne vit pas la bonne intention qu'avait ce dernier de la ramener au calme et à la raison, à la reconnaissance et la gratitude justifiées par tout ce qu'il avait déjà fait et voulait encore faire pour elle, elle ne vit que la façon dont il s'opposait à elle, tel un ennemi ou un tyran, en lui présentant comme une obligation péremptoire le fait de travailler, à partir du moment où il avait perdu son emploi : travailler pour que lui continue à avoir une profession, laquelle profession paraîtrait, outre son ridicule, odieuse à tout le monde. Ne voulait-

212

il pas vivre sur son travail et de son travail à elle, en s'attribuant ensuite le mérite de tous les gains? Tant que son travail ne lui avait coûté aucun effort, elle pouvait encore admettre que le mérite de ces gains inespérés lui revînt, complètement, ou presque complètement à lui, mais plus maintenant que ce travail représentait pour elle un véritable supplice, à la seule idée de devoir le lui confier à lui dans sa totalité, sans même pouvoir disposer de la moindre parcelle selon son gré; tout, tout pour qu'il en fasse encore commerce au milieu des moqueries et même du mépris des autres; voilà, il budgétisait tout, jusqu'à ces quelques vers intimes et furtifs... Du marchandage, même au prix de sa propre dignité! L'avait-il seulement remarquée, lui, cette chose-là? Était-il donc possible que sa passion l'aveugle au point qu'il ne la voie pas?

Ne parvenant pas à s'endormir, Silvia repensait à tout cela et, à un certain moment, à la faveur de l'obscurité et du silence, elle surprit en elle, au plus profond de son être, une étrange confusion de sentiments qu'elle était certaine de n'avoir jamais éprouvée : des sentiments lointains qui lui faisaient monter à la gorge une angoisse imprévue, une sorte de nostalgie.

Oui, elle voyait surgir, claires et précises, les maisons de son cher Tarente, elle voyait à l'intérieur de celles-ci ses douces et bonnes compagnes, habituées à se voir jalousement gardées par leur mari, avec une scrupuleuse rigueur, de manière qu'aucun soupçon ne puisse les effleurer, habituées à voir l'homme rentrer chaque fois dans sa maison comme dans un temple fermé à tous les étrangers et même aux parents s'ils n'étaient pas très proches; et ces femmes se troublaient, elles étaient offensées comme par une atteinte à leur pudeur si l'homme commençait à ouvrir ce temple; comme si leur bonne réputation ne lui importait plus.

Non, non : elle, elle n'avait jamais éprouvé de tels sentiments; là-bas son père avait toujours été accueillant, surtout avec les employés subalternes et les étrangers; elle aussi elle avait méprisé cette sorte de sentiments, tout en sachant bien que les gens murmuraient à propos de l'hospitalité de son père, qui aurait sans aucun doute rendu difficile son mariage avec quelqu'un du pays. A l'époque il lui semblait même que les femmes auraient dû être offensées par ces soins jaloux des hommes, comme par un manque d'estime et de confiance.

Comment pouvait-elle donc maintenant s'offusquer du contraire, découvrir en elle ces sentiments insoupçonnés, semblables en tout point à ceux des femmes de là-bas?

Brusquement, la raison lui en parut très claire.

Presque toutes les femmes de là-bas s'étaient mariées sans amour, par pure convenance, pour se donner un état; et elles entraient soumises et obéissantes dans la maison de leur mari, car il était le maître. Leur obéissance, leur dévouement ne venait pas d'une quelconque affection, mais uniquement de l'estime due à l'homme qui travaille et fait vivre; estime qui ne pouvait durer que dans la mesure où cet homme, par son labeur, sinon toujours par sa bonne conduite, savait de n'importe quelle façon conserver avec rigueur le respect revenant au maître. De telle sorte que l'homme qui relâchait cette rigueur jusqu'à ouvrir aux autres sa propre maison tombait également dans l'estime de ceux-là mêmes qui y étaient admis; et la femme ressentait alors une véritable et totale atteinte à sa pudeur, parce qu'elle se voyait ainsi découverte dans cette intimité sans amour, dans cet état de sujétion à un homme qui

214

ne le méritait même plus, du seul fait qu'il permettait une chose que les autres n'auraient jamais permise.

En réalité, elle aussi s'était mariée sans amour, poussée par la nécessité de prendre un état et entraînée par un sentiment d'estime et de gratitude envers celui qui l'épousait sans prendre ombrage d'une faute grave qui aurait rebuté les garçons de son village : outre l'hospitalité de son père, le fait qu'elle écrive. Mais voilà, maintenant qu'il tirait profit de ce secret sur lequel s'étaient édifiées son estime, sa gratitude à elle, maintenant qu'il s'était mis à vendre et à vanter sa marchandise avec tant de tapage, pour que tous pénètrent dans sa vie privée, pour qu'ils voient, qu'ils touchent, quel respect les autres pouvaient-ils avoir pour un tel homme ? Tout le monde riait de lui, et lui s'en moquait bien ! Quant à elle-même, quelle estime et quelle reconnaissance pouvait-elle avoir à son égard si lui maintenant, inversant les rôles, allait jusqu'à la contraindre à travailler et voulait vivre de ce travail ?

Ce qui l'offensait plus que tout en cet instant, c'était que les autres puissent croire qu'elle aimât encore un tel homme ou qu'elle pût, par-dessus le marché, lui être dévouée. Sans doute le croyait-il lui aussi ? Ou bien son assurance reposait-elle sur la confiance qu'il avait en son honnêteté ? Ah, oui, mais de l'honnêteté vis-à-vis d'elle-même, pas vis-à-vis de lui ! Son assurance ne pouvait avoir d'autre effet sur elle que de l'irriter comme un défi, l'offenser ou la remplir de mépris.

Non, non ! Elle ne pouvait plus continuer à vivre de la sorte, elle le voyait bien.

Deux jours plus tard, et comme on pouvait s'y attendre après ce genre de poignée de main, Paolo Baldani revint à la villa.

Giustino Boggiolo l'accueillit à bras ouverts.

— Déranger, vous? Mais que dites-vous là! Quel honneur, quel plaisir!

— Doucement, doucement!... dit-il en souriant et en posant un doigt sur ses lèvres. Votre femme est-elle en haut? Je ne voudrais pas qu'on m'entende. C'est de vous que j'ai besoin.

— De moi? Me voici... Que puis-je faire?... Entrons ici, au salon... ou bien si vous préférez, nous irons au jardin... ou dans le petit salon d'à côté. Silvia est en haut, dans son bureau.

— Merci, nous sommes très bien ici, dit Baldani en s'asseyant dans le salon; puis, se penchant vers Boggiolo, il ajouta à voix basse : — Je vais être obligé d'être indiscret.

— Vous? mais non... pourquoi?... même...

— C'est nécessaire, mon ami. Mais quand l'indiscrétion se fait dans un but louable, un galant homme ne doit pas s'y soustraire. Voici, je vais vous dire. J'ai là toute prête une étude exhaustive sur la personnalité artistique de Silvia Roncella...

— Oh mer...

— Doucement, attendez! Je suis venu pour vous poser quelques questions... disons, intimes, très particulières, auxquelles vous seul pouvez répondre. Je voudrais de vous, cher Boggiolo, certains éclaircissements, disons, physiologiques.

Giustino, comme tiré par le bout du nez par le ton bas et mystérieux sur lequel Baldani continuait à parler, écoutait la tête penchée, les yeux attentifs, la bouche ouverte.

— Physio...

216

— logiques. Je m'explique : la critique, mon ami, a besoin aujourd'hui de bien d'autres indications que celles qu'elle demandait auparavant. Pour la parfaite compréhension d'une personnalité, il lui faut la connaissance précise des plus obscurs besoins, des besoins les plus secrets et les plus cachés de l'organisme. Ce sont des enquêtes extrêmement délicates. Un homme, vous le comprendrez, s'y soumet sans beaucoup de scrupules; mais une femme... eh, une femme... disons une femme comme la vôtre... Entendons-nous : j'en connais plus d'une qui se soumettrait à ces sortes d'enquête sans la moindre réticence, et même plus ouvertement que les hommes : par exemple... Mais ne donnons pas de nom! Alors, émettre un jugement, comme beaucoup le font, uniquement fondé sur les traits apparents de la physionomie, c'est du charlatanisme. La forme d'un nez, mon Dieu, peut fort bien ne pas correspondre à la véritable nature de celui qui l'a au milieu du visage. Le gracieux petit nez de votre femme, par exemple, a toutes les caractéristiques de la sensualité...

— Ah, oui? demanda Giustino, tout étonné.

— Oui, oui, certainement, affirma de nouveau Baldani, avec le plus grand sérieux. Et pourtant, peut-être... Voici, pour achever mon étude, j'aurais besoin que vous me donniez, cher Boggiolo, quelques indications... je le répète, intimes, dont il faut absolument tenir compte si l'on veut parfaitement comprendre la personnalité de Silvia Roncella. Si vous le permettez, je vais vous poser une ou deux questions, pas plus. Voici, je voudrais savoir si votre femme...

Et Baldani, s'approchant encore davantage et parlant de plus en plus bas, avec un mélange de délicatesse et de sérieux, posa la première question. Giustino, penché, les yeux plus attentifs que jamais, devint tout rouge quand il l'entendit :

— Ah, non monsieur! non, monsieur! nia-t-il vivement, ça je peux vous le jurer!

— Vraiment? dit Baldani, en scrutant ses yeux.

— Je peux vous le jurer! répéta Boggiolo avec solennité.

— Et alors, reprit Baldani, aurez-vous la bonté de me dire si...

Et, tout bas, comme la première fois, avec délicatesse et toujours très sérieux, il posa la seconde question. Cette fois-ci, quand il l'entendit, Giustino fronça un peu les sourcils, puis il montra un grand étonnement et demanda :

— Et pourquoi?

— Ce que vous pouvez être naïf! sourit Baldani, et il lui expliqua le pourquoi.

Giustino, devenant alors rouge comme un coquelicot, commença par serrer les lèvres comme s'il voulait souffler, puis il les entrouvrit en un petit sourire plein de fatuité et répondit en hésitant :

— Ça... eh bien... oui, quelquefois, mais croyez bien que...

— Par pitié! l'interrompit Baldani. Ce n'est pas la peine que vous me le disiez. Qui pourrait jamais penser que Silvia Roncella... par pitié! Ça va, ça va comme ça. C'était là les deux points qu'il m'importait le plus d'éclaircir. Merci de tout mon cœur, cher Boggiolo, merci!

Giustino, un peu déconcerté, mais toujours souriant, se gratta une oreille et demanda :

— Excusez-moi, mais est-ce que l'article...

Paolo Baldani l'interrompit en faisant non avec le doigt; puis il dit :

— D'abord, ce n'est pas un article; c'est une étude,

je vous l'ai dit. Vous verrez! Ces enquêtes restent
secrètes, elles ne servent qu'à moi, pour éclairer ma
critique. Et puis, et puis, vous verrez bien. Si vous
vouliez avoir la bonté de m'annoncer à votre femme...

– Tout de suite! dit Giustino. Veuillez patienter un
instant...

Et il courut au bureau de Silvia, pour l'annoncer.
Il était absolument certain de l'avoir convaincue par
son dernier discours et de ce fait, ne s'attendait pas
du tout à ce qu'elle refusât fièrement de voir Baldani.

– Mais pourquoi? lui demanda-t-il, en restant planté
là.

Silvia fut tentée de lui jeter à la face la véritable
raison pour le faire sortir de cette attitude d'étonnement muet et douloureux; mais elle craignit qu'il ne
lui refît ce geste d'insouciance philosophique, comme
lorsqu'elle lui avait reproché les rires et les quolibets
des gens.

– Pourquoi je ne veux pas? Mais parce que ça m'em-
bête. Tu ne vois donc pas que je suis là à me casser
la tête!

– Allons, cinq minutes..., insista Giustino. Il a préparé une étude sur l'ensemble de ton œuvre, tu sais!
De nos jours, une critique de Baldani, attention...
c'est le critique à la mode... critique, attends...
comment l'appellent-ils? je ne sais plus... une critique
nouvelle dont on parle beaucoup maintenant, ma chérie. Cinq minutes... Qu'il t'étudie, et c'est tout. Je le
fais entrer?

– Quelle belle chose, quelle belle chose! disait peu
après Baldani, là-haut dans le bureau, en tapotant légèrement de sa main féminine l'accoudoir de son fauteuil
et en contemplant Boggiolo avec les yeux mi-clos. Quelle
belle chose, madame, de voir un homme aussi soucieux
de votre réputation et de votre travail, si entièrement

dévoué à votre personne. J'imagine combien vous devez
en être heureuse!

— Mais qui sait?... parce que... si moi... Giustino
tenta-t-il aussitôt de l'interrompre, craignant que Silvia ne veuille lui répondre.

D'un geste de la main, Baldani l'arrêta : il n'avait
pas fini.

— Vous permettez? dit-il; puis il poursuivit : j'en
fais la remarque, parce qu'une telle sollicitude et un
tel dévouement doivent avoir leur poids dans l'éva-
luation de votre œuvre, dans la mesure où, grâce à
eux, vous pouvez, sans souci d'occupations étrangères,
vous abandonner entièrement à la joie divine de la
création.

A cet instant on aurait pu croire qu'il parlait ainsi
pour plaisanter, et qu'il était le premier à relever l'af-
fectation de son langage fleuri en l'accompagnant d'un
très léger, presque imperceptible sourire ironique, des-
tiné non pas à l'atténuer mais bien plutôt à lui ajouter
la fascination d'une inquiétante ambiguïté. « Ce que
j'ai là-dedans, je suis le seul à le savoir », semblait-il
dire. « Pour vous, pour tout le monde, j'use de ce luxe
de paroles, comme cela, et je m'en revêts avec un noble
mépris; mais je peux aussi, en l'occurrence, le rejeter,
m'en dépouiller, pour me révéler tout à coup beau et
fort dans mon animale nudité. »

Cette animalité, Silvia la découvrait clairement au
fond de ses yeux; elle en avait eu la preuve dans l'im-
pudente déclaration de l'autre soir; et elle était certaine
d'en subir un nouvel et plus insolent assaut, pour peu
que son mari s'éloignât un peu du bureau. En attendant – c'était répugnant! – il flattait et admirait Giustino devant elle, pour se faire bien voir de lui puis,
dès qu'il cessait de le regarder, il tournait aussitôt les
yeux vers elle avec une incroyable impudence. En effet

Baldani lui disait, par son regard : « Tu ne peux pas même imaginer ce que je sais de toi... »

— La joie de la création ? éclata Silvia. Je ne l'ai jamais éprouvée. Et je suis vraiment désolée de ne plus pouvoir vaquer à ce que vous appelez « des occupations étrangères », comme je le faisais auparavant. Elles seules me permettaient de me retrouver moi-même et me rassuraient un peu. Toute ma sagesse était en elles! Parce que moi, je ne sais rien, vraiment rien. Je ne comprends rien à rien, moi. Si vous me parlez d'art, moi je n'y comprends rien du tout.

Giustino, tout désorienté, s'agita sur son siège. Baldani le remarqua, se tourna pour le regarder, sourit et dit :

— Mais voilà une précieuse confession... précieuse...

— Voulez-vous savoir, si cela peut vous être utile, ce que j'étais en train de faire? poursuivit Silvia, moi qui étais ici avec l'intention d'écrire? Je comptais sur mon bras les rayures noires et blanches de ma robe de demi-deuil : cent soixante-treize noires et cent soixante-douze blanches, du poignet à l'emmanchure. Comme vous le voyez, je sais uniquement que ce bras est à moi et que je porte cette robe, autrement, je ne sais rien; rien, rien, vraiment rien.

— Et cela explique tout! s'exclama Baldani, comme si c'était précisément ce qu'il attendait. Tout votre art est là-dedans, chère madame.

— Dans les rayures blanches et noires? demanda Silvia en feignant l'étonnement.

— Non, sourit Baldani. Dans votre merveilleuse inconscience, laquelle explique la non moins merveilleuse spontanéité de votre œuvre. Vous êtes une véritable force de la nature; je dirais mieux : vous êtes la nature même qui se sert de l'instrument de votre imagination pour créer des œuvres hors du commun. Et, en même temps, votre logique est celle de la vie, et vous, vous ne pouvez en avoir conscience, parce que c'est une logique innée, une logique mobile et complexe. Vous le voyez, chère madame : les éléments constitutifs de votre esprit sont extraordinairement nombreux, et vous les ignorez; ils s'agglomèrent, se désagrègent avec une facilité et une rapidité prodigieuses, et cela ne dépend pas de votre volonté; ils ne se laissent fixer en vous sous aucune forme stable; ils se maintiennent, je dirai... dans un état de perpétuelle fusion, sans jamais se coaguler : ductibles, modelables, fluides; et vous, vous pouvez assumer toutes ces formes sans le savoir, sans le vouloir d'une façon réfléchie.

– C'est ça! c'est ça! c'est ça! commença de dire Giustino en bondissant, exultant, jubilant. C'est exactement ça! exactement ça! Dites-le-lui, répétez-le-lui, faites-le-lui rentrer dans le crâne, cher Baldani! Vous vous conduisez en ce moment comme un véritable ami. Elle est encore... encore un peu confuse, vous voyez... un peu incertaine, après ce triomphe.

– Mais non! s'écria Silvia sur des charbons ardents, cherchant à l'interrompre.

– Si, si, si! insista Giustino, bondissant sur ses pieds et s'interposant, comme pour empêcher que ne s'échappe une telle occasion maintenant qu'il la tenait par les cheveux. Dieu du ciel! Il te l'a si bien expliqué, là, Baldani! C'est absolument comme Baldani vient de te le dire! Elle ne trouve pas, elle ne trouve pas de sujet pour sa nouvelle pièce, et...

– Elle n'en trouve pas? Mais elle l'a déjà! s'exclama Baldani en souriant. Puis-je me permettre une suggestion, au nom de l'affection que je vous porte? Votre drame, vous l'avez déjà! Seuls les sots s'imaginent (et ils le disent partout) qu'il est plus facile de créer en dehors des expériences quotidiennes, en situant choses et personnages dans des lieux imaginaires, à des époques indéterminées, comme si l'art était gêné par la réalité dite ordinaire et que cette dernière ne créait pas une réalité supérieure qui lui est propre. Mais moi, je connais vos forces et je sais que vous pouvez confondre ces Béotiens, les réduire au silence et les contraindre à l'admiration en affrontant et dominant un sujet tout à fait différent de celui de *La nouvelle colonie*. Un drame psychologique, dans notre milieu, à la ville. Vous avez dans votre recueil des *Mouettes* une nouvelle, la troisième, si je me souviens bien, intitulée *Sinon comme ça...* Et voici votre nouveau drame. Pensez-y. En ce qui me concerne, je m'estimerais heureux de vous l'avoir indiqué; si je pouvais me dire un jour : ce drame, elle l'a écrit pour moi; c'est moi qui ai insinué dans la matrice de son imagination ce nouveau germe de vie.

Il se leva puis il dit à Boggiolo avec une sorte de solennité :

– Laissons-la seule.

Il se tourna vers elle, lui prit la main en s'inclinant, y déposa un baiser, et sortit.

A peine seule, Silvia fut assaillie par la noble colère que l'on éprouve lorsque, se débattant dans une tempête dont on n'entrevoit ni n'espère le salut, on se voit tout à coup offrir, dans un geste tranquille, par celui qu'on aurait le moins souhaité – précisément à ce moment-là – une planche, une corde. On préférerait se noyer plutôt que de s'en servir, pour ne pas reconnaître que l'on doit son salut à quelqu'un qui nous l'a offert avec une telle facilité. Cette facilité qui veut en quelque sorte nous démontrer combien notre récent désespoir était imbécile et vain, cette facilité nous paraît une insulte; et nous voudrions aussitôt prouver, à notre tour, que c'est bien au contraire l'aide si facilement offerte qui est vaine et imbécile; mais en même temps nous constatons que, contre notre propre volonté, nous y sommes déjà agrippés.

Silvia mourait d'envie de se remettre au travail, à un travail qui la prenne tout entière, qui l'empêche de voir, de se sentir, de penser à elle-même. Mais elle cherchait et ne trouvait pas; elle se rongeait dans cette impatience, étant de plus en plus convaincue que désormais elle ne pourrait vraiment plus rien faire.

Sur le moment, elle ne voulut pas aller prendre le volume des *Mouettes* sur son étagère; mais elle était déjà plongée dedans par la pensée, déjà elle s'efforçait d'entrevoir le drame dans cette troisième nouvelle indiquée par Baldani.

Y était-il? Oui, il y était vraiment. Le drame d'une femme stérile. Ersilia Groa, riche provinciale, sans beauté, le cœur ardent et profond, mais raide et dure dans ses manières et son apparence, a épousé six ans plus tôt Leonardo Arciani, écrivain qui – après son mariage – a perdu toute volonté d'écrire ou de s'intéresser aux livres, bien qu'il eût par l'un de ses romans éveillé dans le public de grandes espérances et une vive attente. Ces années de mariage se sont apparemment déroulées dans le calme. Ersilia ne sait offrir spontanément les trésors d'affection qu'elle enferme dans son cœur; peut-être craint-elle qu'ils n'aient aucune valeur pour son mari. Il lui demande peu, et elle lui donne peu; elle lui donnerait tout si lui le désirait. Donc, sous cette apparence de calme, le vide. Seul un enfant pourrait le combler, mais désormais, après ces six années, elle désespère d'en avoir un. Un jour arrive une lettre pour son mari. Leonardo n'a pas de secret pour elle, ils lisent ensemble cette lettre. Elle est d'une cousine à lui, Elena Orgera, qui fut autrefois sa fiancée : son mari est mort; elle reste pauvre et sans retraite, avec un fils qu'elle voudrait faire admettre dans un collège d'orphelins; elle lui demande un secours. Leonardo s'en désintéresse, mais Ersilia le persuade d'envoyer ce secours. Peu de temps après, il se remet brusquement au travail. Ersilia n'a jamais vu travailler son mari; tout à fait ignorante dans le domaine de la littérature, elle ne peut s'expliquer cette subite et nouvelle ferveur; elle le voit dépérir de jour en jour et craint qu'il ne tombe malade; elle voudrait au moins qu'il ne se donne pas autant de mal, mais lui dit que l'inspiration lui est revenue et qu'elle ne peut comprendre ce que c'est. Et ainsi, durant près d'un an, il réussit à la tromper. Quand Ersilia finit par découvrir la trahison, son mari a déjà une fille d'Elena Orgera. Double trahison : et Ersilia ne sait pas si le cœur lui saigne davantage pour le mari que celle-ci lui a pris ou pour la fille qu'elle a pu lui donner. En vérité le cœur a d'étranges pudeurs : Leonardo Arciani déchire l'âme de sa femme, lui vole son amour et sa tranquillité et n'a de scrupules que pour son argent. En galant homme qu'il est, il ne veut pas entretenir un nid hors de son foyer avec l'argent de sa femme. Mais les maigres produits, les produits incertains de son travail acharné ne peuvent subvenir aux besoins qui commencent bien vite à remplir le nid d'épines. Ersilia, dès qu'elle a découvert cette infidélité, s'est hermétiquement refermée sur elle-même, sans laisser transpirer son mépris ni sa douleur : elle a seulement demandé à son mari de continuer à vivre à la maison, pour éviter le scandale; mais en étant séparé d'elle. Elle ne lui adresse plus ni un regard ni une parole. Leonardo, écrasé par un poids qu'il ne peut supporter, admire profondément le digne et austère comportement de sa femme qui, elle, comprend sans doute qu'au-delà et au-dessus de son droit à elle, il existe désormais un devoir plus impérieux : celui qu'il a envers sa fille. Et en effet Ersilia comprend ce devoir : elle le comprend parce qu'elle sait ce qui lui manque; elle le comprend si bien que si, épuisé et découragé comme il l'est à présent, il revenait à elle en abandonnant sa fille avec sa maîtresse, elle l'aurait en horreur. Et lui-même a la preuve de cette tacite et sublime compréhension dans le silence, le calme et dans tant d'autres soins pudiquement dissimulés, qu'il retrouve chez lui. Puis l'admiration devient peu à peu de la gratitude; et la gratitude de l'amour. Désormais lui ne va plus dans ce nid d'épines, si ce n'est pour sa fille. Et Ersilia le sait. Qu'espère-t-elle? Elle l'ignore elle-même. En attendant, elle se nourrit secrètement de l'amour qu'elle sent déjà naître en lui. Pour mettre fin à cet état de choses, survient son père à elle, Guglielmo Groa, gros commerçant campagnard, rude, inculte, mais plein de ruse et de bon sens.

Voilà : le drame pourrait commencer là, à l'arrivée du père. Ersilia, qui depuis trois ans n'adresse plus la parole à son mari, se décide à aller le trouver au siège d'un quotidien où il est toléré en tant que rédacteur artistique, pour le prévenir que son père, auquel elle a tout caché, soupçonne déjà quelque chose et doit venir le matin même pour une explication. Elle voudrait que lui consente à dissimuler pour épargner ce chagrin à son père. En réalité ce n'est qu'un prétexte : elle craint que son père, pour en arriver à une solution dans tous les cas impossible, ne brise irrémédiablement ce tacite accord de sentiments qu'elle a eu tant de mal à établir entre elle et son mari, cause d'ineffables et secrètes affres, mais aussi d'ineffables et secrètes douceurs. Ersilia ne trouve pas son mari à la rédaction du journal et lui laisse un billet lui promettant de revenir tout de suite pour l'aider à mentir, au moment

où son père, qui est allé assister à une séance matinale
à la Chambre, viendra lui parler. Leonardo trouve le
petit mot de sa femme et il apprend par l'huissier
qu'un instant plus tôt, une autre dame est également
venue pour le voir. C'est Elena Orgera chez laquelle
il n'est plus allé depuis une semaine, se sentant épié
par les yeux soupçonneux du beau-père. En effet, cette
dernière revient, à ce moment si mal choisi; Leonardo
lui explique vainement la raison pour laquelle il n'est
pas venu et lui en donne pour preuve le billet de sa
femme. Elle se moque de l'abnégation d'Ersilia qui
veut épargner à son mari tout ennui et toute amertume,
pendant qu'elle... eh oui... elle, elle représente le besoin,
une réalité crue qui n'est plus supportable : les four-
nisseurs qui veulent être payés, le propriétaire de la
maison qui menace d'expulsion. Mieux vaut en finir !
puisque tout est déjà fini entre eux. Lui, il aime sa
femme, cette sublime silencieuse; eh bien qu'il retourne
chez elle et qu'on n'en parle plus ! Leonardo lui répond
que si la solution était aussi simple, il y a longtemps
qu'il l'aurait adoptée; mais hélas cette solution ne peut
être la bonne, puisqu'ils sont enchaînés l'un à l'autre;
qu'elle s'en aille donc pour le moment; il lui promet
d'aller la voir dès qu'il le pourra. Leonardo, en si
mauvaise posture et si plein d'amertume, voit arriver,
plus tôt que prévu, son beau-père fatigué des bavardages parlementaires. Guglielmo Groa ignore que le
gendre qu'il a en face de lui est également un père qui
doit défendre sa propre fille; il croit à un simple égarement de sa part, réparable avec un peu de tact et
d'argent; il lui offre son aide et l'invite à se confier à
lui. Leonardo est las de mentir : il avoue sa faute, mais
dit qu'il en a été puni plus qu'il ne pouvait s'y attendre;
il refuse comme inutile toute aide de son beau-père et
toute explication avec lui. Groa s'imagine que la puni-

tion dont parle Leonardo est le travail auquel il s'est condamné, et il le tance vertement. Quand arrive, trop tard, Ersilia, son père et son mari sont sur le point d'en venir aux mains. Lorsqu'il voit sa femme, Leonardo surexcité, repentant, se dépêche de rassembler les papiers qui sont sur son bureau et s'enfuit; Groa fait mine de lui sauter dessus en rugissant : « Ah, tu refuses de t'expliquer? » Mais d'un cri, Ersilia l'arrête : « Il a une fille, papa, il a une fille! Comment veux-tu qu'il s'explique? »

Le premier acte pourrait s'achever sur ce cri. Au début du second, une scène entre le père et la fille. Tous deux ont vainement attendu, pendant toute la nuit, le retour de Leonardo. Ersilia révèle alors son long martyre à son père, comment elle a été trompée, comment et pourquoi elle s'est soumise à cette épreuve sans rien dire. Elle défend presque son mari, puisque, pris entre elle et sa fille, c'est vers cette dernière qu'il a couru. C'est où sont les enfants que se trouve le foyer. Son père est indigné, il se rebiffe et veut aussitôt repartir; mais, peu après Leonardo arrive pour prendre ses livres et ses papiers; il l'affronte et lui demande de rester là, malgré tout, car lui va s'en aller dans un instant. Leonardo, perplexe, ne sait comment interpréter cette invitation de son beau-père. Ersilia entre. Elle tient à lui dire que l'invitation ne vient pas d'elle et que, s'il le désire, il peut même s'en aller. Leonardo se met alors à pleurer et révèle à sa femme quel est son tourment, son repentir et quelle admiration, quelle reconnaissance il a pour elle. Ersilia lui demande comment il peut souffrir en ayant sa fille avec lui; et Leonardo lui répond que l'autre femme voudrait la lui enlever, puisqu'il ne suffit pas à la faire vivre et qu'elle ne veut plus le voir dans cet état d'énervement. « Ah, oui? crie Ersilia. C'est ça qu'elle voudrait? et alors... »

Son plan est fait. Elle comprend qu'elle ne pourra reprendre son mari *sinon comme ça*, c'est-à-dire à condition de prendre la fille avec lui. Elle ne lui en dit rien : et comme il implore son pardon, elle le lui accorde tout en se dégageant de ses bras et le force à partir. « Non, non! lui dit-elle. Maintenant tu ne peux plus rester ici. Deux maisons, non! moi ici et ta fille là-bas, non! Va-t'en, va-t'en! je sais ce que tu désires, va-t'en! » Elle le fait partir de force et dès qu'il est sorti éclate en pleurs de joie.

Le troisième acte se déroulerait dans le « nid d'épines », dans la maison d'Elena Orgera. Leonardo est venu voir la fillette mais il a oublié de lui apporter un petit cadeau qu'il lui avait promis. La petite fille, Dinuccia, a beaucoup pleuré en l'attendant; maintenant elle s'est endormie à côté. Leonardo dit qu'il va revenir tout de suite avec le jouet, puis il sort. L'enfant, qui a alors cinq ans, se réveille et demande son père, elle veut que sa mère lui parle du cadeau qu'il doit lui apporter : une ferme avec tout plein de petits arbustes et des moutons et un chien et un berger. On entend sonner à la porte. « Le voici! » dit la mère. Et la petite fille veut aller lui ouvrir. Un instant plus tard elle se retrouve à la porte, toute confuse, en face d'une dame voilée. C'est Ersilia Arciani qui a vu son mari quitter la maison et ne se doute pas qu'il doit y revenir aussitôt. En revanche Elena soupçonne entre le mari et la femme quelque manigance visant à lui enlever son enfant : elle se met à crier, menace d'appeler au secours, l'insulte et perd le contrôle de ses nerfs. Ersilia tente vainement de la calmer, de lui démontrer que ses soupçons sont sans fondement, qu'elle ne veut ni ne peut lui faire violence en quoi que ce soit; qu'elle est venue parler à son cœur de mère, pour le bien de son enfant : adoptée, celle-ci sortirait de l'ombre de la faute, serait riche et heureuse; l'autre lui crie qu'elle n'a pas le droit de la contraindre à lui abandonner sa fille si elle ne veut pas la lui céder. Dans la confusion de la fillette se trouvant en face d'une dame à la place de son père, la porte est restée ouverte; et Leonardo, entrant au même moment, se trouve au beau milieu de la dispute des deux femmes, tout étonné de trouver là son épouse. La petite fille, entendant la voix de son père, tape à la porte de la chambre où Elena a couru l'enfermer dès qu'Ersilia Arciani a quitté son voile. Maintenant elle ouvre précipitamment cette porte, prend l'enfant dans ses bras et crie aux deux autres de s'en aller, tout de suite, qu'ils s'en aillent! Leonardo ému par cette fougue, se retourne vers sa femme et la pousse à renoncer à cette entreprise inhumaine et à se retirer. Ersilia s'en va. Et alors, dans l'esprit d'Elena qui vient de voir l'épouse chassée en sa présence, la confusion, l'égarement succèdent à l'énervement et elle voudrait que Leonardo coure tout de suite rejoindre sa femme et s'en aille pour toujours avec elle. Au comble de l'exaspération Leonardo lui crie : « Non! » puis il prend la petite fille sur ses genoux, il lui donne son cadeau et commence à disposer dans la boîte la ferme, les arbustes, les moutons, le berger et le chien, au milieu des rires, des cris de joie et des questions puériles et enjouées de Dinuccia. Elena, entendant les questions de l'enfant et les réponses du malheureux père, repense à tout ce que lui a dit celle qui vient de partir, à propos de l'avenir de la petite; et au milieu de ses larmes elle pose à Leonardo, tout absorbé par la joie de sa fille, cette question : « Elle parlait... d'adoption... mais est-ce possible? » Leonardo ne répond pas et continue à parler des moutons et du chien avec l'enfant. Aussitôt après, nouvelle question d'Elena, ou amère considération sur elle-même ou sur Dinuccia

« au cas où... » Leonardo n'en peut plus : il bondit sur ses pieds, prend sa fille dans ses bras et lui crie : « Tu me la donnes? – Non! non! non! » répond précipitamment Elena en la lui arrachant et tombant à genoux devant l'enfant qu'elle embrasse : « C'est impossible, non! Maintenant je ne peux pas, maintenant je ne peux pas! Va-t'en! Va-t'en!... plus tard... qui sait! Si j'en ai la force... pour elle! Mais maintenant va-t'en! Va-t'en! va-t'en! »

Voilà, oui, cela pouvait être le drame. Elle le voyait clairement devant elle, dans son ensemble comme dans tous les détails de l'architecture scénique. Mais ce qui l'irritait, c'était de le devoir aux suggestions de Baldani. Elle ne se sentait pas le moins du monde attirée par lui.

Elle n'avait jamais travaillé de cette façon-là, en voulant et construisant son œuvre. A peine conçue, l'œuvre s'était toujours montrée dominatrice malgré elle, sans provoquer dans son esprit le moindre mouvement propice à sa réalisation. Chacune de ses œuvres s'était toujours accomplie toute seule, parce qu'elle avait été voulue d'elle-même; et elle n'avait jamais fait qu'obéir docilement, avec un amour servile, à cette volonté de vie et à chacun de ces mouvements intérieurs spontanés. Maintenant qu'elle voulait et devait lui donner le départ, elle ne savait plus comment commencer, par quel bout le prendre. Elle se sentait aride et vide, et elle s'impatientait de ce vide et de cette aridité.

La vue de Giustino, qui n'osait lui demander des nouvelles de son travail (auquel il feignait de savoir qu'elle était retournée et qui faisait tout pour qu'elle croie qu'il en était certain), la laissant à l'écart, imposant le silence à Emere, lui évitant tout souci de maison, lui causait parfois un tel énervement qu'elle se serait laissée aller à sa propre fureur si elle n'en avait été retenue par la nausée que lui aurait donnée une fureur beaucoup plus vulgaire de sa part à lui. Elle aurait voulu lui crier :

« Arrête-toi ! Épargne-moi ces simagrées ! Je ne fais rien et tu le sais bien ! Je ne peux et ne sais plus rien faire, dans ces conditions-là, je te l'ai déjà dit ! Emere peut même siffler, en bras de chemise, pendant qu'il travaille, et renverser les sièges et casser tes fameux meubles de Ducrot : moi je m'en réjouirais, mon cher ! Et je me mettrais à tout casser moi-même, tout, tout ce qui est là-dedans, et même les murs si je le pouvais ! »

Ce qu'elle avait ressenti quelques années plus tôt, à Tarente, pour une bien moindre raison, lorsque son père avait voulu faire éditer ses premiers récits et que l'idée des louanges avec lesquels ils avaient été accueillis s'était interposée entre elle et les nouvelles choses qu'elle aurait voulu décrire et représenter (la troublant au point que pendant près d'un an elle n'avait pu toucher à une plume), elle le ressentait à présent : la même confusion, la même consternation, mais centuplées. Bien loin de l'enflammer, son récent triomphe la glaçait ; bien loin de l'exalter, il l'écrasait, l'anéantissait. Et si elle cherchait à s'échauffer, elle sentait aussitôt que la chaleur qu'elle se donnait était artificielle ; et si elle cherchait à sortir de ce découragement, de cette prostration, elle sentait qu'elle se raidissait dans son effort, se rengorgeant inutilement. Ce triomphe l'incitait, presque inévitablement, à en faire trop. Et maintenant, pour ne pas en faire trop, elle tombait dans l'excès inverse : l'aride pauvreté, la rigide nudité du squelette.

C'est ça, comme un squelette ; dans l'aride pauvreté de ce travail imposé, le nouveau drame naissait péniblement d'elle, raide et nu.

— Mais non, pourquoi ? Ça va très bien comme ça !

lui dit Baldani quand, pour faire taire son mari, elle lui lut le premier acte et une partie du second. C'est du caractère même de cette étonnante créature, de votre Ersilia Arciani, que vient cette austère réserve qui vous paraît de la raideur. Ça va très bien, je vous assure. C'est l'esprit et le comportement d'Ersilia Arciani qui doivent mener toute l'œuvre de cette façon. Continuez, continuez!

Faute d'inspiration, c'est d'un autre guide et d'autres conseils que Silvia éprouvait le besoin.

Tout le monde l'avait remarquée, l'absence de Maurizio Gueli, le soir de l'inauguration. Aussi, nombreux furent ceux qui demandèrent, non sans malice, à Giustino, le soir en question :

— Et Gueli, il ne vient pas?

Et Giustino de rétorquer :

— Il est à Rome? On m'avait dit qu'il était dans sa maison de campagne, à Monteporzio.

Silvia s'était également vu demander, plus particulièrement par des femmes qui prenaient un air de ne pas y toucher, des nouvelles de Gueli. Et elle savait bien que, par jalousie ou par envie, mais dans tous les cas pour la blesser, ces femmes et ces gens de lettres se mettraient tôt ou tard à la dénigrer. Du reste son mari lui-même était le premier à donner, sans qu'il en fût besoin, matière et prétexte à la médisance. Avec un tel mari, elle était obligée de reconnaître elle-même qu'il lui serait désormais impossible d'échapper aux soupçons. Son amour-propre la pousserait, irrésistiblement, à faire naître ces soupçons, puisqu'elle ne pouvait plus longtemps rester soumise, aux yeux de tous, au ridicule dont il la couvrait, en faisant semblant de ne pas s'en apercevoir. Il fallait nécessairement et de quelque façon que ce fût, démontrer qu'elle en éprouvait, soit du chagrin et du dépit, auquel cas elle aggravait les choses car si elle s'humiliait ainsi tout le monde en profiterait pour la plaindre et l'agacer encore davantage; soit avoir l'air d'en rire, comme tout le monde, et si, dans cet autre cas elle échappait à l'humiliation, elle ne pouvait prétendre alors échapper aux plus sévères jugements. Une femme peut-elle impunément et ouvertement se moquer de son propre mari? Mais, dans tous les cas, qu'elle le fasse sincèrement ou qu'elle le simule, elle s'en sentait également incapable... Et ce qu'elle craignait, c'est qu'indépendamment de sa volonté et par une irrésistible réaction, son amour-propre ne le fît. Les soupçons et la médisance étaient par conséquent inévitables. Non non, en vérité, il était impossible qu'elle reste pure et honnête dans de telles conditions.

Elle fut heureuse de l'absence de Gueli, le soir de l'inauguration. Heureuse, non pas tellement parce que s'évanouissait l'une des principales raisons de médire, la sympathie de Gueli à son égard étant notoire, mais plutôt parce qu'après la lettre qu'il lui avait envoyée à Cargiore, elle l'aurait elle-même revu sans aucun plaisir. Elle ne savait pas encore bien pourquoi. Mais l'idée que cette sympathie de Gueli, dont elle reconnaissait secrètement la réalité pour une raison qui l'avait tout d'abord indignée, que cette sympathie puisse faire jaser, la blessait beaucoup plus que n'importe quel soupçon à propos de Betti, Luna, Baldani ou n'importe quel autre.

Son mari, elle ne le tromperait jamais, avec qui que ce soit. Et même si l'harmonie de sa conscience initiale avait été brisée par tant de pensées et sentiments nou-

veaux, même si la colère et le mépris que la conduite
de son mari suscitait en elle pouvaient l'inciter à se
venger, elle croyait encore pouvoir s'affirmer à elle-
même qu'aucune passion, aucun mouvement de révolte
ne parviendraient à la faire manquer à son devoir. Si
un jour elle ne supportait plus de cohabiter avec son
mari, si, non seulement sans défense mais poussée et
incitée par ce cœur vide d'affection pour lui, débordant
de dégoût et de tristesse, elle se sentait enveloppée et
entraînée par quelque passion désespérée, elle non, elle
ne le trahirait jamais. En pareil cas, elle lui dirait tout
et sauverait à n'importe quel prix sa loyauté.

Hélas, plus rien dans cette maison n'avait le pouvoir
de la retenir avec la voix des vieux souvenirs. C'était
pour elle comme une maison étrangère dont elle pouvait très facilement partir; elle évoquait continuellement en elle l'image d'une vie fausse, artificielle, vide,
insipide, à laquelle, aucune affection ne l'y contraignant, elle ne réussissait à s'habituer et que l'idée du
travail qui y était indissolublement liée rendait odieuse.
Et de ce travail imposé, elle ne tirait pas même la
satisfaction de savoir qu'il faisait plaisir, sinon à elle,
du moins à quelqu'un qui lui en fût reconnaissant. Et
par-dessus le marché c'était elle qui devait de la reconnaissance à son mari, qui la traitait comme le paysan
traite le bœuf qui tire sa charrue, comme le cocher
traite le cheval qui tire sa voiture; mais eux, du moins,
le bœuf et le cheval, revendiquent le mérite d'un bon
labourage ou d'une belle course et veulent en être
récompensés par du foin dans leur écurie.

Dans l'immédiat elle se sentait capable de n'éprouver
ni intérêt ni appréhension en face de la sympathie plus
ou moins sincère des Baldani et des Luna (ou plus
récemment de Betti), de tous ces jeunes plumitifs et
journalistes chevelus et curieusement vêtus; en revanche

elle redoutait celle de Gueli, lui qui, comme elle, était plongé dans une misère tout à la fois tragique et ridicule « qui lui ôtait le souffle » (tels étaient les termes de sa lettre); elle avait peur de Gueli parce que, plus que n'importe quel autre, il pouvait lire dans son cœur; parce que, lassée et choquée comme elle l'était en ce moment par l'insolent et froid pédantisme de Baldani, elle éprouvait un besoin aigu, un besoin pressant de sa présence à lui et de ses conseils.

Enfermée dans son bureau, elle se surprenait, les yeux fixes et l'esprit en suspens, tout absorbée par des pensées dont elle se secouait avec horreur.

Ces pensées étaient comme un escalier commode par lequel elle pouvait descendre jusqu'à sa perdition; c'était une séquelle d'excuses pour tranquilliser son ancienne conscience, pour masquer l'aspect odieux d'une action que cette ancienne conscience lui représentait encore comme une faute, enfin pour atténuer la réprobation des autres.

Le sérieux, l'austérité, l'âge de Gueli rendraient évident qu'elle n'avait pas cherché en lui, par pure perversion, un amant, mais bien plutôt un guide respectable et quasi paternel, un noble et idéal compagnon.

Et sans doute Gueli ne trouverait-il qu'en elle et pour elle la force de rompre le triste lien qui l'enchaînait depuis tant d'années à cette femme tyrannique.

Et son enfant?

Durant un instant ce nom, en se jetant au milieu de cette trouble divagation, la dissipait. Mais aussitôt l'idée de son fils lui rappelait à la mémoire, en l'angoissant, un ordre de vie, de chastes occupations, une intimité sacrée que les autres (et non elle-même), avaient voulu violemment briser.

Si au moins elle avait pu s'agripper à cet enfant qui

lui avait été arraché et ne plus penser, ne plus faire
attention à rien, elle aurait certainement trouvé en lui
la force de s'enfermer tout entière dans son rôle de
mère et de n'être plus qu'une mère, la force de résister
à toutes les tentations de l'art, ôtant ainsi à son mari
tout prétexte pour l'offenser et la réduire au désespoir
par sa passion du gain et le spectacle de ses prouesses.

C'est à cette seule condition qu'elle aurait pu continuer à vivre avec son mari, à la condition de renoncer
à l'art. Mais le pouvait-elle à présent ? Elle ne le pouvait
plus. Lui n'avait désormais d'autre emploi que celui
d'agent de son travail à elle, il fallait bien qu'elle
travaille, nécessairement ; mais dans ces conditions-là,
elle ne s'en sentait plus capable : elle ne pouvait donc
pas plus travailler qu'être mère. Mais fallait-il vraiment qu'elle fasse l'un ou l'autre ? Et alors, partir,
partir d'ici, partir de chez lui. Elle lui laisserait la
maison et tout le reste. Elle n'en pouvait plus. Mais
qu'adviendrait-il d'elle ?

A cette question son esprit chavirait et la faisait
reculer d'horreur. Mais quelle joie réelle pouvait-elle
retirer de ce qu'elle se contentait d'imaginer ? Une
seconde plus tard elle retombait dans ses troubles diva-
gations avec, hélas, de moins en moins de remords
devant l'inutile pétulance de son mari qui continuait
à l'importuner d'autant plus qu'il la voyait plus angoissée et plus détachée de son travail.

Pour toutes ces raisons-là, quand finalement Maurizio Gueli se présenta à l'improviste, et sans être
attendu, à la villa, avec un air étrangement résolu et
des manières inhabituelles, quand il la regarda dans
les yeux et qu'il accueillit avec un évident mépris les
courbettes, les cérémonies et autres démonstrations de
Giustino, elle se sentit perdue. Par bonheur, entendant
son mari s'épancher dans le sein de Gueli et sans rien

y comprendre, elle eut à un certain moment si vivement et si fortement l'impression d'être en quelque sorte poussée à grands coups, comme tirée par les cheveux pour commettre cette folie, elle eut tellement honte de cette situation et en éprouva tant de regrets, qu'elle réussit à avoir à l'égard de Gueli un sursaut de fierté, alors que ce dernier, s'enhardissant devant son air troublé, se retourna brutalement vers le mari et il s'en fallut de peu qu'il ne le traite en sa présence de vulgaire souteneur.

Devant sa réaction imprévue, Gueli était resté comme si on lui avait tapé sur la tête.

– Je comprends... je comprends... je comprends..., dit-il en fermant les yeux, avec un air et un ton d'amertume si intense, si profonde et désespérée, qu'apparut clairement aux yeux de Silvia ce qu'il avait compris, sans être pour autant indigné ou offensé.

Puis il s'en alla.

Giustino étourdi, blessé, mortifié par la façon dont était parti Gueli, ne voulant rien dire ni pour sa défense ni contre ce dernier, pensa bien sortir de sa perplexité en reprochant à sa femme la violence avec laquelle... Mais à peine eut-il entamé ses récriminations que Silvia se planta devant lui, presque contre lui, frémissante, bouleversée, et elle cria :

– Va-t'en! Tais-toi! Ou je me jette par la fenêtre!

Cet ordre et cette menace furent si fiers et si péremptoires, son aspect et sa voix tellement altérés, que Giustino courba l'échine et quitta le bureau comme un petit toutou.

Il avait l'impression que sa femme était en train de devenir folle. Ou alors, que lui était-il arrivé? Il ne la reconnaissait plus. *Je me jette par la fenêtre... Tais-toi... Va-t'en!* Elle ne s'était jamais permis de lui parler comme ça... Eh, les femmes! A trop en faire pour

elles!... et voilà... Qu'est-ce qu'il avait pris! *Va-t'en!*
Tais-toi!... Comme si ce n'était pas grâce à lui qu'elle
était à cette place. Si ce n'était pas de la folie, alors
c'était autre chose, pire, bien pire que de l'ingratitude...
Le nez pincé, Giustino, blessé au plus profond de son
cœur, cherchait en vain ce que ça pouvait être. Mais
oui, voyons, mais oui! elle voulait lui faire sentir, sans
la moindre générosité, le besoin qu'il avait désormais
de son travail à elle, alors que lui – pour elle – sans
jamais se plaindre, sans jamais un moment de répit,
s'était tant dépensé; et c'était pour elle, pour pouvoir
s'occuper d'elle, se vouer tout entier à elle, qu'il était
allé jusqu'à renoncer à son emploi, sans hésiter! Et
voilà! Elle ne pensait même plus que c'était à lui qu'elle
devait tout, elle le voyait sans profession et dans l'attente de son travail, et elle en profitait pour le traiter
comme un valet : *Va-t'en! Tais-toi!...*

Ah! une petite année... non, que disait-il, une petite
année? un petit mois! un petit mois, seulement un
petit mois sans lui et il voudrait bien la voir, elle, avec
une pièce à faire représenter ou un contrat à établir
avec un éditeur quelconque! C'est alors qu'elle décou-
vrirait à quel point elle avait besoin de lui...

Mais non, allons, ce n'était pas possible qu'elle ne
reconnaisse pas cela... Il devait y avoir autre chose! Ce
changement depuis qu'elle était revenue de Cargiore;
ce mécontentement, ces angoisses, ces caprices; toute
cette aigreur à son égard... Ou alors elle soupçonnait
vraiment qu'il s'était passé quelque chose entre Dora
Barmis et lui...?

Giustino tendit le cou en avant, baissa les coins de
la bouche, pour exprimer la stupeur qu'éveillait en lui
ce doute, puis il écarta les bras et continua de réfléchir.

Le fait est que depuis son retour de Cargiore, avec
la bonne excuse d'avoir trouvé ces deux maudites

chambres jumelles voulues par Dora, elle, comme si elle avait supposé que ce fût son idée à lui de vouloir la tenir loin de son propre lit, ne voulait pratiquement plus rien savoir de lui. Peut-être était-ce l'orgueil qui l'empêchait de manifester ouvertement sa rancœur et sa jalousie et qu'elle se soulageait de cette façon-là...

Mais bon Dieu, bon Dieu, bon Dieu, comment pouvait-on le soupçonner d'une pareille chose? Si l'autre fois, à table, il avait manifesté un certain déplaisir devant le brusque départ de Dora Barmis, ce déplaisir – elle aurait dû le comprendre – n'était que pour la perte de tous les sages conseils et des précieux enseignements qu'une femme d'un tel goût et d'une telle expérience aurait pu lui prodiguer, à elle. Parce qu'il fallait aussi qu'elle comprenne qu'elle ne pourrait continuer à rester ainsi enfermée en elle-même, aussi seule, sans la moindre amitié. De travailler, elle n'en avait plus envie; sa maison ne lui plaisait pas; lui, elle le soupçonnait indignement; elle ne voulait voir personne ni même sortir pour se distraire... Quelle vie était-ce là? L'autre jour, à l'arrivée d'une lettre de Cargiore dans laquelle la grand-mère parlait de son petit-fils avec beaucoup de tendresse, elle s'était mise à pleurer, à pleurer...

Pendant quelques jours, continuant à bouder sa femme, Giustino ruminait s'il ne serait pas bon de faire venir à Rome l'enfant et sa nourrice. Pour lui aussi c'était dur de le sentir aussi loin; mais le bébé ne pouvait être en de meilleures mains. Il pensa que celui-ci remplirait certainement le vide que Silvia ressentait dans son âme et dans sa maison. Mais lui avait à penser à tant d'autres choses, à tant d'impérieuses obligations, à tant d'engagements contractés en vue des nouveaux travaux auxquels elle aurait dû se consacrer. Si maintenant elle ne réussissait pas à travailler,

avec les mains libres, que serait-ce quand l'enfant serait
là, l'absorbant tout entière dans ses soins maternels...

Tout à coup, une nouvelle longuement attendue vint
distraire Giustino de cette idée et de tout autre souci.
A Paris, *La nouvelle colonie,* déjà traduite par Desroches, allait être portée à la scène dans les premiers
jours du mois suivant. A Paris! à Paris! Il fallait qu'il
parte.

Repris par la frénésie de son travail préparatoire,
armé du télégramme de Desroches l'appelant à Paris,
il fit le tour des rédactions, d'un journal à l'autre. Et
il s'arrangeait pour que Silvia trouve chaque matin
sur son secrétaire, dans son bureau, à midi à table
dans la salle à manger, et le soir sur sa table de nuit,
trois ou quatre journaux à la fois, non seulement de
Rome mais aussi de Turin et de Milan et de Naples et
de Florence et de Bologne, ou ces fameuses représentations parisiennes étaient annoncées comme un événement sensationnel et une nouvelle et triomphale
consécration de l'art italien.

Silvia feignait de ne pas s'en apercevoir. Mais lui
ne doutait pas un instant que son nouveau travail
préparatoire n'eût eu sur elle un très grand effet. Quand,
une belle nuit, il entendit sa femme se lever dans la
chambre à côté et s'habiller pour aller s'enfermer dans
son bureau. A dire vrai, il ressentit d'abord une certaine inquiétude; mais par la suite, en épiant par le
trou de la serrure et en s'apercevant qu'elle était assise
à son bureau dans l'attitude qu'elle prenait habituellement quand elle écrivait sous le coup de l'inspiration,
il ne réussit que par miracle, en chemise comme il
l'était et pieds nus dans le noir, à ne pas faire des
bonds de joie, comme un cabri. Ça y était! Elle s'était
remise au travail! Comme avant! comme avant! au
travail! au travail!

Et lui non plus ne dormit pas de toute la nuit, dans une attente fébrile; et dès qu'il fit jour, il courut, les mains en avant, à la rencontre d'Emere pour l'empêcher de faire le moindre bruit, puis il l'envoya aussitôt à la cuisine ordonner à la cuisinière de préparer le café et le petit déjeuner de madame, tout de suite! Et, dès que ce fut prêt :

— Pst! Écoute... Tu frappes, mais tout doucement, et tu demandes si elle veut... doucement surtout, hein? doucement, je te le recommande!

Un instant plus tard Emere revenait avec le plateau dans les mains, pour dire que madame ne voulait rien.

— Que fait-elle? Elle écrit?

— Elle écrit, oui monsieur.

— Et que t'a-t-elle dit?

— Je ne veux rien, va-t'en!

— Et elle écrit toujours?

— Elle écrit, oui monsieur.

— C'est bon, c'est bon; laissons-la écrire... Silence tout le monde!

— Est-ce que je sers monsieur, en attendant? demanda Emere à voix basse.

Giustino, ayant passé la nuit debout, avait réellement faim; mais de s'asseoir tout seul à table pendant que sa femme travaillait avec le ventre vide ne lui paraissait pas convenable. Il brûlait de savoir à quoi elle travaillait avec une telle ferveur. Au drame, certainement. Mais voulait-elle le terminer, comme ça, d'un seul coup? Ne manger que lorsqu'elle l'aurait fini. Encore une autre folie...

Vers trois heures de l'après-midi, Silvia, défaite, vacillante, sortit de son bureau pour aller se jeter sur son lit, dans l'obscurité. Aussitôt Giustino courut à son secrétaire, pour voir : et il fut tout déçu : il y trouva une nouvelle, une longue nouvelle. Sur la dernière

feuille, sous la signature, elle avait écrit : *Pour le sénateur Borghi*. C'est sans aucun plaisir qu'il se mit à la
lire; mais après quelques lignes, son intérêt s'éveilla...
Oh, tiens! Cargiore... Don Buti et sa longue-vue... monsieur Martino... l'histoire de sa mère... le suicide du
frère de Prever... Une nouvelle étrange, fantastique,
pleine d'amertume mêlée de douceur, dans laquelle
palpitaient toutes les impressions qu'elle avait éprou-
vées durant cet inoubliable séjour, là-haut. Elle avait
dû en avoir la vision, cette nuit, à l'improviste...

Allons, patience, même si ce n'était pas le drame,
c'était déjà quelque chose, en attendant. Et maintenant
à lui! Il allait lui montrer ce qu'il saurait encore tirer
du peu qu'elle lui mettait entre les mains. C'est au
moins cinq cents lires qu'il devrait lui donner pour
cette nouvelle, monsieur le sénateur : cinq cents lires,
tout de suite, ou rien du tout.

Et le soir même il allait chez Borghi à la rédaction
de *La vie italienne*.

Sans doute Maurizio Gueli était-il allé le voir
récemment et lui avait-il dit du mal de lui. Mais
Giustino ne se soucia pas le moins du monde de la
froideur maniérée avec laquelle il l'accueillit et en
éprouva même un certain plaisir, car ainsi soustrait
aux obligations que lui dictait l'ancienne reconnaissance, il put de son côté, avec une froideur égale,
annoncer clairement les engagements et les conditions. Et il se moquait bien de ce que Borghi pouvait
penser de lui, la seule chose qui lui importait étant
de faire voir à sa femme ce nouveau supplément
qu'elle ne devrait qu'à lui.

Quelques jours après la publication de cette nouvelle
dans *La vie italienne*, Silvia reçut de Gueli un billet
de vive admiration et de sincères félicitations.

Victoire! victoire! victoire! A peine Giustino eut-il

parcouru le billet qu'il courut, frétillant de joie, prendre sa canne et son chapeau.

— Je vais le remercier chez lui! Tu vois? il s'invite...

Silvia lui barra le chemin.

— Où et quand? lui demanda-t-elle en tremblant. Il se contente de me féliciter. Je te défends de...

— Mais bon Dieu! Que te faut-il donc pour comprendre? Après la réception que tu lui as faite, il t'écrit de cette façon... Laisse-moi faire, ma chérie! laisse-moi faire! moi j'ai très bien compris que Baldani te tapait sur les nerfs; je l'ai très bien compris, tu sais? Tu vois bien que je ne l'ai plus fait venir. Mais Gueli, c'est autre chose. Gueli est un maître, un vrai maître. Tu lui liras ton drame; tu suivras ses conseils; vous vous enfermerez ici; vous travaillerez ensemble... Demain je dois partir; laisse-moi partir tranquille! La nouvelle c'est bien, mais ce qui m'importe à moi, c'est le drame, ma chérie. Maintenant c'est le drame qu'il me faut, le drame, le drame, le drame, le drame! Laisse-moi faire, je t'en prie!

Et il fila tout droit chez Gueli.

Silvia ne chercha même plus à le retenir. Elle fit une grimace de dégoût et de haine, en se tordant les mains.

Ah, il voulait un drame? Eh bien après tant de comédies, il allait l'avoir, son drame!

6.

Envolé

Maurizio Gueli passait par l'un des plus cruels moments de sa triste existence. Pour la neuvième ou dixième fois, à bout de patience, il avait trouvé dans son désespoir la force d'arracher sa tête du licol. Elle était de lui, cette comparaison animale, et il se la répétait avec volupté. Livia Frezzi était depuis quinze jours dans la villa de Monteporzio, seule; et lui à Rome, seul.

Seul, se disait-il, mais pas libre pour autant, puisqu'il savait par une triste expérience que plus il affirmait sa décision de ne plus jamais vivre avec cette femme, plus le jour de la rejoindre était proche, et que, s'il était vrai qu'il ne pouvait plus vivre avec elle, il était aussi vrai qu'il ne pouvait vivre sans elle.

Environ vingt ans plus tôt il avait quitté Gênes pour Rome, au moment de son « apogée », quand en Italie et bien au-delà la publication de son *Socrate fou* assurait indiscutablement sa réputation d'écrivain bizarre et profond; un vif et puissant génie lui permettait de manœuvrer les pensées les plus graves et les doctrines les plus sérieuses avec la gracieuse agilité d'un équilibriste jonglant avec des boules de verre multicolores;

et c'est à ce moment-là qu'il avait été accueilli dans la maison de son vieil ami Angelo Frezzi, historien médiocre, qui venait d'épouser en secondes noces Livia Maduri.

Lui avait alors trente-cinq ans, et Livia un peu plus de vingt.

Ce n'est sûrement pas le prestige de la renommée qui avait rendu Livia Frezzi amoureuse de Gueli, comme beaucoup le crurent alors. Dès le début elle s'était montrée si froidement dédaigneuse de cette renommée et de la sorte d'ivresse que lui-même en ressentait à cette époque-là, que lui aussitôt, par dépit, s'était obstiné à la conquérir; presque contraint de fermer les yeux sur les devoirs qu'il avait envers son hôte et ami et sur l'aigreur que cette femme lui avait opposée, comme une ennemie, ouvertement et sans tenir compte le moins du monde de la vieille amitié que lui témoignait son mari, sans aucun respect pour les règles de l'hospitalité.

A sa propre décharge, Maurizio Gueli se souvenait d'avoir vraiment tout fait, au commencement, pour fuir et ne pas trahir l'amitié et l'hospitalité. Mais à présent le mépris qu'il éprouvait à l'égard de lui-même et des autres, le dégoût de sa lâcheté devant cette femme, la honte de son esclavage lui avaient rempli l'âme d'une telle amertume qu'il ne réussissait plus à se faire la moindre illusion. Et s'il tentait de se la rappeler, cette tentative de fuite, il savait fort bien qu'elle n'était d'aucun poids en sa faveur, puisque, s'il avait vraiment voulu se sauver et ne pas trahir son ami, il n'avait qu'à tourner le dos et s'éloigner de cette demeure hospitalière.

Bien au contraire... Mais oui! Pour la millième fois elle s'était répétée en lui l'habituelle farce des quatre ou cinq ou dix ou vingt âmes différentes que chaque homme, selon sa propre capacité, héberge en lui, des âmes distinctes et mobiles comme il le croyait et dont il avait toujours su représenter, avec une merveilleuse perspicacité, le jeu varié et simultané, en lui et chez les autres.

Par un artifice souvent inconscient, suggéré par notre avantage ou par ce besoin spontané de nous vouloir d'une façon plutôt que d'une autre, de nous apparaître à nous-mêmes différents de ce que nous sommes, nous assumons l'une de ces nombreuses âmes et d'après elle nous acceptons l'interprétation fictive la plus favorable de tous les actes que les autres âmes accomplissent sournoisement, en cachette de notre conscience. Chacun de nous a tendance à n'épouser qu'une seule de ces âmes, la plus commode, celle qui apporte en dot la faculté la plus apte à atteindre l'état auquel nous aspirons; mais en dehors du toit conjugal de notre conscience il est bien difficile de ne pas avoir par la suite des liaisons et des passades avec les autres âmes rejetées, desquelles naissent des pensées bâtardes qu'aussitôt nous nous empressons de légitimer.

Son vieil ami Angelo Frezzi ne s'était donc pas aperçu qu'il n'avait pas grand effort à faire pour le convaincre de rester quand lui avait manifesté son désir de quitter la maison, désir doublement et savamment faux, puisque son vrai désir était de rester et qu'il le dissimulait sous le regret de ne pas plaire à madame? Et si Angelo s'en était effectivement aperçu, pourquoi avait-il tant protesté et tempêté pour le retenir? Il avait certainement eu droit à la farce, lui aussi! Deux âmes, l'une sociale et l'autre morale, l'une qui le poussait à toujours mettre des *redingotes* et posait sur ses grosses lèvres pâles, mêlé à quelques filets de bave, le plus aimable des sourires et l'autre qui lui faisait souvent baisser des paupières aqueuses et flétries sur ses yeux globuleux, bleuâtres, injectés de sang, impudents : ces deux âmes-là avaient fait en lui étalage de leur vertu, soutenant avec une sévère fermeté que Gueli, parvenu à une célébrité si méritée, ne se serait à aucun prix avili en trahissant son hôte et ami; mais pendant ce temps une troisième petite âme astucieuse et moqueuse lui suggérait tout bas, tout bas, à voix si basse qu'il pouvait bien feindre de ne pas l'entendre : « Bravo, mon cher, c'est ça, retiens-le! Tu sais bien quelle chance ce serait pour toi s'il réussissait à t'embarquer cette seconde femme qui te convient si peu, avec sa petite tête toujours dressée, âpre et dure et opiniâtre même avec toi, pauvre petit, trop vieux, eh, trop vieux pour elle! Insiste et plus tu feras semblant de le croire incapable de te trahir, plus tu seras confiant avec lui, plus il te sera facile de trouver motif à scandale dans une chose insignifiante. »

Et en effet Angelo Frezzi, sans l'ombre de raison, tout au moins en ce qui concernait sa femme, avait si bien crié à la trahison qu'une année entière s'était écoulée avant que Livia, partie vivre seule, se donnât à Gueli.

C'est cette année-là qu'il s'était lié avec elle au point de ne plus pouvoir s'en détacher, renonçant totalement à lui-même, s'employant à accueillir et à suivre, sans aucun manquement, toutes ses pensées et ses sentiments à elle.

Il feignait actuellement de croire que ce lien était né d'un devoir indissoluble contracté envers cette femme qui avait perdu pour lui situation et réputation, chassée par son mari alors qu'elle était encore innocente. Certes, il le sentait aussi comme un devoir; mais dans le fond il savait très bien que ce n'était pas la seule et véritable raison de son esclavage. Quelle était-elle alors, la vraie raison? Peut-être la pitié que lui, sain d'esprit (et avec la tranquille certitude de n'avoir jamais donné le moindre prétexte, le moindre encouragement à sa fameuse jalousie), il devait avoir pour cette femme, qui était sans aucun doute une malade mentale? Oh, oui, cette pitié était réelle, comme était réel son devoir; mais plus que la vraie raison de son esclavage, cette pitié n'était-elle pas une excuse, une noble excuse derrière laquelle il dissimulait le cuisant besoin qui le traînait vers cette femme après un mois d'éloignement; mois pendant lequel il avait feint de croire qu'à son âge, après lui avoir donné durant tant d'années le meilleur de lui-même, il ne pourrait refaire sa vie avec qui que ce soit d'autre? Elles étaient vraies, très vraies, oui, et parfaitement fondées, ces autres considérations; mais à les peser sur la balance cachée de la plus secrète intimité de sa conscience, il savait très bien que son âge et sa dignité étaient des excuses et non pas des raisons. En effet, si une autre femme, qu'il n'aurait pas recherchée, avait eu le pouvoir de l'attirer à elle, en l'arrachant à sa sujétion, en le libérant de l'envahissement de cette sujétion qui lui inspirait une profonde et invincible répulsion pour toute autre étreinte et le tenait dans un tel état de timidité hautaine et ombrageuse qu'il lui était désormais impossible de supporter, non seulement le contact, mais la seule pensée d'une autre femme : oh, il n'aurait certainement plus fait attention à son âge, à sa dignité, à son devoir, à la pitié et à rien du tout. Elle était donc là, là, la vraie raison de sa servitude; c'était cette timidité hautaine et ombrageuse qui venait du pouvoir de fascination de Livia Frezzi.

Personne n'était capable de comprendre comment et pourquoi cette femme avait pu exercer sur Gueli une aussi puissante et durable fascination, ou plus exactement un aussi néfaste ensorcellement. C'était sans aucun doute une belle femme, Livia Frezzi, mais la dureté rigide de ses attitudes, la sévérité de son regard, hostile et indifférent, son mépris presque ostentatoire de toute amabilité ôtait grâce et attrait à cette beauté. On aurait dit, et c'était même évident, qu'elle faisait tout pour ne pas plaire.

Eh bien : c'était justement là que résidait son charme et seul pouvait le comprendre le seul auquel elle voulait plaire.

Ce que les autres jolies femmes accordent à l'homme auquel elles se donnent dans l'intimité est si peu de chose en comparaison de ce qu'elles ont dispensé aux autres durant toute la journée, et ce « peu de chose » est accordé avec des manières, des grâces et des sourires si semblables en tout point à ceux qu'elles prodiguent à un si grand nombre d'étrangers qui, sans même être entrés dans cette intimité, la connaissent ou l'imaginent aisément que – rien que d'y penser – la joie de les posséder s'évanouit aussitôt.

Livia Frezzi avait donné à Maurizio Gueli la joie d'une possession unique et totale. Personne ne pouvait la connaître ou l'imaginer telle que lui la connaissait et la voyait dans ses moments d'abandon. Elle était tout entière à un seul homme, fermée à tous, sauf à lui seul.

Mais de la même façon elle désirait que cet homme unique fût également tout pour elle : tout entier et pour toujours enfermé en elle, exclusivement sien, non seulement avec ses sens, mais avec son cœur et son esprit et jusque dans ses regards. Regarder, même sans la plus petite intention, une autre femme, équivalait pour elle à une faute. Elle, elle ne regardait personne, jamais. C'était une faute de vouloir plaire aux autres

au-delà des limites de la plus stricte courtoisie. *Dis-
pliceas aliis, sic ego tutus ero **.

De la jalousie? Sûrement pas de la jalousie! Se
comporter de la sorte n'était que répondre à ce qu'exi-
geaient le sérieux et l'honnêteté. Et elle, elle était
sérieuse et honnête; pas jalouse. Et c'est de cette façon-
là qu'elle désirait que tout le monde se comportât.

Pour la satisfaire, il fallait se restreindre et se
contraindre à vivre uniquement pour elle, à s'exclure
totalement de la vie des autres. Et ce n'était pas tout :
si les autres, dont on ne s'occupait pas et qu'on ne
regardait pas, et peut-être justement pour cela, montraient le plus petit intérêt ou une quelconque curiosité
pour une existence aussi particulière et un comportement aussi hautain et dédaigneux, elle en rendait coupable celui qui partageait sa vie, comme si lui était
responsable de ce que les autres le regardent ou
s'occupent de lui de quelque manière.

Et maintenant il n'était absolument plus possible à
Maurizio Gueli d'empêcher tout cela. Quoi qu'il fît, sa
célébrité était telle qu'il ne pouvait passer inaperçu.
Oui, il pouvait tout au plus ne pas regarder; mais
comment empêcher qu'on le regarde? Il recevait de
tous côtés des invitations, des lettres, des hommages;
pouvait-il ne jamais accepter aucune de ces invitations,
ne jamais répondre à aucune lettre, à aucun hommage?
Mais non, messieurs, il devait aussi lui rendre compte,
à elle, de toutes les invitations qu'il recevait et des
lettres et des hommages qui lui parvenaient.

Elle comprenait très bien que tout cet intérêt, toute
cette curiosité dépendaient de sa renommée, de la littérature qui était sa profession; et c'est justement contre

---

* Puisses-tu déplaire aux autres, ainsi je serai tranquille. Tibulle, Carm. IV,
13, v. 6.

cette renommée et cette littérature qu'elle braquait le plus sauvagement son acrimonie, armée d'une venimeuse raillerie; elle couvait à l'égard de l'une et de l'autre la plus âpre et la plus noire des rancœurs.

Livia Frezzi était intimement persuadée que la profession d'écrivain ne pouvait comporter le moindre sérieux, la moindre honnêteté; que c'était même la plus ridicule et la plus malhonnête des professions, puisqu'elle consistait en une offre continuelle de soi, un continuel commerce de vanités, une mendicité de vaines satisfactions, en une perpétuelle obsession de plaire à autrui et d'en obtenir des louanges. Seule une sotte, d'après sa façon de voir, aurait pu s'enorgueillir de la célébrité de l'homme avec lequel elle vivait, éprouver du plaisir en pensant que cet homme, admiré et désiré par tant de femmes, appartenait, ou disait appartenir, à elle seule. Comment et en quoi pouvait-il appartenir à une seule femme cet homme, s'il voulait plaire à tous et à toutes, s'il se démenait jour et nuit pour être loué et admiré, pour se donner en pâture aux gens et procurer du plaisir au plus grand nombre possible, pour attirer constamment l'attention sur lui, être dans toutes les bouches et montré du doigt par tout le monde? si, de lui-même, il s'exposait continuellement à toutes ces tentations?

Bien des fois Gueli avait, vainement, tenté de lui démontrer que le véritable artiste, qu'il était ou croyait tout au moins être, ne donnait pas ainsi la chasse aux vaines satisfactions, ne se consumait pas ainsi pour plaire à autrui; qu'il n'était certainement pas ce bouffon obsédé par l'idée de distraire les gens et de plaire aux femmes; et que la seule louange qui l'eût satisfait était celle d'un petit nombre auquel il reconnaissait la capacité de le comprendre. Entraîné par la fougue de sa propre défense, par un seul détail il perdait parfois tout son avantage; s'il lui arrivait par exemple de suggérer, comme une considération générale, qu'il était quand même humain et sans l'ombre de mal qu'un écrivain, mais aussi n'importe qui d'autre, éprouve une certaine satisfaction à voir son œuvre, quelle qu'elle soit, bien accueillie et appréciée des autres. Ah, c'est ça, les autres! les autres! toujours l'idée des autres! Elle, elle n'avait jamais eu de pensées de ce genre! Et lui ne voyait aucun mal à cela! A cela et qui sait à combien d'autres choses! Où donc était le mal, pour lui? en quoi consistait-il? Qui pouvait espérer y voir clair dans la conscience d'un homme de lettres dont la profession n'était qu'un perpétuel jeu de fictions? Feindre, toujours feindre, donner une apparence de réalité à des choses qui n'étaient pas vraies! Et ce n'était sans doute aussi qu'une simple apparence, toute cette austérité, cette noble honnêteté qu'il affichait. Qui sait combien de petits coups au cœur, de frémissements, de chatouillements pour le petit coup d'œil mystérieux, pour le petit sourire d'une femme tout juste aperçue, en passant dans la rue? Son âge? Comment son âge? Le cœur d'un homme de lettres peut-il vieillir? Plus il est vieux, plus il est ridicule.

Devant cette incessante raillerie et ce féroce dénigrement, Maurizio Gueli sentait se tordre ses entrailles et son cœur se serrer. Parce qu'il ressentait en même temps l'atroce ridicule de sa tragédie : être le souffre-douleur d'une véritable et authentique folle, souffrir le martyre pour des fautes imaginaires, pour des fautes qui n'en étaient pas et que, du reste, il se serait bien gardé de commettre, quitte à paraître grossier, hautain et revêche, de crainte de lui fournir le moindre prétexte. Mais il paraît qu'il les commettait quand même, à son insu, qui sait quand et comment!

Manifestement ils étaient deux : l'un pour lui, un autre pour elle.

Et cet autre qu'elle voyait en lui, triste fantôme lui arrachant au vol chaque regard, chaque sourire, chaque geste, jusqu'au son de sa voix et jusqu'au sens de ses paroles, en somme tout ce qui était lui, et le transformant, le falsifiant à ses yeux à elle; cet autre prenait vie et lui seul vivait pour elle pendant que son « lui » à lui n'existait plus : il n'existait plus si ce n'est dans ce supplice indigne et inhumain de se voir vivre dans ce fantôme et uniquement en lui; et c'est en vain qu'il tentait de le détruire : elle ne le croyait plus, elle ne voyait plus en lui que « l'autre » et le prenait à juste titre, lui, comme cible de sa haine et de son mépris.

Et cet autre était si vivant, cet autre qu'elle s'était forgé à partir de lui, il prenait dans son imagination morbide une si solide et évidente consistance, que lui-même le voyait vivre de sa propre vie, mais honteusement falsifiée; de ses pensées, mais défigurées, de chacun de ses regards, de ses paroles, de ses gestes; il le voyait vivre au point que certaines fois il lui arrivait de douter de lui-même, de se demander si par hasard il n'était pas cet autre.

Et il était désormais tellement conscient de l'altération que le moindre de ses actes subirait de cette immédiate appropriation de l'autre, qu'il avait l'impression de vivre avec deux âmes, de penser en même temps avec deux têtes, dans un sens pour lui, dans l'autre pour son double.

« Voilà, remarquait-il aussitôt, si maintenant je dis ceci, mes paroles prendront pour elle cette autre signification. »

Et il ne se trompait jamais, puisqu'il connaissait parfaitement cet autre lui qui vivait en lui, aussi vivant qu'il l'était lui-même, peut-être même plus, parce que lui ne vivait plus que pour souffrir, tandis que l'autre vivait dans son esprit à elle pour jouir, tromper, feindre

et pour bien d'autres choses plus indignes les unes que
les autres; l'un réprimait en lui toute impulsion, étouffait les plus innocents désirs, s'interdisait tout, même
de sourire à une vision artistique qui lui passait par
l'esprit, et de parler et de regarder; pendant que l'autre,
Dieu sait comment, Dieu sait quand, trouvait le moyen
d'échapper à cette galère, avec son inconsistance de
fantôme né d'une authentique folie et il courait de par
le monde pour en faire de toutes les couleurs.

Il ne pouvait réellement pas sacrifier plus que ce
qu'il avait déjà sacrifié pour avoir la paix, Maurizio
Gueli : il s'était exclu de la vie, il avait même renoncé
à l'art : il n'avait plus écrit une seule ligne depuis plus
de dix ans.

Mais son sacrifice n'avait servi à rien. Elle, elle n'était
pas capable de l'évaluer. L'art pour elle n'était qu'un
jeu malhonnête; pour un homme sérieux c'était donc
un devoir et non un mérite que d'y renoncer. Elle
n'avait jamais lu la moindre ligne de lui, et elle s'en
vantait. De sa vie idéale, de ses dons les plus élevés,
elle ignorait donc tout. En lui elle ne voyait que
l'homme, un homme qui, nécessairement, ainsi vio-
lenté, ainsi banni de toute autre vie, ainsi privé de
toute satisfaction, en conséquence de tous ces renon-
cements, de toutes ces privations et de tous ces sacrifices
était bien obligé de chercher auprès d'elle l'unique
compensation qu'elle pouvait lui donner, l'unique soulagement qu'elle pouvait lui dispenser. C'est de là que
venaient la triste idée qu'elle s'était faite de lui et ce
fantôme qu'elle avait façonné à partir de lui et que
seul elle voyait vivre, sans comprendre du tout qu'il
était seulement comme cela pour elle, parce qu'il ne
trouvait pas le moyen d'agir différemment avec elle.
Et cela non plus, Gueli ne pouvait le lui démontrer de
crainte de l'offenser dans sa rigide honnêteté. Indignée,

assaillie par de continuels soupçons, elle lui refusait souvent même cette unique compensation; et lui s'irritait alors, encore plus lâchement, dans son for intérieur, de sa servitude.

Lorsque ensuite elle se montrait plus encline à céder, lui il en profitait; aussitôt après, avec la fatigue, il était pris d'une généreuse colère : un frémissement d'indignation le secouait de la sombre torpeur d'une volupté lasse et repue; il voyait alors à quel prix il obtenait cette satisfaction des sens d'une femme dénuée de toute sensualité et qui ne l'en abrutissait pas moins en le condamnant à la perversité d'une union obligatoirement luxurieuse. Et si, à ce moment-là, elle avait le mauvais goût de recommencer à railler, sa révolte éclatait, prompte et terrible.

C'est justement dans ces moments de lassitude que s'étaient produites les séparations temporaires; ou bien il était parti, lui, à Monteporzio et elle était restée à Rome, ou bien l'inverse, tous deux parfaitement résolus à ne plus jamais vivre ensemble. Mais, qu'il fût à Rome ou ailleurs, il avait toujours continué de subvenir à son entretien, elle restant absolument sans ressource. Et, même s'il n'était plus aussi riche qu'à la mort de son père (l'un des plus gros actionnaires d'une compagnie de navigation transatlantique), Maurizio Gueli jouissait encore d'une confortable aisance.

Et cependant, à peine se retrouvait-il seul qu'il se sentait perdu dans cette vie dont il s'était si longtemps exclu; il remarquait aussitôt qu'il n'avait plus de racines en elle, qu'il ne pouvait d'aucune façon s'y réimplanter; et pas seulement à cause de son âge : l'idée que les autres s'étaient faite de lui depuis tant d'années d'austère claustration lui pesait dessus comme une chape, l'obligeait à compter ses pas, lui imposait, grâce à une vigilance renfrognée, un comportement, une réserve désormais coutumière; elle le condamnait en somme à être tel que les autres le croyaient et le voulaient; la stupeur qu'il lisait sur tant de visages dès qu'il se rendait en quelque lieu inhabituel (pour lui), la vue des autres accoutumés à vivre librement, le fait de remarquer secrètement sa gêne en face des privilégiés qui n'avaient jamais rendu compte à personne de leur temps et de leurs actes, tout cela le troublait, le décourageait, l'irritait. Et il y avait encore autre chose qu'il remarquait avec horreur : un phénomène quasi monstrueux; à peine était-il seul qu'il avait l'impression de découvrir en lui, vraiment vivant, à chaque pas, chaque regard, chaque sourire, chaque geste, cet autre *lui* qui vivait dans l'imagination maladive de Livia Frezzi, ce triste et détestable fantôme qui le raillait intérieurement en lui disant :

« Voilà, à présent, c'est toi qui vas où bon te semble, à présent, c'est toi qui regardes à droite et à gauche, même les femmes, c'est toi qui souris, qui bouges et tu crois agir en toute innocence? Tu ne sais donc plus que tout cela est mal, mal, très mal. Et si elle te voyait! Si elle le savait! Toi qui as toujours nié, toi qui as toujours affirmé que tu n'éprouvais aucun plaisir à aller où que ce soit, aucun plaisir à regarder les femmes, à sourire... Mais dans tous les cas, sais-tu? même si tu ne le fais pas, elle, elle croira toujours que tu l'as fait; alors, ne te gêne pas, puisque ça revient au même. »

Eh bien, non : il n'y arrivait même plus, il ne savait plus comment s'y prendre; il se sentait bridé intérieurement, d'une façon exaspérante, par l'injuste jugement de cette femme; dans chacun de ses actes, il voyait le mal, non pas pour lui, mais pour celle qui pendant des années l'avait habitué à le taxer de mal, et comme tel l'avait attribué à cet autre lui qui, d'après elle, avait coutume de le faire continuellement; même lorsque son vrai lui n'y participait pas et même lorsque lui, pour avoir la paix, s'y refusait, comme si c'eût été vraiment mal.

Toute cette complexité d'avertissements secrets engendrait en lui un tel dégoût, une telle honte, une humiliation si agaçante, une tristesse si sourde, si aigre et si noire, qu'il repartait aussitôt loin de la vue et du contact des autres; de nouveau à l'écart, dans son vide, dans son horrible solitude, il s'enfonçait dans la contemplation de sa misère tragique et ridicule, désormais sans remède. Il ne parvenait plus à faire l'effort de s'en abstraire pour se remettre à un travail qui aurait pu le sauver. Et commençaient alors à resurgir toutes ces excuses qu'il feignait de prendre pour les raisons de son esclavage; elles resurgissaient sous l'instigation majeure d'un besoin instinctif, de plus en plus pressant, de sa virilité encore puissante et du souvenir envoûtant des étreintes de cette femme.

Et il retournait à sa chaîne.

Il était justement sur le point d'y retourner quand Giustino Boggiolo vint pour l'inviter à la villa, où Silvia – à ce qu'il disait – l'attendait avec impatience.

Maurizio Gueli habitait une vieille maison de la via Ripetta, donnant sur le fleuve qu'il se rappelait coulant entre des rives escarpées, naturelles, peuplées de chênes; il se rappelait aussi le vieux pont de bois ébranlé par chaque voiture et, près de la maison, le large escalier du port et les tartanes siciliennes qui venaient y mouiller avec leurs charges de vin, et les chants qui s'élevaient le soir de ces tavernes flottantes avec leurs voiles tendues, tandis que sur l'eau noire serpentaient de longs reflets de lumière rouge. A présent l'escalier et le pont de bois, les rives naturelles et les chênes majestueux avaient disparu ; un grand quartier neuf avait surgi au-delà du fleuve, désormais encaissé entre des digues grises. Et, comme le fleuve entre ses digues, comme les Prati di Castello avec leurs longues avenues rectilignes encore dénuées de la patine du temps, comme eux, en vingt ans, sa vie s'était disciplinée, décolorée, amoindrie, raidie.

Par les deux grandes fenêtres de l'austère bureau qui ressemblait plutôt à une salle de bibliothèque, sans un tableau, sans le moindre objet d'art, aux murs entièrement occupés par de hauts rayonnages surchargés de livres, pénétrait le dernier embrasement d'un crépuscule pourpre, flamboyant derrière les cyprès de Monte Mario.

Enfoncé dans un vaste fauteuil de cuir, devant un bureau ancien, massif, Maurizio Gueli resta un moment sombre et renfrogné à observer ce petit homme qui semblait une vaporeuse émanation de ce rougeoyant embrasement ; ce petit homme qui venait, tout souriant et sûr de lui, cimenter le destin de deux vies.

Dans deux occasions déjà, il avait manifesté à Silvia Roncella son estime et sa sympathie pour son œuvre et sa forme de pensée : en participant au banquet offert en son honneur peu après son arrivée à Rome, puis en allant la saluer à la gare après le triomphe de son drame ; ensuite il lui avait écrit une première fois à Cargiore, et récemment il était allé lui rendre visite dans sa villa de la via Plinio. Tous ces témoignages d'estime et de sympathie n'avaient pu avoir lieu que durant une quelconque séparation d'avec Livia Frezzi ; et il avait été d'autant plus troublé et avait, à leur propos, éprouvé d'autant plus forte cette impression de désobéir et de faire du mal, qu'il avait immédiatement pressenti chez cette jeune femme à l'esprit si semblable au sien, bien qu'encore inculte et sauvage, celle qui pourrait le libérer de la sujétion de Livia Frezzi; si toutefois la trop grande différence d'âge et ses devoirs envers son fils, si ce n'est envers son infâme mari, ne lui faisaient considérer comme une véritable faute le seul fait d'y penser. Et pourtant, dans la lettre qu'il lui avait adressée à Cargiore, il s'était laissé aller à lui en dire plus que ce qu'il aurait dû, et dernièrement, pendant sa visite à la villa, à lui en faire entendre plus qu'il n'en disait. Il avait lu dans ses yeux la même horreur que celle qu'il éprouvait à l'égard de sa propre situation, et à la fois une même terreur à la seule idée de s'en arracher; et il avait admiré l'effort grâce auquel elle avait réussi, brusquement, à se reprendre en face de lui, en le chassant presque. Et à présent devait-il croire à ce que lui disait le mari, à savoir qu'elle l'attendait avec impatience? Cela voulait sans doute dire qu'elle avait pris une décision violente et désespérée, sur laquelle elle ne reviendrait plus. Et elle aurait justement envoyé son mari pour l'inviter? Non, cela lui paraissait trop; et assez peu d'elle. L'invitation était certainement la conséquence des félicitations qu'il lui avait adressées à la suite de la lecture de sa nouvelle dans *La vie italienne;* quant à son impatience, c'était sans doute un supplément dû au mari.

Maurizio Gueli aurait bien voulu ne pas avoir à le reconnaître, et cependant il voyait clairement que par deux fois c'était lui qui avait été l'instigateur : par sa visite d'abord, par son billet ensuite. Et elle, ayant résisté à la première incitation, en l'offensant presque, il était naturel qu'à la suite de son billet, elle l'invite.

Devait-il y aller? Il pouvait refuser, trouver une excuse, un prétexte. Ah, cette violence continuelle à laquelle il soumettait sa vie depuis plus de vingt ans, la continuelle exaspération de son âme, l'entraînaient, dès qu'il était seul, à tomber dans d'inévitables excès, à commettre des actes inconsidérés, à compromettre et se compromettre.

En effet, il considérait comme un excès, un acte inconsidéré, une grave compromission ce qui pour n'importe qui d'autre aurait été un acte des plus ordinaires et des plus innocents, sans la moindre conséquence : une visite, un mot de félicitation... il devait, lui, les considérer comme des crimes et les retenir comme tels dans la monstrueuse conscience que cette femme lui avait fabriquée et pour laquelle les actes les plus anodins et les plus insignifiants de la vie prenaient un poids de plomb : un regard, un sourire, une parole... Maurizio Gueli se sentit emporté par un accès de révolte, par un puissant mouvement d'orgueil; il retournait contre Livia Frezzi l'irritation qu'il éprouvait en ce moment pour la conscience du mal qu'il croyait avoir réellement commis : d'abord avec cette visite, ensuite avec ce billet; et pour s'ôter de la vue le triste individu qui était là, à attendre sa réponse, il promit qu'il viendrait bientôt.

– Vous l'encouragez, vous savez! était en train de lui dire Giustino, prenant congé devant la porte. Il faut la pousser, même si c'est de force... Ce sacré drame! Elle en est déjà à la fin du second acte; il lui manque le troisième; mais elle l'a déjà entièrement imaginé; et croyez que... il me semble très beau... à moi, voilà : et aussi à Baldani qui l'a entendu, il dit...

– Baldani?

Au ton sur lequel Gueli posa cette question, Giustino comprit qu'il avait touché un point qu'il n'aurait pas dû toucher. Il ignorait que tout récemment Paolo Baldani s'était acharné avec une fureur destructrice, par une série d'articles dans un journal florentin, contre toute l'œuvre littéraire et philosophique de Gueli, du *Socrate fou* aux *Fables de Rome*.

– Eh bien... oui, il est venu rendre visite à Silvia, et... répondit-il gêné, hésitant. Silvia ne voulait vraiment pas; c'est moi qui... vous savez? pour... pour la pousser...

– Dites à Mme Roncella que je viendrai chez elle ce soir même... coupa Gueli en s'éloignant de lui avec un regard d'une dureté qui rendait ses yeux presque opaques.

Giustino se répandit en courbettes et remerciements.

– Parce que moi, demain, je pars pour Paris, voulut-il ajouter, déjà sur le palier, pour assister à...

Mais Gueli ne lui laissa pas le temps de finir : il inclina à peine la tête et referma la porte.

Le soir il alla à la villa Silvia. Il y retourna le lendemain, après que Giustino fut parti à Paris, puis chaque jour, le matin ou l'après-midi.

Tous deux avaient également conscience qu'un acte minime, une concession infime, un abandon infime provoquerait un renversement absolu et intégral de leur existence.

Mais comment serait-il possible de l'empêcher plus longtemps, si l'exaspération de leur âme était si grande et que l'une lisait aussi clairement dans celle de l'autre? Si leurs yeux en se rencontrant étaient réciproquement éblouis, si leurs mains tremblaient à l'idée d'un contact fortuit et que cette retenue les maintenait dans un tel état d'angoisse, d'insoutenable suspens, qu'ils auraient considéré comme une trêve, comme une libération ce qu'ils redoutaient le plus et ce à quoi ils voulaient échapper?

Le seul fait que lui vînt ici et qu'elle le reçût et que tous deux restassent ensemble, seuls, même sans se regarder et sans se toucher, c'était déjà une concession coupable pour l'un comme pour l'autre, une compromission qu'ils sentaient de plus en plus irréparable.

Tous deux avaient l'impression de céder toujours davantage, inévitablement, à une violence qui ne venait absolument pas d'un sentiment intérieur qui les aurait entraînés, mais bien plutôt de céder à une violence extérieure qui les pressait et les poussait à s'unir malgré l'effort qu'ils faisaient pour résister et se tenir à distance, sentant que leur union serait nécessairement ce que, au fond, ils ne voulaient pas.

Ah, pouvoir se libérer mutuellement de leurs odieuses conditions, sans que leur union fût le prix d'une faute qui lui inspirait, à elle de l'horreur, et à lui de l'effroi et des remords!

Ce qu'ils ressentaient comme une violence, c'était précisément cela : de devoir commettre cette faute plus forte qu'eux, mais nécessaire, inévitable, s'ils voulaient se libérer. Et voilà, ils étaient là, comme « mis ensemble » pour la commettre, tremblants, consentants et rétifs à la fois.

Lui, il avait derrière lui l'ombre de cette femme rigide, livide et hirsute qui lui sifflait déjà aux oreilles qu'il ne pourrait plus jamais revenir vers elle et qu'il ne pourrait désormais plus mentir et nier qu'il avait profité de sa liberté pour approcher une autre femme : c'était donc elle! honnête, n'est-ce pas? honnête comme lui, semblable à lui dans tous les domaines; ah, celle-là, oui! elle le ramènerait à l'art, celle-là, en le prenant par la main, pour vivre de poésie, et elle rallumerait par sa jeunesse son sang engourdi... Mais, allons, pourquoi être aussi timide? Allons, allons, du courage! peut-être que l'amour... bien sûr, l'amour le rendait jeune... Quelle belle petite main, hein? avec cette jolie veine bleutée qui se ramifiait... se la poser sur le front, se la passer sur les yeux, cette petite main... et la baiser,

la baiser, là, sur ses ongles roses... Ceux-là, non, ceux-
là ne griffaient pas. Douce petite chatte, douce petite
chatte... Allons, tenter d'effleurer sa croupe! Miaule-
ment ou bêlement? Pauvre brebis qu'un infâme mari
veut tondre et traire...

Comment aller de nouveau au-devant de telles rail-
leries? Il entendait ces paroles comme si Livia Frezzi
les lui avait réellement sifflées dans le dos.

Quant à elle, par-derrière, elle sentait son mari qui
avait fait exprès de la mettre en rapport et de la laisser
avec Gueli puis s'en était allé à Paris pour donner, là-
bas encore, le spectacle de ses prouesses, pour convertir
en argent jusqu'au divertissement qu'il offrirait aux
acteurs, actrices, écrivains et journalistes français,
assuré que pendant ce temps elle lui préparait, avec
l'aide de Gueli, le nouveau drame. Il le voulait. Il ne
voulait rien d'autre. Et s'il s'était toujours moqué de
tous ces rires, il ne se souciait pas davantage qu'à
présent sa femme soit soupçonnée par toutes les mauvaises langues, durant son absence, quand on verrait
Gueli venir chez elle, Gueli délivré de la Frezzi, Gueli
dont la sympathie à son égard avait déjà tant fait jaser.

Ils restaient tous deux avec cette tempête à grand-
peine étouffée, encore sages et distants, là, fidèles au
poste et au devoir qui leur était assigné : tout absorbés
par ce nouveau drame qui semblait, par son titre, les
railler et les exciter : *Sinon comme ça...*

Fut-ce pour cette raison qu'il lui proposa de changer
de titre? Le geste de l'héroïne, de cette *Ersilia Arciani*,
sa façon d'aller dans la maison de la maîtresse de son
mari pour emporter la petite fille, lui suggérait l'image
du milan qui fond sur un nid pour y ravir un poussin.
Voilà, peut-être que le drame pouvait s'intituler *Le
milan*.

Mais convenait-elle au caractère d'Ersilia Arciani,

aux raisons et aux sentiments qui l'animaient et à son geste, cette idée de cruelle rapacité qu'évoque le milan? D'après elle, non. Mais Silvia comprenait fort bien pourquoi lui, en proposant de changer de titre, cherchait à modifier le caractère de l'héroïne, à donner à son acte une intention agressive et la vengeance pour mobile; il voyait certainement dans ce caractère fermé, dans l'austère rigidité d'Ersilia Arciani, quelque chose de Livia Frezzi et il ne pouvait tolérer que celle-ci fût aussi noble et se montrât aussi indulgente à la faute; il voulait la dénaturer. Mais, en la dénaturant de la sorte, le drame ne deviendrait-il pas tout à fait différent? Il faudrait alors le reprendre et le repenser depuis le début.

Il semblait apparemment absorbé par les sages réflexions qu'elle lui faisait, sur un ton laissant clairement entendre qu'elle avait compris mais ne voulait pas insister pour ne pas toucher à une plaie douloureuse et toujours à vif.

Dans les journaux de Rome, de Milan, de Turin, avaient déjà paru de longs entretiens de son mari avec les correspondants parisiens qui, tout en parlant avec le plus grand sérieux du drame et de la vive impatience avec laquelle le public parisien en attendait la représentation, vantaient, sur un ton plein de sous-entendus moqueurs l'admirable ferveur de ce petit homme « qui considérait tellement comme sienne l'œuvre de sa femme, qu'il était presque normal qu'il lui revînt un peu de gloire ». Puis arriva le télégramme de Giustino annonçant le triomphe, puis aux télégrammes succédèrent des journaux et des journaux et des journaux, avec les jugements des critiques les plus autorisés, tous en grande partie favorables.

Silvia empêcha Gueli de s'attarder à lire ces journaux devant elle, même pour son propre compte.

— Non, par pitié! par pitié! Je ne peux plus en entendre parler! Je vous jure que je donnerais je ne sais quoi... je ne sais pas... tout cela me semble si peu... tout, tout, je donnerais tout pour ne l'avoir jamais écrit, ce drame!

Pendant ce temps-là, Emere venait presque à chaque heure lui annoncer une nouvelle visite. Silvia aurait voulu faire dire à tout le monde qu'elle n'était pas chez elle. Mais Gueli lui fit comprendre qu'elle aurait eu tort. Elle descendait donc au salon et lui restait là-haut, caché dans le bureau, à l'attendre en parcourant ces fameux journaux, ou plutôt en réfléchissant. En bas, avec elle, Baldani, Luna, ou Betti.

— Ah, jeunesse! soupira-t-il une fois qu'il la vit rentrer dans le bureau, le visage en feu.

— Non! que dites-vous? éclata-t-elle, fière et prompte. Tout ça me dégoûte... ça me dégoûte! Il faudrait que ça cesse, que ça cesse... Si vous saviez comment je les traite!

Souvent un silence d'un poids énorme tombait entre leurs conversations languissantes et péniblement poursuivies; un silence durant lequel ils sentaient leur sang frémir et bouillonner et leurs âmes s'angoisser dans l'impatience d'une terrible attente : il suffirait qu'à un de ces moments-là il tende une main vers la sienne, elle la lui abandonnerait et poserait, sans pouvoir résister, sa tête sur sa poitrine, y cacherait son visage; et leur destin, désormais inévitable, s'accomplirait.

Alors pourquoi le retarder encore? Mais parce que l'un et l'autre pouvaient encore réfléchir à cet abandon, par conséquent se retenir, même si intérieurement ils se donnaient éperdument l'un à l'autre.

Et pourtant viendrait l'instant où ils n'y réfléchiraient plus!

Ils se voyaient arrivés à l'extrême limite d'un geste

qui marquerait la fin de leur ancienne vie, sans s'être encore dit le moindre mot d'amour : parlant d'art comme une élève peut en parler avec son maître; ils allaient se retrouver, d'un seul coup, là, égarés, désorientés, au seuil d'une nouvelle vie, ne sachant pas même comment se parler, comment s'entendre sur la voie à suivre, tout de suite, tout de suite, pour qu'elle au moins s'éloigne de là!

Ils ressentaient ce besoin de fuir d'une manière si absolue, plus par pitié d'eux-mêmes que par amour, que seule leur répulsion à s'attarder sur les détails de la réalisation parvenait encore à les retenir.

Lui aussi devrait certainement abandonner sa propre maison, toute pleine des souvenirs de l'autre. Où aller? Il fallait bien trouver quelque refuge, tout au moins pour les premiers temps, un refuge pour se soustraire au scandale qui éclaterait, inévitablement. Cela aussi les décourageait profondément et les dégoûtait.

N'avaient-ils pas le droit de vivre en paix, en fin de compte, et humainement, dans la plénitude intacte de leur dignité? Pourquoi s'avilir? pourquoi se cacher? Mais parce que ni le mari ni l'autre n'accepteraient dans le silence les raisons qu'eux-mêmes, avant de faillir à la loyauté qu'ils leur devaient, pourraient leur jeter à la face, en réclamant ce droit si longtemps galvaudé et de tant de manières : ils allaient sûrement crier, essayer d'empêcher... Autre écœurement, encore plus fort que le premier.

Ils se tenaient, comme en suspens, au milieu de ces pensées, quand – juste la veille du jour où Giustino devait revenir de Paris – il lui tint des propos dans lesquels elle pressentit aussitôt une offre de mettre fin à leur pénible situation.

Il pesait sur eux comme une condamnation, ce drame difficile, laborieux, qu'elle avait entrepris et ne parvenait pas à mener à sa fin; et c'est dans leurs discussions sur les personnages et sur les scènes que s'était figée jusqu'à ce jour l'angoisse de leur irrésolution. Maintenant, sa proposition de laisser le drame de côté et de l'abandonner pour en commencer aussitôt un autre ensemble (fondé sur une vision qu'il avait eue bien des années plus tôt dans la campagne romaine, près d'Ostie, au milieu des gens de Sabina qui descendent là pour hiverner dans d'horribles cabanes) signifiait clairement pour elle que l'irrésolution prenait fin; et par la suite, elle découvrit, plus clair encore, son désir de repousser tout atermoiement et d'affronter leur nouvelle vie, digne et laborieuse, dans l'invitation qu'il lui fit le lendemain − le jour même où arrivait Giustino − d'aller ensemble voir cet endroit près d'Ostie : lieux menaçants, du côté donnant sur la mer où se dressait une gigantesque tour solitaire, la tour Bovacciana, avec à ses pieds le fleuve traversé par un câble le long duquel passait une lourde barque emportant quelque pêcheur silencieux, quelque chasseur...

Demain? demanda-t-elle; et son air et sa voix exprimèrent une totale soumission.

− Oui demain, demain. A quelle heure doit-il arriver?

Elle comprit aussitôt de qui il parlait, et elle répondit :

− A neuf heures.

− C'est bien. Je serai ici à neuf heures et demie. Vous n'aurez rien à dire. C'est moi qui parlerai. Nous partirons tout de suite après.

Ils ne se dirent rien d'autre. Lui se hâta de partir et elle resta seule, toute vibrante, au seuil de son nouveau destin si proche et si obscur.

La tour, le fleuve traversé par le câble... la barque

qui transporte de rares passants vers ces lieux menaçants...

Avait-elle rêvé?

C'était donc cela, le refuge? Ostie... elle n'aurait pas besoin de parler... demain!

Elle laisserait tout ici : oui, tout, tout. Elle lui écrirait. Jusqu'au dernier moment, elle n'aurait pas menti. C'était surtout de cela qu'elle était reconnaissante à Gueli. Même en partant, le lendemain matin, elle ne mentirait pas. Avec ce drame, par ce drame qu'il lui proposait, elle allait entrer dans une vie nouvelle, avec l'art et à l'intérieur de l'art, dignement. C'était sa voie; ce n'était pas une façon de le tromper, un prétexte, mais un moyen de sortir, sans mensonge et sans honte, de cette odieuse maison qui n'était plus la sienne.

— Allons, allons, dépêchez-vous, vous n'arriverez pas à temps...

De la grille de la villa, Giustino cria cette dernière recommandation aux deux voyageurs qui s'éloignaient en voiture et il attendit que Silvia, au moins elle sinon Gueli, se retourne pour lui faire un signe de la main.

Elle ne se retourna pas.

Et Giustino, fatigué de la bouderie persistante de sa femme, haussa les épaules et remonta dans sa chambre attendre que Emere vienne lui annoncer que son bain était prêt.

« Quelle femme! pensait-il, faire cette mine dégoûtée même devant une aussi aimable invitation... la cathédrale d'Orvieto : très belle! De l'art ancien... ces choses qu'il faut étudier... »

En vérité ça ne lui avait pas beaucoup plu, à lui non

plus, que précisément ce jour-là, et même pratiquement au moment où il arrivait de Paris, Gueli soit
venu inviter sa femme pour cette promenade artistique.
Peut-être Gueli ne savait-il pas qu'il arrivait justement
ce matin ? Il avait paru si déçu, d'autant plus qu'il
devait partir le lendemain pour Milan et qu'il n'aurait
par conséquent plus le temps de montrer à Silvia toutes
les merveilles enfermées là-bas, dans la cathédrale
d'Orvieto.

Très belle, très belle, cette cathédrale d'Orvieto : il
l'avait entendu dire... Ce qui est sûr c'est qu'elle n'aurait pu faire grande impression sur lui qui venait de
Paris, mais... l'art ancien, une chose qu'il fallait étudier...

Vraiment choquant, ce visage dégoûté. D'autant
plus que Gueli s'était si gentiment offert à lui tenir
compagnie, ces derniers jours, et qu'il l'avait incitée
avec tant de grâce à n'avoir aucun scrupule au
sujet de l'arrivée de son mari qui, s'étant certainement beaucoup amusé à Paris, ne pouvait
voir d'un mauvais œil que sa femme s'offre cette
petite évasion de quelques heures, seulement jusqu'au
soir...

Mais oui, lui-même parbleu, lui avait dit :

— Vas-y donc, je t'en prie, tu me feras plaisir !

D'un doigt Giustino se tapa deux fois sur le front,
fit la moue et chantonna :

— Je n'en ai pas *enenen*vie... je n'en ai pas *enen*vie...

Emere vint lui annoncer que son bain était tout
juste prêt.

— Me voici !

Un instant plus tard, délicieusement allongé dans
la blanche vasque émaillée où l'eau prenait une très
douce teinte azurée, repensant au brillant tourbillon
des splendeurs parisiennes, dans la douillette quiétude

de cette lumineuse salle de bains, qui était à lui, il se sentit heureux.

Il sentit que c'était enfin et véritablement le repos d'un triomphateur.

Tout était délicieux dans cette tiède salle de bains jusqu'à cette sensation de fatigue qui lui rappelait combien il avait travaillé pour réussir à ce point.

Ah, ce triomphe à Paris, ce triomphe à Paris avait été le couronnement de toute son œuvre à lui! A présent il pouvait se dire pleinement satisfait; content : voilà.

En fin de compte, ça n'était pas mal non plus que Silvia soit partie pour cette promenade. Avec la fatigue et l'excitation de l'arrivée, il aurait sans doute gâché l'effet du récit et des descriptions qu'il désirait lui faire.

Son bain fini, il se restaurerait un peu, puis il irait dormir. Et le soir, à tête reposée, il donnerait à sa femme et à Gueli le compte rendu et les descriptions des « grandes choses » de Paris. Ça ne lui aurait pas déplu qu'un journaliste quelconque soit présent pour apporter le tout au public, peut-être sous forme d'interview? Mais demain, eh, eh, demain il en trouverait un, il en trouverait cent, trop contents de le satisfaire.

Il se réveilla vers les huit heures du soir et sa première pensée fut pour les cadeaux qu'il avait rapportés de Paris pour sa femme : un magnifique déshabillé, une véritable mousse de dentelles; un très élégant sac à main, dernier cri; trois petits peignes et une barrette d'écaille blonde, très fins, et encore une garniture de bureau en argent, artistement travaillé. Il voulut les sortir de sa valise pour que sa femme, à peine entrée, s'emplisse les yeux d'émerveillement et de plaisir : les petits peignes et le sac sur la coiffeuse; le déshabillé sur le lit. Il se fit aider par Emere pour porter les objets du dernier cadeau sur le bureau; il les y déposa et resta là, dans le bureau, pour voir ce qu'avait fait sa femme pendant son absence.

Comment, comment? Rien! Était-ce possible? Le drame... oh, mais quoi! toujours à la fin du second acte... Sur la première feuille le titre était effacé et à côté de la trace, elle avait écrit : *Milan* suivi d'un point d'interrogation...

Qu'est-ce que ça voulait dire?

Mais comment! Rien? pas une ligne en autant de jours! Était-ce possible?

Il fouilla dans les tiroirs : rien!

Du paquet des grandes feuilles du drame s'échappa un petit papier détaché. Il le prit : quelques mots en tout petits caractères : *fugacité lucide...* puis en dessous : *froides* et *amères difficultés...* et encore plus bas : *au milieu d'une telle profusion de mensonges...* puis : *tant d'inébranlables certitudes qui vacillent comme des ivrognes...* et enfin : *les cloches, les gouttes d'eau en rangs d'oignons sur la grille du balcon... arbres fous et folles pensées... blancs rideaux de la cure, l'ourlet d'une guenille sur un soulier éculé...*

Hum! Giustino fit une tête de six pieds de long et retourna la feuille. Rien. Il n'y avait rien d'autre.

C'était là tout ce qu'avait écrit sa femme en plus de dix jours! Rien n'y faisait, pas même les conseils de Gueli... Que signifiaient ces phrases détachées?

Il posa ses mains sur ses joues et les y tint pendant un moment : pourquoi toutes ces difficultés maintenant que tout, grâce à lui, était simple et facile : la voie était ouverte et quelle voie! une avenue, sans trace de cailloux ni de broussailles, une voie pour courir de triomphe en triomphe.

— *Amères difficultés... froides et amères difficultés, froides et amères...* Hum! mais lesquelles? Pourquoi?

Et il continuait à aller et venir, les mains croisées

derrière le dos. Il s'arrêtait brusquement, encore plus absorbé, les yeux fermés, puis il reprenait sa promenade pour s'arrêter un instant après, répétant à chaque halte, en étirant davantage son visage :

— *Arbres fous et folles pensées...*

Et lui qui s'attendait à trouver le drame fini et qui comptait commencer dès le lendemain à intercaler les premières « indiscrétions » le concernant dans le récit qu'il ferait aux journalistes du triomphe de Paris !

Emere entra pour lui apporter les journaux du soir.

— Mais comment ? lui dit Giustino, il est déjà si tard ?

— Dix heures passées, répondit Emere.

— Ah oui ? Mais comment ? répéta Giustino qui d'avoir dormi si tard avait perdu l'exacte notion du temps. Que font-ils ? Ils auraient dû être là à neuf heures et demie au plus tard... le train arrive à neuf heures moins dix...

Emere attendit, raide comme un piquet, que son maître en finisse avec ce genre de considérations, puis il dit :

— Giovanna voudrait savoir si l'on doit attendre madame.

— Mais bien sûr qu'on doit l'attendre ! répondit-il, hors de lui. Et aussi M. Gueli qui doit dîner avec nous... Sans doute quelque retard... Oui... oui... mais non ! S'ils avaient raté leur train, ils auraient envoyé un télégramme. Il est déjà dix heures ?

— Passées, répéta Emere, toujours planté là, impassible.

Rien qu'à le voir, Giustino sentait croître son énervement. Il ouvrit un journal pour regarder dans les annonces s'il n'y avait pas, par hasard, quelque changement dans les horaires des trains.

— Arrivée... arrivée... arrivée... voilà, ici : en provenance de Chiusi, 20 h 50.

— Oui monsieur, dit Emere. Le train est déjà arrivé.

— Comment le sais-tu, imbécile?

— Je le sais parce que le monsieur de la villa d'à côté, celui qui fait le va-et-vient entre Chiusi et ici, est arrivé depuis bientôt trois quarts d'heure.

— Ah oui?

— Oui monsieur, et même qu'en entendant le bruit de la voiture et en pensant que c'était madame, moi je suis descendu ouvrir la grille. Et, au lieu de ça, j'ai vu le monsieur de la villa d'à côté qui arrivait de Chiusi... si madame est allée à Chiusi...

— Elle est allée à Orvieto! hurla Giustino. Mais c'est la même ligne... Ce qui veut dire qu'ils ont bel et bien raté leur train.

Emere sortit et Giustino, de plus en plus agité, reprit sa promenade.

— Ils ont raté le train... Ils ont raté le train... raté le train... se mit-il à dire avec des gestes rageurs... cette promenade à Orvieto... la cathédrale d'Orvieto... juste aujourd'hui, la cathédrale d'Orvieto! Qu'a-t-elle à voir là-dedans? Ils ont de ces têtes!... de ces besoins impérieux et irrésistibles... de ces idées!... Et après ça ils sont furieux s'ils entendent parler de... comment ça s'appelle? tous autant qu'ils sont, une bande de fous! La cathédrale d'Orvieto!... Si encore elle avait travaillé, j'admettrais cette distraction. Elle n'a rien fait, pardi! *Arbres fous et folles pensées*, c'est elle-même qui le dit...

Emere revint dire que le monsieur de la maison voisine était effectivement arrivé.

— C'est bon! lui cria Giustino. Fais servir pour moi seul! Ils auraient quand même pu envoyer un télégramme, il me semble!

A table, la vue des deux couverts préparés pour sa femme et pour Gueli auxquels il se faisait une joie de raconter les « grandes choses » de Paris, ne fit qu'accroître son dépit; il ordonna à Emere de les débarrasser.

Emere le regardait sans doute comme il l'avait toujours regardé, mais Giustino eut l'impression que ce soir-là il le regardait d'une autre façon, ce qui augmenta encore son dépit; il l'expédia à la cuisine.

– Quand j'aurai besoin de toi, je t'appellerai.

Le spectacle d'un mari auquel il arrive que sa femme, par un hasard imprévu, passe la nuit dehors en compagnie d'un autre homme, doit être fort divertissant pour qui n'a pas de femme, et plus particulièrement si le mari en question est arrivé chez lui le jour même, après vingt jours d'absence, les bras chargés de cadeaux pour elle. Beau cadeau en échange!

Giustino se serait bien gardé d'imaginer que Gueli, austère gentilhomme, plus que mûr, puisse le moins du monde profiter d'une occasion comme celle-ci... Allons, allons! Et Silvia, la réserve et l'honnêteté en personne! Mais, un télégramme, bon Dieu, ils auraient quand même pu, et même dû, envoyer un télégramme.

Ce vide du télégramme non expédié se fit de plus en plus pesant pour Giustino, parce qu'il s'enflait petit à petit de toute l'exaspération que lui inspiraient cette promenade le jour même de son arrivée, le récit des « grandes choses » de Paris qui lui était resté dans la gorge et l'empêchait de manger, les cadeaux que sa femme n'avait pas vus et la compensation bien méritée qu'il aurait été en droit d'attendre après vingt jours d'absence. Bon Dieu! pas même un télégramme!

Le silence de la maison, sans doute parce qu'il restait l'oreille tendue à l'affût du coup de sonnette du télégraphiste, lui fit soudain une sinistre impression. Il se leva de table, regarda une nouvelle fois dans le journal l'horaire des trains pour savoir à quelle heure sa femme serait susceptible de rentrer le lendemain et il vit que ce ne pouvait pas être avant une heure de l'après-midi : il arrivait un autre train le matin, mais trop tôt pour une dame. On pouvait toujours espérer qu'entre-temps, sinon pendant la nuit mais du moins le matin, arrive le télégramme, le télégramme, le télégramme... Puis il monta, pour lire son journal au lit et attendre un sommeil qui serait certainement long à venir, pour bien des raisons.

Il tendit la tête par la porte pour regarder la chambre vide de sa femme. Sur le lit, comme en attente, s'étalait le beau déshabillé de dentelle, d'une douce teinte rosée. Giustino se sentit troublé et angoissé; il tourna les yeux vers la coiffeuse pour voir les petits peignes et le sac pendu à l'un des montants qui tenait le miroir incliné; il s'en approcha et, remarquant un certain désordre sur le dessus de la coiffeuse, sans doute dû à la hâte avec laquelle Silvia s'était préparée à la suite de l'importune invitation de Gueli, il se mit à ranger, en pensant que ce devait être quand même bien triste pour sa femme, habituée à dormir dans une chambre comme celle-ci, de passer la nuit dans Dieu sait quelle misérable chambre d'une mauvaise auberge d'Orvieto.

Il se réveilla tard, le matin, et son premier geste fut de demander à Emere si le télégramme n'était pas arrivé.

Il n'était pas arrivé.

Un malheur? un accident? Mais non! Gueli et Silvia Roncella n'étaient pas des voyageurs comme les autres. Si quelque malheur leur était arrivé, on l'aurait su tout de suite. Et puis, dans tous les cas, Gueli ou quelqu'un d'autre lui aurait télégraphié pour ne pas le laisser plus longtemps dans les affres de ce silence. Il pensa bien télégraphier, lui, à Orvieto; mais où adresser le télégramme? Non, il n'y avait rien à faire. Il valait mieux attendre patiemment l'arrivée du train. Pendant ce temps-là il mettrait en ordre les comptes en retard depuis tant de jours : ceux des recettes et ceux des débits. Il y avait du pain sur la planche!

Il était depuis près de trois heures plongé dans sa minutieuse comptabilité, à cent lieues donc de la consternation dans laquelle l'avait plongé sa femme, quand Emere vint lui annoncer qu'il y avait une dame qui voulait lui parler.

— Une dame? Qui est-ce?

— C'est madame qu'elle voulait voir. Mais je lui ai dit que madame n'était pas là.

— Mais qui est-ce? hurla Giustino. Une dame... une dame... une dame... Est-elle déjà venue ici?

— Non, monsieur, jamais.

— Une étrangère?

— Non monsieur, elle n'en a pas l'air.

— Mais qui ça peut bien être, se demanda Giustino. Voilà j'arrive.

Et il descendit au salon. Il s'immobilisa sur le seuil, au bord de l'évanouissement, à la vue de Livia Frezzi : le visage déformé, horriblement marqué, parcouru de sortes de tics nerveux, elle l'attaqua, les dents serrées, les lèvres béantes, ses yeux verts fixes et blafards :

— Elle n'est pas revenue? Ils ne sont pas encore revenus?

Giustino en la voyant sur lui, toute hérissée d'une fureur dévastatrice, éprouva une peur mêlée de pitié et de mépris.

— Ah, vous savez, vous aussi? fit-il. Hier soir... hier

soir... Certainement... ils ont raté leur train... mais sans doute, dans un moment...

Livia s'approcha encore davantage, comme pour l'agresser :

— Vous étiez donc au courant, vous? Et vous leur avez permis de partir ensemble? Vous!

— Mais comment... chère madame... mais pourquoi pas? répondit-il en reculant. Vous... vous imaginez... je comprends... mais...

— Vous?

Giustino joignant alors les mains dans un geste de pitié, comme pour recueillir, par cette supplication, la raison, et l'offrir à cette malheureuse femme :

— Mais quel mal y a-t-il, je vous demande pardon? Moi je vous prie de croire que ma femme...

Livia Frezzi ne le laissa pas terminer; elle serra ses mains crispées contre son visage contracté, comme comprimé pour faire sortir de ses dents serrées l'insulte gorgée de tout son fiel, de tout son mépris :

— Imbécile!

— Eh, pardieu! éclata Giustino. Vous m'insultez dans ma propre maison! Vous m'insultez moi et ma femme, avec vos indignes soupçons!

— Mais si on les a vus, reprit cette dernière, à deux doigts de son visage, les lèvres déformées par un horrible rictus, ensemble, bras dessus bras dessous, au milieu des ruines d'Ostie... Hein?

Et elle tendit la main pour l'agripper par le bras.

Giustino se détacha brutalement.

— Ostie? mais pourquoi Ostie? Vous faites erreur! Qui vous a dit cela? Ils sont allés à Orvieto!

— A Orvieto, n'est-ce pas? ricana Livia, c'est eux qui vous l'ont dit?

— Mais oui, madame! M. Gueli! affirma Giustino plein

de conviction. Une promenade artistique, une visite à
la cathédrale d'Orvieto... de l'art ancien... ces choses...

— Imbécile! Imbécile! Imbécile! éclata Livia Frezzi.
Vous leur avez, en quelque sorte, tenu la chandelle!

Giustino, très pâle, leva la main et, se contenant à
grand-peine, tout tremblant :

— Remerciez Dieu, madame, d'être une femme, sans
cela...

Plus agitée et plus sauvage que jamais, Livia Frezzi
lui tint tête en l'interrompant :

— C'est vous, c'est plutôt vous qui devriez remercier
Dieu que je ne l'aie pas trouvée, elle, ici. Quant à lui,
je saurai bien le retrouver, et vous verrez!

Sur cette menace, elle disparut; et Giustino resta
planté là à regarder autour de lui, tout tremblant,
effaré, agitant en l'air les dix doigts de ses mains,
comme s'il ne savait quoi prendre et quoi toucher.

— Elle est devenue folle... elle est devenue folle...
folle..., bredouillait-il, capable de commettre un crime...

Et lui, que devait-il faire? Sortir, lui courir après?
un scandale en pleine rue... mais en attendant?

Il se sentait comme aspiré par la folie de l'autre et
il tendait tout son corps en avant pour se jeter dans
la course, mais il reculait aussitôt, retenu par une
réflexion qui n'avait ni le temps ni les moyens de se
préciser au milieu de son effarement, de sa perplexité,
de tant de conseils informes et contradictoires. Et il
divaguait :

— Ostie... pourquoi Ostie?... ils seraient revenus...
bras dessus bras dessous... au milieu des ruines... Elle
est folle... On les a vus... mais qui peut bien les avoir
vus?... pour ensuite aller le lui dire?... Quelqu'un qui
la sait jalouse et veut se moquer d'elle... Mais, en attendant... elle est capable d'aller à la gare et d'y faire
Dieu sait quoi!

Il regarda sa montre, sans penser que Livia Frezzi n'avait aucune raison d'aller à la gare à cette heure-là si elle supposait que Gueli et Silvia étaient allés à Ostie et non à Orvieto; et il appela Emere pour qu'il lui apporte sa canne et son chapeau. Il était presque midi et demi, il avait tout juste le temps d'être là-bas pour l'arrivée du train.

— A la gare, et vite! cria-t-il en sautant dans la première voiture qu'il rencontra près du pont Margherita. Mais il n'y fut que quelques instants après l'arrivée du train de Chiusi. Les derniers voyageurs descendaient; il regarda parmi eux : ils n'y étaient pas! Il courut vers la sortie, jetant çà et là un coup d'œil sur ceux qu'il dépassait. Il ne les voyait pas! Était-ce possible qu'ils ne soient pas même arrivés par ce train? Peut-être étaient-ils déjà sortis, étaient-ils déjà en voiture... Mais ne les aurait-il pas rencontrés, en venant, tout près de la gare?

— J'ai dû les rater!

Et il sauta dans une autre voiture pour se faire reconduire à la villa, le plus vite possible.

Il était pratiquement sûr, quand il arriva, qu'Emere allait lui répondre que personne n'était arrivé.

Maintenant il n'y avait plus de doute : il s'était passé quelque chose de grave. Il se trouvait pris entre l'étrangeté de cette promenade (dont le côté louche lui sautait à présent aux yeux), de cette promenade proposée juste au moment de son arrivée, suivie après ce retour manqué d'un aussi long et inexplicable silence, et les soupçons outrageants de cette folle.

Il aurait voulu les arrêter, ces soupçons, pour qu'ils ne remplissent pas ce vide et ce silence, pour qu'ils ne s'emparent pas de lui; et il tentait de leur opposer, pour les débouter, l'énormité de leur trahison envers lui, incommensurable pour sa conscience de mari exemplaire qui s'était continuellement et totalement dépensé pour sa femme, pour lui obtenir ces triomphes et cette aisance; de leur opposer aussi la réputation d'austérité dont jouissait Gueli, et l'honnêteté, l'honnêteté de sa femme si dure et si revêche. Bizarre, oui : ces derniers temps elle avait été bizarre, depuis le triomphe de son drame, mais précisément parce que son austère et stricte honnêteté, amie de l'ombre et de la simplicité, ne savait pas encore s'accommoder du faste et de la splendeur de la célébrité. Non, non, allons! Comment douter de son honnêteté à elle qui lui devait, au minimum, de la reconnaissance, comment douter de la loyauté de Gueli, déjà vieux, et lié depuis tant d'années à cette femme, son véritable esclave?

Un éclair... Peut-être que Gueli avait été averti par un domestique de l'arrivée subite de Livia Frezzi et que de ce fait, il n'osait plus revenir à Rome? Mais bon Dieu, pourquoi garder Silvia avec lui s'il avait peur de revenir? Et comment Silvia pouvait-elle se prêter à cela sans comprendre qu'il en allait aussi de sa dignité? Mais voyons, non, ce n'était pas possible! Ils auraient bien compris que plus ils tardaient à rentrer, plus grandiraient les soupçons et la fureur de cette folle... Sauf si Gueli, envahi par cette crainte, poursuivi par ce soupçon et désormais sorti des griffes de Livia Frezzi, incitait Silvia...

Ce silence, ce silence autour de lui, c'était encore ce qu'il y avait de plus pesant!

Devait-il y aller, lui, à Orvieto? Et s'ils n'y étaient plus? Et s'ils n'y avaient jamais été? Voici qu'il commençait déjà à en douter... Peut-être étaient-ils réellement allés ailleurs... Il se souvint brusquement que Gueli lui avait dit devoir partir pour Milan. Qui sait s'il n'avait pas emmené Silvia avec lui jusque là-bas? Mais comment? Sans avertir? Si leur était venue l'envie, honnête envie, de visiter quelque autre endroit, ils l'en auraient averti de n'importe quelle façon... Non, non... Alors, où avaient-ils bien pu aller?

Ah, la sonnette! Il bondit sur ses pieds, sans attendre qu'Emere aille ouvrir la grille, il y courut lui-même et se trouva nez à nez avec le facteur qui lui tendait une lettre. Elle était de Silvia! ah, enfin... mais comment, sur l'enveloppe un timbre de la ville... elle lui écrivait de Rome?

— Va-t'en! Va-t'en! cria-t-il à Emere, en lui montrant qu'il avait pris la lettre.

Et il déchira l'enveloppe, là dans le jardin même, devant la grille. La lettre, très courte, d'une vingtaine de lignes en tout, ne comportait ni date ni lieu de provenance, ni en-tête. Il lut les premiers mots, et brisé, il tenta vainement, à deux reprises, de retrouver son souffle; son visage devint tout blanc; ses yeux se troublèrent, il passa sa main sur ses yeux puis il serra cette main et celle qui tenait la lettre et la lettre se froissa.

Mais comment? partie... comme ça?... pour ne pas le tromper? Et il regardait sauvagement un calme lion de terre cuite, là, près de la grille qui, la tête allongée sur ses pattes de devant, et comme si de rien n'était, continuait à dormir. Mais comment? Ne l'avait-elle pas trompé avec ce vieux-là?... N'était-elle pas partie avec lui? Et elle lui laissait tout? Mais qu'était-ce que ce « tout » et qu'était-il lui-même si elle... Mais comment? Pourquoi? Pas même une raison! Rien!... Elle s'en allait comme ça, sans même dire pourquoi... Parce que lui il avait tant fait, trop fait pour elle? C'était ça le merci? Elle lui jetait tout à la face... Comme s'il avait travaillé pour lui seul, et pas pour elle en même temps! Et lui, pouvait-il rester là si elle... C'était l'écroulement... l'écroulement de toute sa vie...

son anéantissement... Mais comment? Rien, rien, elle
ne disait rien de précis dans cette lettre; elle ne parlait
pas du tout de Gueli; elle disait seulement qu'elle ne
voulait pas le tromper et confirmait son intention de
rompre la vie commune. La lettre venait de Rome.
Était-elle donc à Rome? Et où? Chez Gueli? non, ce
n'était pas possible; Livia Frezzi y était, puisqu'elle
était venue chez lui le matin même. Peut-être n'était-
elle pas à Rome et cette lettre avait-elle été envoyée à
quelqu'un pour qu'il la poste? A qui? Peut-être à
Raceni... peut-être à Mme Ely Faccioli?... Elle avait bien
dû écrire quelque chose à l'un ou à l'autre, sinon,
grâce à l'enveloppe, on aurait pu découvrir le lieu de
provenance. Il fallait qu'il parte, qu'il la rattrape à
tout prix, qu'il la fasse parler, qu'elle lui explique
pourquoi elle ne pouvait plus vivre avec lui et peut-
être réussirait-il à lui faire entendre raison. Elle avait
dû devenir folle! Peut-être que Gueli... Il n'arrivait pas
encore à croire qu'elle ait pu partir avec lui! Mais
peut-être que ce dernier l'avait, qui sait comment,
montée contre lui; humilié comme il l'était par cette
Livia, peut-être était-il lui aussi devenu fou?... Ah, des
fous! tous des fous! Et quel aveuglement l'avait poussé,
lui, à aller l'inviter contre sa volonté à elle?... Qui sait
ce que Gueli pouvait imaginer de lui? Qu'il souhaitait
vexer sa femme comme Livia Frezzi le vexait lui-même?
C'est ça, c'est cette méchanceté qu'il avait dû lui mettre
dans la tête... Tout ça parce qu'il la poussait à travailler? Mais c'était pour elle! pour elle, pour la
maintenir dans la célébrité, dans les hauteurs où il
l'avait hissée avec tant de peine! Tout, tout était pour
elle! N'était-il pas allé jusqu'à perdre son emploi,
pour elle? S'il ne vivait même plus pour lui-même,
comment le soupçonner d'une telle méchanceté? Silvia ne l'avait-elle pas dépouillé, lui, en lui prenant

tout son travail, tout son temps et toute son âme?
et voici que maintenant elle l'abandonnait et le jetait
comme un vieux chiffon.

Pouvait-il vraiment conserver la villa, alors que
tous les gains provenaient de son travail à elle? Folies!
Ce n'était pas même la peine d'y penser! Et voilà,
il restait au milieu de la route, sans situation, sans
profession, comme un sac vide... Non, non, pardieu!
avant que le scandale n'éclate, il la retrouverait, il
la retrouverait!

Il se précipita vers la grille pour courir chez
Mme Faccioli; mais il ne l'avait pas encore ouverte que
deux journalistes, puis tout de suite après un troisième
et un quatrième, s'alignèrent devant lui, avec des visages
altérés par la course et par l'anxiété.

— Que s'est-il passé?

— Gueli... dit l'un d'eux tout haletant, Gueli a été
blessé...

— Et Silvia? cria Giustino.

— Non, rien! répondit un autre reprenant à peine
son souffle. Soyez tranquille, elle n'y était pas!

— Mais où est-elle? où est-elle? demanda Giustino
qui s'impatientait et tentait de leur échapper.

— Elle n'est pas à Rome! Elle n'est pas à Rome! lui
crièrent-ils en chœur pour le retenir.

— Mais si, elle y était avec Gueli! s'exclama Giustino,
tremblant, convulsé. Et la lettre... la lettre vient de
Rome.

— Une lettre, ah... une lettre de votre femme? C'est
vous qui l'avez reçue?

— Mais oui, elle est ici... Il y a un quart d'heure...
avec un timbre de la ville...

— On peut la voir? demanda timidement l'un d'eux.
Mais un autre s'empressait de donner des éclaircissements :

— Non, vous savez! C'est impossible! C'est sûr que votre femme est à Ostie.

— A Ostie? sûr?

— Oui, oui, à Ostie, sans aucun doute.

Giustino passa sa main sur son visage et il se remit à trembler :

— Ah, c'est donc vrai! C'est donc vrai! c'est donc vrai!

Tous quatre restèrent là à le regarder, apitoyés; l'un d'eux demanda :

— Vous pensiez que votre femme était à Rome?

— Non, hier, éclata Giustino, avec Gueli, ils m'ont dit qu'ils allaient à Orvieto...

— A Orvieto? ça alors!

— Une ruse!

— Pour vous mettre sur une fausse piste...

— Et si Gueli, voyez-vous, revenait d'Ostie...

— Excusez-moi, répéta l'autre, en allongeant la main. Cette lettre, on pourrait la voir?

— Non, elle ne dit rien... elle dit que... rien! Mais où Gueli a-t-il été blessé?

— Deux blessures, très graves!

— Au ventre, au bras droit.

Giustino secoua la tête :

— Non, je voulais dire où? à quel endroit? chez lui, dans la rue?

— Chez lui, chez lui... Par Livia Frezzi. Il revenait d'Ostie et... à peine arrivé chez lui...

— D'Ostie? C'est donc lui qui l'aura postée, la lettre...

— Ah, c'est ça, oui, c'est probable...

Giustino couvrit à nouveau son visage de ses mains, gémissant :

— C'est fini! fini! fini!

Puis il demanda avec rage :

— Elle a été arrêtée, Livia Frezzi?

— Oui, tout de suite!

– Moi, je le savais qu'elle allait commettre un crime. Elle était ici ce matin!

– Livia Frezzi?

– Oui, ici, elle cherchait ma femme! Et moi qui ne lui ai pas couru après! Ah, mes amis, mes amis, mes amis! ajouta-t-il en tendant les bras à Dora Barmis, Raceni, Lampini, à Centanni, Mola, Federici qui, à peine la nouvelle diffusée, étaient accourus d'abord chez Gueli; et leur visage était encore marqué par l'horreur éprouvée devant ce sang répandu dans toutes les pièces et l'escalier envahi par les curieux et par la fièvre de cet énorme scandale.

Dora Barmis, éclatant en sanglots, lui jeta les bras autour du cou; tous les autres l'entourèrent, prévenants, émus, puis ils entrèrent tous ensemble dans le salon de la villa. Là, Dora Barmis qui continuait à le tenir par le cou, n'était pas loin de le prendre sur ses genoux. Elle n'en finissait pas de gémir, au milieu de torrents de larmes :

– Pauvre petit... pauvre petit... pauvre petit...

Attendri par cette compassion, sentant qu'il commençait à se consoler et que son cœur se réchauffait devant les marques d'estime et d'affection de tous ses amis écrivains et journalistes :

– Quelle infamie! commença Giustino, en les regardant l'un après l'autre d'un air pitoyable. Oh, mes amis, quelle infamie! Me trahir, moi, de cette façon! Vous qui êtes tous témoins de ce que j'ai fait pour cette femme! Ici, là, tout, autour de moi, même les choses, parlent! Moi, tout, pour elle! Et voici, voici le merci! Hier je rentre de Paris... là-bas aussi, la gloire dans l'un des plus grands théâtres français... des fêtes, des banquets, des réceptions; tout le monde, comme ça, autour de moi à attendre les nouvelles que je donnais d'elle, de sa vie, de ses travaux... Je rentre ici, messieurs!... oh quelle infamie, mon ami, mon ami, mon cher Baldani, merci! Quelle infamie, oui! Quelle chose indigne, oui, merci! Cher Luna, vous aussi! merci... Cher Betti, merci, merci à tous, mes amis... Même vous, Jacono? oui, une véritable perfidie, merci! Oh, cher Zago, mon pauvre Zago, vous voyez, vous voyez! Non! cria-t-il brusquement en découvrant les quatre journalistes occupés à recopier la lettre de sa femme qui avait dû lui tomber des mains. Non, après tout! Qu'ils le disent à tout le monde, que toute la presse le sache et que toute l'Italie l'entende! Et sachez-le, vous aussi, et que tous mes amis français le sachent aussi : là, elle, dans cette lettre, oui messieurs, elle dit qu'elle me laisse tout! Mais c'est moi qui lui laisse tout, moi, à elle... moi qui me suis ruiné! Je laisse tout ici... maison, titres, argent... tout... tout... et je retourne auprès de mon enfant... moi qui n'ai même jamais pu penser à mon enfant... moi, à cause d'elle, à cause d'elle.

A ce moment-là, Dora Barmis, n'y tenant plus, bondit sur ses pieds et l'embrassa frénétiquement. Au milieu de l'émotion et de l'effarement général, Giustino éclata en incoercibles sanglots, cachant son visage sur l'épaule de sa consolatrice.

— Sublime, sublime, disait tout bas Luna à Baldani, en sortant du salon. Sublime! Ah! il faudrait absolument, le pauvre, que quelque autre femme de lettres le prenne tout de suite comme secrétaire. Dommage, dommage que cette Barmis ne sache pas écrire... Il est vraiment sublime, le pauvre!

7.

La lumière éteinte

— *La ptit' bêt, où elle est, où elle est, bébé?*
L'enfant, à califourchon sur les genoux du grand-papa Prever, le regardait de ses grands yeux attentifs et rieurs, semblant se concentrer, puis tout à coup, il levait sa menotte et, de son index tendu, il se touchait le front :
— *E'y'est ia.*
— *C'est pas vrai!* lui criait alors le vieux monsieur en l'attrapant avec ses deux grosses mains et en faisant mine de lui prendre son petit ventre : — *Elle est là, oui, oui, oui...* Et à cette plaisanterie tant de fois répétée, l'enfant se jetait en riant de tous les côtés.
La grand-mère, à ces éclats de rire enfantins, frais et ingénus, se retournait pour regarder la petite tête bouclée que son petit-fils renversait en arrière. Ne riait-il pas trop? Il y avait une maudite mouche qui bourdonnait dans la chambre, presque choquante, comme un mauvais présage. Elle la cherchait vainement, puis elle tournait ses yeux chagrins vers son fils qui se tenait près de la fenêtre pour regarder dehors, la tête dans les épaules, les mains dans les poches, taciturne et sombre.

Il y avait déjà près de neuf mois qu'il était revenu de Rome, comme ça, démuni, avec tout juste les habits qu'il avait sur le dos et de quoi se changer. Et si encore il n'avait perdu que son bien et son emploi! Mais c'est son cœur, son cerveau, sa vie, tout, tout, qu'il avait perdu à cause de cette femme qui avait dû devenir mauvaise, nécessairement.

Elle avait vécu soixante ans et plus, Mme Velia, et elle n'avait jamais vu aucun homme être réduit à cet état par une bonne et honnête femme.

Mon Dieu! Plus même un brin d'amour pour ce petit, ni même pour elle! Il était là, ne voulant plus penser à rien; il regardait, mais on aurait dit qu'il ne voyait ni n'entendait rien, étranger à tout, vide, détruit, éteint.

Il ne semblait se ranimer un peu qu'à la vue des traces laissées par « l'autre » dans la maison et, comme un chien qui se couche sur les vêtements de son maître mort, comme pour en couver l'ultime odeur, pour qu'elle au moins ne s'en aille pas, il restait là et il n'y avait pas moyen de l'envoyer dehors pour se distraire.

Plus d'une fois déjà Prever lui avait proposé d'aller avec Graziella, pour quelques mois, pour une semaine, pour un jour au moins, dans sa maison du col de Braida; il lui avait également proposé de l'aider un peu – lui qui était vieux – à administrer ses biens. A cette dernière proposition, Giustino s'était un peu secoué, mais comme sous le poids d'une obligation s'ajoutant cruellement à son malheur. Si bien que Prever l'en avait aussitôt déchargé; même si don Buti, le curé, soutenait qu'il fallait insister, quitte à lui laisser croire que c'était par cruauté et par nécessité qu'on le lui imposait.

– *Un'méd'cine,* disait-il, *faut pas avoir peur de la trouver amère.*

Mais M. Prever ne voulait pas être une « médecine » : douce, au besoin, mais amère, jamais!

– *Merci bien*, disait-il à Mme Velia dès qu'il était parti, *Çui-là vient avec sa longue-vue comme médecine, et moi, Giustino, y'faudrait que je l'soigne avec mes comptes!*

En effet don Buti, comme Giustino n'avait pas consenti à faire la plus petite visite à la cure qui se trouvait à deux pas, avait emporté avec lui, sous son manteau, sa fameuse vieille longue-vue, pour lui faire admirer *la grand' puissance de not' Seigneur*, comme quand il était petit; et, pour qu'il tienne fermé l'œil qui ne regardait pas, il faisait toujours autant de grimaces avec sa bouche.

– *Approche-toi, comme ça!*

Mais Giustino n'avait même pas été ému à la vue du vieux télescope; pour ne pas faire de peine au brave homme, il avait regardé avec lui *les grand'montagn' de la lune* et il avait à peine hoché la tête, avec un visage renfrogné, lorsque don Buti lui avait répété avec l'éternel même geste l'éternelle même ritournelle :

– *La grand' puissance de not' Seigneu', hein? la grand' puissance de not' Seigneu'!*

La ritournelle avait été suivie d'un long sermon plein de *oh!* et de *ah!* car devant ce hochement de tête et ce visage renfrogné « la grand' puissance » de Dieu semblait, sinon compromise et mise en doute, du moins reconnue capable de permettre qu'autant de mal soit fait à un pauvre innocent. Mais Giustino était resté impassible à l'écoute de ce beau sermon, comme en face d'une chose que don Buti, en sa qualité de prêtre, devait faire, mais qui ne le concernait en rien, lui qui était en dehors de ce devoir sacerdotal et maître de penser *à sa façon* comme il était écrit sur le clocher de l'église.

En revanche, ce qui avait un peu secoué la sombre

torpeur de son esprit, c'était le nouveau médecin de la commune arrivé depuis peu à Cargiore, avec une personne dont on ne savait pas encore très bien si elle était sa femme ou non. Elle devait être riche, *madama,* parce que le docteur avait loué une belle petite villa à des gens de Turin et il disait vouloir l'acheter. Grand, sec, raide et précis comme un Anglais, avec des favoris encore blonds mais des cheveux déjà blancs, drus, très courts, il voulait donner l'impression d'exercer sa profession uniquement « pour faire quelque chose »; il s'habillait avec une élégance simple et cossue et portait constamment une paire de splendides bottes de cuir, dont on aurait dit qu'il oubliait chaque fois, exprès, d'attacher quelque boucle chez lui, pour pouvoir le faire dehors, dans la rue ou pendant ses visites et attirer ainsi l'attention sur elles. Il se délectait de littérature, ce docteur Laïs. Appelé pour une légère indisposition du bébé et ayant appris que Boggiolo était le mari du célèbre écrivain Silvia Roncella et que pendant autant d'années ce dernier avait vécu dans les milieux littéraires, il l'avait assailli de questions puis invité à sa villa, où sa femme aurait certainement un très grand plaisir à l'entendre parler, amie des belles-lettres et dévoreuse de livres qu'elle était, elle aussi.

— Si vous ne venez pas, attention! lui avait-il dit. Moi je suis capable de l'amener ici, ma femme.

Et il l'avait bel et bien amenée. Et tous deux, lui ressemblant à un Anglais, elle à une Espagnole (elle était vénitienne) toute en flots de rubans, ruisselante de charmes, brune avec de petits yeux vifs et noirs comme du charbon, des lèvres très rouges et charnues, un insolent petit nez droit et fier, ils avaient fait parler Giustino une soirée entière, éblouis d'un certain côté, mais de l'autre irrités par quelques nouvelles, quelques jugements contraires à leurs sympathies profondes de dilettantes, d'admirateurs provinciaux. – *Cela me met hors de moi,* déclarait-il. Mais comment? Morlacchi, Flavia Morlacchi!... A Rome personne n'aurait de considération pour elle? Mais son roman *La victime*... si beau! Mais *Flocons de neige*... des vers merveilleux!... et son drame... quel en est le titre?... *Discorde?* oui oui, mais non : *La discorde,* mon Dieu, tellement applaudi à Côme, il y a quatre ans!

M. Prever et don Buti étaient là à écouter et regarder avec des yeux grands ouverts, bouche bée, tandis que Mme Velia considérait son Giustino avec désolation, parce que, sans le vouloir, entraîné par les deux autres, il recommençait à parler de ces choses-là et il s'échauffait, s'échauffait... Oh mon Dieu, non. Elle préférait encore le voir sombre, taciturne, enfoncé dans sa peine, Mme Velia, plutôt que de le voir s'animer pour cette sorte de conversation. Dehors, dehors, les tentations! Et elle se sentit plus tranquille quand, quelques jours plus tard, au couple qui avait eu l'audace d'envoyer demander par la petite bonne un certain livre de sa femme et de l'inviter à dîner, Giustino avait répondu qu'il n'avait pas le livre et qu'il ne pouvait y aller.

Et de cette façon, il s'en était débarrassé.

« Que peut-il bien avoir aujourd'hui? » pensait la petite Mme Velia, en continuant à regarder son fils toujours devant la fenêtre, tandis que Vittorino faisait le petit diable sur les genoux de Prever.

Peut-être était-il ce jour-là plus que d'ordinaire plongé dans le passé parce que le matin, par une étourderie de cette sotte de Graziella, il avait découvert une lettre arrivée quelques jours plus tôt et qui n'avait pas été détruite, comme toutes les autres, à son insu, chaque fois que c'était possible.

Il en arrivait encore tellement de ces lettres qu'on faisait suivre de Rome, et même de France et même d'Allemagne... Et Mme Velia, lorsqu'elles arrivaient, hochait la tête comme si la distance qui les séparait de leur lieu d'origine mesurait l'extension du mal que l'autre avait fait à son fils.

Lui se jetait sur ces lettres comme un affamé; il allait s'enfermer dans sa chambre et se mettait à y répondre. Mais ces lettres, accompagnées de ces réponses, il ne les envoyait pas directement à sa femme. Par l'intermédiaire de M. Martino, Mme Velia avait appris de *monsu* Gariola, celui qui tenait le bureau de poste, que son fils les adressait à un certain Raceni, à Rome. Peut-être que par l'entremise de cet ami, il en profitait pour adresser à sa femme des conseils au sujet de sa conduite.

C'était bien ça.

Depuis son retour à Cargiore, c'était bien de Dora Barmis et de Raceni que Giustino avait reçu, jusqu'à ces derniers mois, de fréquentes lettres grâce auxquelles il avait appris, avec une indicible souffrance, dans quel désordre sa femme vivait à Rome. Il était à présent plus convaincu que jamais qu'il ne s'était rien passé de mal entre Silvia et Gueli; et il croyait en trouver la preuve dans le fait que Gueli, presque miraculeusement guéri (mais toutefois amputé du bras droit) était retourné vivre avec Livia Frezzi, libérée comme irresponsable, après quelque cinq mois de prison préventive; et cela précisément grâce aux efforts et aux relations de Gueli lui-même.

Ah, si lui, à ce moment-là, au premier moment, ne s'était pas laissé écraser par le scandale et avait couru à Ostie pour relever sa femme qui n'avait alors comme faute que celle d'avoir voulu s'enfuir avec lui! Non, non, non! En dépit de ce mensonge au sujet de la promenade à Orvieto, il n'aurait pas dû croire qu'elle ait pu « se mettre » avec Gueli. Il aurait dû courir à

Ostie et ramener sa femme avec lui; elle alors ne se serait pas dégradée à ce point... Avec qui vivait-elle à présent? Dora Barmis disait avec Baldani; Raceni soupçonnait plutôt quelque liaison avec Luna. Officiellement, elle vivait seule. La belle villa, tous les meubles, vendus. Et dans ses dernières lettres Raceni laissait entendre qu'elle devait se trouver financièrement gênée. Mais pardi! Sans lui... Dieu sait ce qu'on devait la voler! Peut-être reconnaissait-elle enfin ce que ça voulait dire d'avoir à ses côtés un homme tel que lui! Tout vendu!... quel dommage!... une si belle villa... ces meubles de Ducrot...

Depuis près de deux mois, ni Dora ni Raceni ne lui avaient plus écrit, pas plus que quelque autre ami romain. Que s'était-il passé? Sans doute ne trouvaient-ils plus d'intérêt à poursuivre cette correspondance avec quelqu'un qui avait pratiquement disparu de leur vie. Dora s'était fatiguée en premier, et maintenant Raceni ne répondait plus, lui non plus.

Mais ce jour-là, ce n'était ni en raison de ce silence ni pour le motif que soupçonnait sa mère qu'il était plus sombre que d'habitude.

Depuis qu'il était revenu, il n'entrait plus à la maison le moindre journal, à cause de cette promesse qu'il avait faite à sa mère de ne plus en lire. Par la suite il s'en était repenti, et comment! de cette promesse; mais il n'avait pas osé manifester le désir de lire au moins ceux de Turin, de crainte que sa mère ne le croie encore attaché à cette femme, ne serait-ce que par la pensée. Tant que Dora et Raceni lui avaient écrit, il n'avait pas trop souffert de cette privation; mais maintenant...

Et justement ce matin-là, dans un journal vieux de vingt jours, dans lequel Graziella avait enveloppé et apporté dans sa chambre ses cols et ses poignets repassés, il avait lu dans la rubrique théâtrale deux nouvelles qui l'avaient complètement bouleversé.

L'une était de Rome : l'imminente représentation au théâtre *Argentina* du nouveau drame de sa femme, celui, précisément celui qu'il avait laissé inachevé : *Sinon comme ça.* L'autre, que la compagnie *Carmi-Revelli* jouait à Turin.

Dévoré par l'envie de savoir quel serait le sort de ce nouveau drame à Rome et sans doute dans d'autres villes, sans doute même à Turin, puisque la compagnie *Carmi-Revelli* y était; également par l'envie d'en parler avec la signora Laura ou avec Grimmi, avec n'importe qui en somme, il ne savait comment dire à sa mère qu'il désirait descendre à Turin le lendemain matin. Il craignait que M. Prever ne veuille l'accompagner. Il savait combien sa mère était consternée à son sujet. Et de lui dire qu'il voulait aller aussi loin, seul, à l'improviste, alors qu'il s'était jusqu'à ce jour refusé à faire ne serait-ce que deux pas hors de la maison, Dieu sait ce qu'elle allait imaginer... Et puis il n'avait plus sur lui que quelques sous, le reste du voyage calculé au plus juste et prélevé sur l'argent rapporté de Paris. Il avait presque honte de se l'avouer à lui-même et pouvait donc imaginer quelle difficulté il aurait à demander quelque chose à sa mère; celle-ci n'ayant en propre qu'une maigre pension laissée par son mari et ne réussissant, avec lui à sa charge, à joindre que difficilement les deux bouts, la pauvre. Il est vrai que M. Prever apportait de temps en temps quelque secours, sous un prétexte ou l'autre. Mais si, précisément à ce moment-là, sa mère se trouvait un peu à court et devait demander de l'aide à M. Martino, ce dernier saurait tout et se proposerait sûrement pour l'accompagner.

Il attendit que Prever, le repas fini, s'en aille à sa villa et, pour provoquer chez sa mère une nouvelle et

plus pressante invitation à prendre quelque distraction, il se plaignit d'un violent mal de tête. Comme il
l'avait prévu, l'invitation, ainsi sollicitée, ne tarda pas
à venir :

— Va donc demain à Braida...

— Non, je voudrais plutôt... je voudrais voir du monde,
oui. Cette solitude me fait sûrement du mal...

— Veux-tu aller à Turin ?

— Oui, plutôt...

— Mais oui, tout de suite, demain ! s'empressa de dire
la mère. J'envoie Graziella te retenir une place dans
la voiture chez *monsu* Gariola.

— Non, non, dit Giustino ; laisse donc. Je descendrai
à pied jusqu'à Giaveno.

— Mais pourquoi ?

— Parce que... Laisse donc... Ça me fera du bien
de marcher... Je suis resté trop longtemps à la
maison. Plutôt... par le tram de Giaveno... maman,
je...

Mme Velia comprit tout de suite, elle posa aussitôt sa
main sur son front et ferma les yeux, comme pour
dire : « Et moi qui n'y pensais pas ! »

Lorsqu'il retourna dans sa chambre, accompagné de
sa mère qui lui donnait de la lumière, il découvrit que
cette dernière avait déposé sur le dessus de la commode
trois billets de dix lires.

— Oh, non ! s'exclama-t-il. Que veux-tu que je fasse
d'autant d'argent ? Reprends-les, reprends-les... un seul
me suffira !

La vieille maman s'écarta en tendant les mains
devant elle, avec sur les lèvres et dans les yeux, un
sourire triste et malicieux.

— Mais crois-tu vraiment que ta vie est finie, mon
fils ? Tu es encore presque un enfant... Sors ! sors !

Et elle referma la porte.

Lorsqu'il fut descendu du tram à vapeur, remettant les pieds en ville après neuf mois d'obscur et profond silence intérieur, d'ensevelissement dans sa douleur, sa première impression fut de ne plus savoir marcher au milieu de ce bruit et de cette confusion. Il en fut aussitôt étourdi comme par une lourde et sombre ivresse et ressentit l'irritation, l'ennui, l'écœurement d'un malade qui serait contraint de se déplacer, les oreilles bourdonnantes, parmi des gens pressés et indifférents.

Il jetait çà et là de rapides coups d'œil, craignant que quelqu'une de ses anciennes connaissances, étrangère au milieu littéraire, ne le reconnaisse et craignant à l'inverse que quelqu'une de ses nouvelles connaissances, journaliste ou écrivain, feigne de ne pas le reconnaître. La commisération moqueuse des derniers lui aurait été beaucoup plus cruelle que l'indifférence dédaigneuse des premiers, maintenant qu'il n'était plus que l'ombre de ce qu'il avait été.

Ah! si l'un de ses amis journalistes, en passant, glissait son bras sous le sien, joyeusement, comme aux temps heureux, et lui disait :

« Oh, cher Boggiolo, eh bien, quelles nouvelles? »

Et il se ferait raconter ce triomphe de Paris, qu'il n'avait jamais pu raconter à personne et qui lui était resté dans la gorge comme un nœud d'angoisse qui ne se dénouerait plus jamais.

« Et votre femme? A quoi sommes-nous occupés? A un nouveau drame, hein? Allons, dites-moi quelque chose... »

Lui qui ne savait même pas si le nouveau drame avait été représenté, et quel avait été son sort...

Il se dirigea vers un kiosque et y acheta les journaux de Rome, de Milan et ceux de la ville.

On n'en parlait pas.

Mais, aux annonces des spectacles, dans les journaux de Rome, voici, au théâtre *Argentina : Sinon comme ça...*

Il avait donc été représenté! Il avait donc obtenu du succès! Puisqu'on rejouait... Qui sait depuis combien de soirs? Un beau succès...

Et il se mit à imaginer que cette fois-ci, ce devait être elle qui l'avait mis en scène. En pensée il vit immédiatement le plateau, en plein jour, pendant les répétitions; il imagina l'impression qu'elle avait dû ressentir, elle qui n'y était jamais allée et il se vit avec elle, jouant le rôle de guide au milieu des comédiens : elle, pas très sûre d'elle, perdue; lui au contraire plein d'assurance, efficace; et voici qu'il lui montrait sa propre aisance, la connaissance qu'il avait des lieux et de toutes choses et qui l'exhortait à ne pas se désespérer de la nonchalance et de la torpeur des acteurs, des coupures qu'ils faisaient dans le texte et des fureurs du régisseur... C'est que ce n'était pas facile d'avoir affaire à ce genre de personnages! Il fallait les prendre par leur bon côté et ne pas perdre patience, même si jusqu'au dernier moment ils semblaient ne pas savoir leur rôle.

Brusquement il devint tout rouge en pensant qu'elle s'était peut-être fait accompagner et aider, à ces répétitions, par quelqu'un : peut-être par Baldani, par Betti ou par Luna... Quel était l'amant du jour? Dans de telles conditions, mettre le drame en scène, assister aux répétitions, se battre avec les acteurs, devenait la chose la plus aisée du monde. Belle force que la sienne, maintenant que, grâce à lui, elle avait atteint la célébrité, ouvert tant de portes et que les acteurs, obséquieux, souriants, étaient pendus à ses lèvres; belle force en effet!

« Mais c'est aux comptes que je t'attends! aux comptes! aux comptes! s'exclamait-il en lui-même, obséquieux, souriants... pardi! une femme... et puis, maintenant... sans mari... Mais les comptes, qui va s'en occuper? Avec la pratique qu'elle en a! C'est sans doute lui, l'ami, qui s'en occupera... ils vont la manger toute crue! Oui oui, nous verrons si tu réussiras à avoir une villa comme la précédente, maintenant! Attends! attends un peu!... »

Il ouvrit un journal de Turin et y lut qu'au théâtre *Alfieri,* la compagnie Carmi-Revelli en était aux dernières répétitions.

Il resta un moment, le journal ouvert sous les yeux, se demandant s'il irait ou non. Un violent désir d'avoir des nouvelles du drame, de parler d'elle, d'entendre parler d'elle, l'y poussait; ce qui le retenait, c'était l'idée d'affronter les regards, les questions de tous ces acteurs. Comment allaient-ils l'accueillir? Autrefois, ils se moquaient de lui; mais il avait alors en main le lasso grâce auquel, après avoir toléré qu'ils le bravent, comme autant de poulains échappés, il pouvait d'un moment à l'autre resserrer la corde et les attacher tous, domestiqués, au char du triomphe. Mais à présent...

Il se remit en route, plongé dans ces souvenirs qui étaient désormais toute sa vie et c'est guidé par eux qu'il se retrouva, après un long détour, devant le théâtre Alfieri.

Sans doute y avait-il répétition à cette heure-ci. Il s'approcha de l'entrée en titubant et fit semblant de lire sur l'affiche le titre du drame qu'on jouait le soir, puis la liste des personnages; à la fin, prenant son courage à deux mains, comme un auteur novice, il demanda respectueusement à un gardien qui se trouvait là et qu'il ne connaissait pas, si la signora Carmi était au théâtre.

— Pas encore, lui répondit ce dernier.

Et Giustino resta devant l'affiche sans rien oser demander de plus. En d'autres temps il serait entré en maître dans le théâtre, sans même accorder un regard à cette sorte de cerbère!

— Et le chevalier Revelli? demanda-t-il après un moment.

— Il vient juste d'entrer.

— On répète, n'est-ce pas?

— Oui, on répète...

Il savait que Revelli était très sévère au sujet de l'entrée des étrangers pendant la répétition. Certainement que s'il avait tendu à cet homme sa carte de visite pour la faire passer à Revelli, celui-ci l'aurait fait entrer; mais il se serait alors trouvé exposé à l'indiscrète et irrespectueuse curiosité de tous ces gens. Et c'est ce qu'il voulait éviter. Plutôt rester là, comme un mendiant, à attendre la Carmi, qui ne pouvait beaucoup tarder puisque les autres étaient déjà arrivés.

En effet la Carmi arriva peu après, en voiture. Elle ne s'attendait pas à le trouver devant la porte; voyant qu'on la saluait, elle inclina à peine la tête et continua sans le reconnaître.

— Signora... appela Giustino, mortellement blessé.

La Carmi se retourna, plissant légèrement ses yeux de myope, et son visage s'allongea dans un *oh!* d'étonnement.

— Vous, Boggiolo? ici? mais comment?

— Eh..., fit Boggiolo, en écartant un peu les bras.

— Je sais, je sais, reprit la Carmi d'un air préoccupé et compatissant. Mon pauvre ami! Quelle vilaine action. Je ne m'y serais jamais attendue, croyez-moi. Pour vous, remarquez bien. Parce que pour moi, j'en sais quelque chose de l'ingratitude de cette femme! Mais pour vous, mon cher! Allons allons, venez avec moi, je suis en retard.

Giustino hésita, puis il dit d'une voix tremblante, les yeux voilés de larmes :

— S'il vous plaît, signora, je ne... je ne voudrais pas me faire voir...

— Vous avez raison, reconnut la Carmi. Attendez, prenons par ici.

Ils entrèrent dans le théâtre qui était presque obscur; ils traversèrent le couloir du premier rang des loges; là, au fond, la Carmi ouvrit la petite porte de la dernière loge et dit tout bas à Boggiolo :

— Voici, attendez-moi ici. Je vais sur le plateau et je reviens tout de suite.

Giustino se blottit au fond de la loge, dans le noir, les épaules contre le mur contigu à la scène, pour ne pas être découvert par les acteurs dont la voix résonnait dans le théâtre vide.

— *Oh madame, oh madame,* « barytonnait » Grimmi selon son habitude, couvrant la voix monotone du souffleur, et *cela vous paraît une trop grande grâce?*

— *Mais non, ce n'est pas une grâce, cher monsieur,* souriait la petite Grassi avec sa tendre voix légère.

Et Revelli hurlait :

— Plus traînant! Plus traînant! Mais *noooon,* mais ce *n'est pas une grâce, mon ami...*

— Le second *mais* n'y est pas!

— Eh bien, mettez-le, parbleu! il va de soi!

Giustino restait là à écouter ces voix connues qui, sans même le vouloir, se transformaient pour donner vie aux personnages de la scène; il regardait le grand vide sonore du théâtre obscur; il en respirait cette odeur particulière faite d'un mélange d'humidité, de poussière et de souffles humains confinés et il sentait progressivement croître son angoisse, comme s'il avait été saisi à la gorge par les souvenirs précis d'une vie qui ne pouvait plus être la sienne, dont il ne pouvait plus s'approcher, si ce n'est de cette façon, caché, presque comme un voleur, ou encore plaint comme tout à l'heure. La Carmi l'avait bien reconnu et tout le monde reconnaîtrait certainement avec elle qu'il ne méritait pas d'être traité comme ça; et si cette pitié des autres lui faisait encore ressentir plus profondément et plus cruellement sa misère, elle la lui rendait aussi plus chère, puisqu'elle était en quelque sorte la seule chose qui lui restait de ce qu'il avait été.

Il attendit un bon moment la Carmi, qui devait répéter une scène avec Revelli. Elle vint dès qu'elle eut fini et le trouva en larmes, assis avec les coudes sur les genoux et le visage entre ses mains. Il pleurait en silence, mais avec des larmes brûlantes et abondantes et des sursauts de sanglots rentrés.

– Allons, allons, lui dit-elle, en lui posant la main sur l'épaule. Je comprends, oui, pauvre ami; mais allons, du courage! Comme ça, ce n'est plus vous, cher Boggiolo! Je le sais, tout entier dévoué, corps et âme à cette femme; maintenant...

– La ruine, vous comprenez? éclata-t-il, la voix étouffée de larmes. La ruine, la ruine de tout un édifice, signora, érigé par moi, pierre par pierre! par moi, par moi seul! Au plus beau moment, quand tout était en place, et que j'allais enfin tirer satisfaction de ce que j'avais fait, une vague de trahison, une vague de folie, croyez-le, de folie avec cette espèce de vieux, avec ce vieux fou qui s'y est lâchement prêté, sans doute pour se venger, en détruisant une vie, comme la sienne l'avait été; tout par terre, tout par terre, tout!

— Doucement, allons, doucement, calmez-vous, l'exhortait-elle du geste.

— Laissez-moi me soulager, par pitié! Il y a neuf mois que je n'ai plus parlé ni pleuré! Ils m'ont détruit, signora! Moi je ne suis plus rien à présent! Je m'étais mis tout entier dans cette œuvre que j'étais seul à pouvoir mener, moi seul, je le dis avec orgueil, signora, moi seul, parce que je ne prêtais pas la moindre attention à toutes les bêtises, toutes les lubies, toutes les toquades de ces plumitifs; je gardais la tête froide et je les laissais rire s'ils en avaient envie; vous aussi, vous avez ri de moi? tout le monde a ri de moi; mais qu'est-ce que ça pouvait bien me faire? Moi je devais construire! Et j'y étais arrivé! Et maintenant... et maintenant, vous comprenez?

Pendant que Boggiolo, là, dans la pénombre de la loge, parlait et pleurait, étranglé par l'angoisse, sur la scène, à côté, la répétition continuait. Brusquement la Carmi remarqua, avec un frisson, la contemporanéité de ces deux drames, l'un vrai : ici, celui d'un homme qui fondait en larmes, le dos tourné à la scène d'où parvenaient, comme fausses, les voix de l'autre drame, du drame fictif qui, en comparaison lassait et écœurait tel un jeu inutile, bruyant et indécent. Elle fut tentée de se pencher hors de la loge et de faire signe aux acteurs de s'arrêter pour venir voir ici, assister à cet autre drame qui, lui, était vrai. Mais elle se contenta de s'approcher de Boggiolo et de l'inciter à nouveau, par de bonnes paroles et en lui tapotant sur l'épaule, à se calmer.

— Oui, oui, merci signora... Je me calme, je me calme, dit Giustino en ravalant ses larmes et se séchant les yeux. Veuillez me pardonner, signora. J'avais besoin, vraiment besoin de vider mon cœur. Pardonnez-moi, maintenant je suis calme. Dites-moi un peu, ce drame?... Ce nouveau drame, *Sinon comme ça...* ça a marché, hein?... comment ça s'est passé?

— Ah, ne m'en parlez pas! protesta la Carmi. C'est le même coup, exactement le même coup bas que celui qu'elle vous a fait! Ne m'en parlez pas, laissez-moi partir...

— J'aurais voulu savoir..., insista-t-il timidement, humilié par sa propre peine.

— Silvia Roncella, mon ami, c'est l'ingratitude en personne! dit sentencieusement la Carmi. Et qui l'a conduite au triomphe? Dites-le vous-même, Boggiolo! Vous ne le croirez pas, mais j'étais la seule, la seule, pendant que tous les autres riaient et doutaient de la valeur de son génie et de son travail! Eh bien, voilà : pour son nouveau drame, elle a pensé à tous les autres, sauf à moi! Remarquez bien que je ne le dis qu'à vous, parce que je sais ce que vous avez pris, vous aussi. Aux autres — eh pardi, je tiens à ma dignité —, aux autres je dis que c'est moi qui n'ai rien voulu en savoir. Et je ne joue même plus *La nouvelle colonie,* maintenant. Grâce à Dieu, les gens viennent au théâtre pour moi, pour m'entendre moi, quoi que je fasse : je n'ai pas besoin d'elle! Et si j'en parle c'est bien parce que l'ingratitude, on le sait, révolte tout le monde; et vous êtes bien placé pour me comprendre.

Giustino demeura un moment silencieux, hochant la tête puis il dit :

— C'est comme ça pour tout le monde, vous savez? Tous les amis qui m'ont aidé, elle les a traités de la même façon... Je me souviens de Dora Barmis... elle aussi... Alors, ce nouveau drame... comment a-t-il marché?

— Bof! fit la Carmi, il paraît que... rien d'extraordinaire... On dit que c'est un succès d'estime. On dit qu'il y a, par-ci par-là, quelques bonnes scènes... plus particulièrement à la fin du dernier acte oui, ça... c'est ce qui a sauvé l'œuvre... Vous n'avez pas lu les journaux?

— Non signora. Depuis neuf mois, je suis resté enfermé à la maison... C'est la première fois que je descends à Turin. Je vis là-bas, au-dessus de Giaveno, dans mon village, avec ma mère et mon petit...

— Ah, c'est vous qui l'avez gardé, l'enfant?

— Bien sûr, avec moi... en réalité il a toujours été là-bas, avec ma mère.

— Très bien, très bien, approuva la Carmi. Alors comme ça vous n'avez plus aucune nouvelle d'elle?

— Non, plus aucune. J'ai appris par hasard que le drame avait été représenté. J'ai acheté des journaux, aujourd'hui, et j'ai vu qu'à Rome on rejoue...

— A Milan aussi. Pour ça..., dit la Carmi.

— Ah, on l'a aussi donné à Milan?

— Oui oui, avec le même succès.

— Au Manzoni?

— Oui, au Manzoni. Et sous peu... attendez, dans trois jours, la compagnie Fresi viendra de Milan pour le représenter ici, dans ce théâtre. Et elle, Silvia Roncella, qui est actuellement à Milan, doit venir ici pour assister à la représentation.

A cette nouvelle Giustino bondit sur ses pieds, haletant :

— Vous en êtes sûre?

— Mais oui, il me semble l'avoir entendu dire... Quoi? Ça vous fait un drôle d'effet, hein? Je comprends...

La Carmi s'était levée, elle aussi, et le regardait d'un air de pitié.

— Elle viendra?

— On le dit. Et moi je le crois. Après tout ce qu'on a dit d'elle, sa présence ici peut être profitable, vu que la pièce n'est pas d'excellente qualité. Et puis le public ne la connaît pas encore et voudrait la connaître.

— Bien sûr, bien sûr..., dit Giustino, impatient. C'est bien naturel... ce sera en fait son premier travail... Peut-être le lui a-t-on imposé... C'est dans trois jours que doit venir la compagnie Fresi ?

— Oui, dans trois jours. Il y a une affiche en bas, dans le hall, vous ne l'avez pas vue ?

Giustino ne pouvait rester davantage; il remercia la Carmi pour son affectueux accueil, puis il partit, suffoquant dans l'ombre épaisse du théâtre, tout désorienté par la terrible nouvelle que venait de lui donner l'actrice.

Silvia à Turin ! On lui demanderait certainement de se montrer, là, au théâtre et lui la reverrait !

Quand il ouvrit la porte, il sentit ses jambes se dérober sous lui; il eut comme un vertige et il porta ses mains à son visage. Tout son sang lui était monté à la tête et dans sa poitrine son cœur battait la chamade. Il allait la revoir ! Ah, qui sait comment elle était, à présent, avec cette vie désordonnée, battue par cette tempête ! Qui sait à quel point elle avait changé. Peut-être ne restait-il plus rien en elle de la Silvia qu'il avait connue.

Mais non : sans doute ne viendrait-elle pas, sachant que lui pouvait descendre de Cargiore à Turin et... et si elle venait précisément pour cela ?... Pour se rapprocher de lui ? Oh, mon Dieu, mon Dieu !... Mais comment pourrait-il lui pardonner, lui, après un tel scandale ? Comment recommencer à vivre avec elle, maintenant ? Non, non... Lui n'avait plus de situation; il allait se couvrir de honte; tout le monde croirait qu'il s'était « remis » avec elle pour vivre d'elle, à ses crochets, de nouveau, bassement. Non, non, ce n'était plus possible désormais. Il faudrait qu'elle le comprenne. Mais ne lui avait-il pas tout laissé quand il était parti? Les autres avaient pu déduire de cet acte qu'il n'était pas un vil profiteur. Il avait donné à tout le monde la preuve qu'il était incapable, lui, de vivre dans la honte, d'un argent qui était pourtant en grande partie à lui, fruit de son travail, de son sang; il le lui avait laissé, qui pouvait l'accuser?

Cette protestation de fierté, sur laquelle il s'attardait avec une satisfaction croissante, était l'excuse par laquelle sa conscience, encore hésitante, accueillait le secret espoir que Silvia vînt à Turin pour qu'il la reprenne avec lui.

Mais si, à l'inverse, elle ne venait que parce qu'elle ne pouvait pas faire autrement et seulement en raison d'un engagement pris avec la compagnie Fresi? Et peut-être... qui sait... n'était-elle pas seule; peut-être quelqu'un l'accompagnait-il, la soutenait dans ce pénible voyage?

Non, non; il ne pouvait, il ne devait rien faire. Il voulait uniquement, à tout prix, revenir à Turin quelques soirs plus tard pour assister, en cachette, à la représentation de la pièce, pour la revoir, de loin, une dernière fois...

En cachette! de loin!

Par cette douce soirée de mai, un fleuve humain pénétrait dans le théâtre illuminé comme pour une fête, les voitures arrivaient en vrombissant pour se masser devant les portes, dans le contraste des lumières et le bourdonnement de cette foule houleuse.

En cachette, de loin, il assistait à ce spectacle. Mais n'était-ce pas toujours son œuvre, cette œuvre qui avait pris corps et continuait à marcher toute seule, sans plus se soucier de lui?

Oui, c'était son œuvre à lui, l'œuvre qui avait absorbé, sucé toute sa vie jusqu'à le laisser là, vide, éteint. Il fallait qu'il la voie poursuivre son chemin, justement dans ce torrent de gens impatients dont il ne pouvait plus s'approcher, auquel il ne pouvait plus se mêler, expulsé, repoussé, lui, lui grâce à qui ce torrent s'était déclenché pour la première fois, lui qui avait été le premier à l'endiguer et à le diriger durant cette mémorable soirée au théâtre Valle à Rome!

Et maintenant il devait attendre, comme ça, en cachette, de loin, que ce torrent bruyant, impatient, envahisse et remplisse le théâtre tout entier, où lui se glisserait furtivement, en dernier, honteusement.

Arraché à sa propre vie par cet exil qui n'était que de quelques pas et cependant infini, arraché à sa propre vie qui vivait là, hors de lui, devant lui et le laissait, spectateur inerte de sa misère et de son actuelle nullité, Giustino eut un mouvement d'orgueil et il pensa que c'était bien là son œuvre à lui qui continuait à marcher toute seule; mais comment? Certes pas comme s'il était encore là, à la diriger, la surveiller, la gouverner, la soutenir de tous les côtés.

Il aurait bien aimé voir de plus près comment elle continuait à marcher sans lui! Quelle préparation y avait-il eu pour la *première* du nouveau drame? C'est à peine si les journaux de la veille et du matin en avaient parlé... Si lui avait été là, en revanche! Oui, les gens affluaient, continuaient d'affluer; mais pourquoi si ce n'est en souvenir de *La nouvelle colonie*, du triomphe qu'il lui avait, lui, procuré; et pour voir, pour connaître l'auteur, cette jeune fille de Tarente, timide, sauvage et sans expérience, que lui, par son action avait placée plus haut que les autres et rendue

célèbre : lui à présent abandonné, caché dans le noir
pendant qu'elle, dans la lumière de la gloire, était
entourée de l'admiration générale.

A cette heure-ci, elle était certainement sur le plateau. Comment était-elle ? Que disait-elle ? Était-il possible qu'elle ne pense pas que de Cargiore si proche,
il pouvait venir assister à la représentation ? Oh mon
Dieu, mon Dieu !, il était à nouveau assailli, au point
d'en trembler, par cette idée qui lui était venue à
l'esprit à la première nouvelle de son passage à Turin :
qu'elle vienne exprès pour se rapprocher de lui ; qu'elle
s'attende, après les premiers applaudissements, à une
intempestive entrée de son mari sur scène et à un
frénétique embrassement devant tous les acteurs émus ;
et puis, et puis — il en avait des frissons dans le dos
et des fourmillements dans toute sa personne — le rideau
s'ouvrirait et tous deux, lui et elle se tenant par la
main, se montreraient, s'inclineraient, réconciliés,
heureux, à tout le peuple en délire qui les acclamerait...

Folies ! Folies ! Mais d'un autre côté son insolence à
elle ne dépasserait-elle pas toutes les limites, de venir
ici, à Turin presque sous son nez ?

Il était rongé par le désir de savoir, de voir... Mais
comment faire, de cette loge de dernier rang qu'il avait
réussi à louer la veille ?

Il venait d'y entrer, à toute vitesse, après avoir monté
l'escalier quatre à quatre.

Il se tenait au fond pour qu'on ne le voie pas. Au-
dessus de sa tête le poulailler trépignait déjà ; d'en bas,
du parterre et des loges montait le tumulte, ferment
des grandes soirées. Le théâtre devait être comble, et
splendide.

Encore tout haletant d'émotion, plus encore que
d'avoir couru, il regardait le grand rideau et il aurait
voulu le transpercer des yeux. Ah ! que n'aurait-il donné

pour entendre, ne serait-ce qu'une seule fois, le son de sa voix! Il était en train de penser qu'il ne s'en souvenait plus. Comment parlait-elle à présent? comment s'habillait-elle? que disait-elle?

Il sursauta à une sonnerie prolongée qui répondit au vacarme croissant du poulailler. Et voici que le rideau s'ouvrait.

Instinctivement, dans ce brusque silence, il s'avança; il regarda la scène qui représentait la salle de rédaction d'un journal. Il connaissait le premier acte, et aussi le second, et il savait qu'elle n'en était pas satisfaite. Peut-être les avait-elle refaits, ou peut-être, puisque le succès du drame avait été médiocre, les avait-elle laissés tels qu'ils étaient, contrainte à les porter tout de suite sur la scène pour faire face à des difficultés financières.

La première scène entre *Ersilia Arciani* et le directeur du journal *Cesare d'Albis* n'avait pas changé. Mais la Fresi ne mettait pas dans le rôle d'*Ersilia* cette rigidité que Silvia avait donnée au caractère de son héroïne. Peut-être Silvia avait-elle elle-même atténué cette raideur pour rendre le personnage moins dur et plus sympathique. Mais, d'une façon évidente, cela ne suffisait pas. Dans tout le théâtre s'était déjà répandu le froid de la désillusion.

Giustino le ressentait, et cette froideur lui montait à la tête et il s'agitait nerveusement. Pardi! S'exposer à la terrible épreuve d'une nouvelle pièce, après le triomphe éclatant de la première, sans une préparation appropriée (par la presse) sans prévenir le public que ce nouveau drame serait en tous points différent du premier, la révélation d'un nouvel aspect du génie de Silvia Roncella. Et les conséquences étaient là : le public s'attendant à la poésie sauvage de *La nouvelle colonie*, à la représentation de mœurs étranges et de personnages insolites, se trouvait cette fois-ci devant les aspects les plus prosaïques de la vie de tous les jours, et il restait froid, désenchanté, mécontent.

Lui, il aurait dû s'en réjouir; mais loin de là! car le peu de vie qui lui restait encore était tout entier dans cette œuvre qu'il voyait tomber, et il sentait que c'était un péché qu'il ne pût y mettre la main pour la soutenir, la relever, la faire à nouveau triompher; un péché pour l'œuvre et une féroce cruauté pour lui!

Il bondit sur ses pieds à un « chut » prolongé qui s'éleva brutalement du parterre, tel un vent qui aurait ébranlé tout le théâtre, et il recula tout au fond de sa loge, les mains sur son visage en feu, comme s'il avait reçu un coup de fouet.

L'obstination avec laquelle *Leonardo Arciani* refusait toute explication avec son beau-père choquait les spectateurs. Mais sans doute qu'à la fin le cri d'Ersilia qui donnait la cause de cette obstination : « Papa, il a une fille, une fille, il ne peut discuter! » sauverait l'acte? Voici que la Fresi entrait. Le silence se fit. Guglielmo Groa et son gendre en étaient presque venus aux mains. Le public ne comprenant pas encore, s'agitait de plus en plus. Et Giustino, tout frémissant, aurait voulu leur crier de sa loge de dernier rang :

— Imbéciles! Il ne peut discuter! Il a une fille!

Mais voici qu'enfin la Fresi le criait... qu'elle était bonne! comme ça... fort, de toute son âme, comme un coup de cravache... le public éclata en un *Aaaaaah* prolongé... comment?... ça ne leur plaisait pas?... mais si, mais si... beaucoup d'applaudissements... Voici que le rideau tombait au milieu des applaudissements; certains restaient muets... oh mon Dieu, venant du poulailler, un sifflement aigu, strident... bienheureux sifflement! par réaction les applaudissements s'étoffèrent dans les fauteuils et dans les loges... Giustino, le visage inondé de larmes, noué, se tordait les mains, tenté lui aussi d'applaudir furieusement, mais empêché de le faire par l'attente angoissée qui mettait toute son âme dans ses yeux : les acteurs se présentaient... Non, elle n'y était pas... Silvia n'y était pas... ils revenaient! Ils revenaient encore une fois! Oh mon Dieu, y était-elle? Non, cette fois-ci non plus... Les applaudissements tombaient et avec eux Giustino tombait, lui aussi, sur un siège de sa loge, épuisé, haletant, comme s'il avait couru pendant une heure. Le feu qui lui brûlait le front y faisait perler des gouttes de sueur aussi grosses que des larmes. Tout recroquevillé sur lui-même il tentait de dominer la contraction de ses viscères, l'emballement de son cœur et, au milieu de ses halètements, un gémissement sortait de sa bouche comme sous l'effet d'un cruel et insupportable tourment. Il ne pouvait un seul instant rester en place; il se levait, s'appuyait aux cloisons de la loge, les bras abandonnés, son mouchoir à la main, la tête ballante... Il regardait la petite porte... pressait son mouchoir sur sa bouche et le lacérait... Il était prisonnier, là... Il ne pouvait se faire voir... Il aurait au moins voulu entendre les commentaires qu'on faisait sur le premier acte; s'approcher de la scène, voir ceux qui y venaient pour soutenir l'auteur... Ah, en ce moment elle ne pensait certainement pas à lui; il n'existait plus pour elle; il était quelqu'un de la foule confondu avec tous les autres... Eh non, non, pas même cela : il n'avait même plus le droit de faire partie de la foule; il ne devait pas s'y trouver, voilà; et en fait il n'y était pas : enfermé, caché dans cette loge que tout le monde devait croire vide, la seule effectivement vide, puisqu'il y avait dedans quelqu'un qui n'aurait pas dû y être... Quelle tentation, pendant ce temps, de courir sur le plateau, de s'ouvrir un passage, en maître, de reprendre sa place et sa baguette de commandement. Il était soulevé par l'héroïque fureur de faire des choses

inouïes, des choses jamais vues, pour changer de but
en blanc l'issue de cette soirée, sous les yeux effarés
du public; montrer qu'à présent il était là, lui, l'auteur
du triomphe de *La nouvelle colonie*. Voici que reten-
tissait la sonnerie du second acte. La bataille reprenait.
Oh, mon Dieu, comment allait-il faire pour y assister,
lui qui était à bout de forces?

Agité, turbulent, le public rentrait dans la salle. Si
la première scène du second acte, entre le père et la
fille, ne plaisait pas, la pièce tomberait irrémédiablement.

Le rideau se leva.

La scène représentait le bureau de *Leonardo Arciani*.
Il faisait jour mais la lampe restée allumée pendant
toute la nuit brûlait encore sur le secrétaire. *Guglielmo
Groa* dormait sur un fauteuil, avec un journal sur la
figure. *Ersilia* entrait, éteignait la lumière, réveillait
son père et lui annonçait que son mari n'était pas
rentré à la maison; aux questions âpres et précises de
ce dernier, comme martelées sur du roc, se brisait la
dureté d'Ersilia et sa passion contenue commençait à
jaillir; elle parlait avec un calme triste et doux et elle
défendait son mari qui, pris entre elle-même et sa fille,
s'en était allé vers celle-ci : « C'est là où se trouvent
les enfants que se trouve la maison. »

Giustino saisi, fasciné lui aussi par la profonde beauté
de cette scène admirablement jouée par la Fresi, ne
remarquait pas qu'à présent le public devenait extrêmement attentif. Lorsque, à la fin, éclatèrent de longs
et chauds applaudissements, des applaudissements una-
nimes, il sentit tout son sang refluer à son cœur et lui
remonter brusquement à la tête.

La bataille était gagnée; mais lui se vit perdu; et si,
à ce moment-là, Silvia s'était présentée à ces applaudissements insistants, pour remercier le public, il ne

l'aurait pas vue : il lui était tombé comme un voile devant les yeux. Non non, par bonheur la représentation continuait! Mais lui n'était plus capable d'y prêter attention. Son anxiété, son angoisse, son énervement croissaient à mesure que l'acte avançait, s'approchant de la fin et de cette magnifique scène entre le mari et la femme, quand *Ersilia,* pardonnant à *Leonardo* l'éloigne d'elle : « *Maintenant tu ne peux plus rester ici. Deux maisons, non; moi ici et ta fille là-bas, non. Ce n'est plus possible. Va-t'en! Je sais ce que tu désires.* » Ah, comme elle l'avait dit, la Fresi! *Leonardo s'en allait;* elle fondait en larmes de joie; et le rideau tomba au milieu de bruyants applaudissements.

— L'auteur! l'auteur!

Giustino, les bras serrés, croisés sur sa poitrine et ses mains agrippées aux épaules, comme pour empêcher que son cœur ne s'échappe, attendait en gémissant que Silvia vînt sur scène. La torture de l'attente donnait à son visage un air presque féroce.

Était-ce elle? non! C'étaient les acteurs. Les applaudissements se prolongèrent :

— L'auteur! l'auteur!

Elle était là! C'était elle! Elle? Oui c'était elle, entre deux acteurs. Mais d'aussi haut, on la distinguait à peine : la distance était trop grande, et trop forte l'émotion qui lui troublait la vue! Mais voici qu'on l'appelait une nouvelle fois sur scène : elle était là, elle était de nouveau là! Les deux acteurs se retirèrent du devant de la scène pour la laisser seule, exposée interminablement aux démonstrations solennelles d'un public qui l'acclamait debout. Cette fois-ci, Giustino put parfaitement la voir : elle se tenait très droite, pâle, elle ne souriait pas; elle inclinait à peine la tête, lentement, avec une dignité qui sans être réellement froide semblait pleine de tristesse.

Il ne pensait même plus à se cacher, Giustino, et dès qu'elle eut quitté la scène il s'enfuit de sa loge comme un forcené et se précipita vers l'escalier où il rencontra la foule qui sortait et envahissait les couloirs; avec des gestes furieux, il s'ouvrit un passage, au milieu de ceux qu'il attrapait par-derrière; dans son dos, il entendit des cris et des rires; il trouva la sortie du théâtre et fila, fila en courant, avec en lui l'unique sensation de vertigineuses ténèbres, traversées d'éclairs de lumière, envahissant son cerveau, la sensation d'un feu qui lui dévorait les entrailles et lui brûlait atrocement la gorge.

Comme un chien battu, il quitta la place pour s'engouffrer dans la première rue qui s'ouvrait devant lui, longue, droite, déserte; et il se mit à marcher sans savoir où il allait, les yeux fermés, les deux mains sur les tempes et se disant sans voix, de sa bouche aride et pâteuse :

– C'est fini... fini... fini...

Et c'est cette idée qui avait pénétré en lui, s'était imposée à lui comme une certitude absolue dès qu'il l'avait vue : que tout était fini pour lui car cette femme n'était plus Silvia, non, non, ce n'était plus Silvia; c'était une autre dont il ne pouvait plus s'approcher, lointaine, inaccessible au-dessus de lui, au-dessus de tous à cause de la tristesse dont elle était environnée; isolée, exhaussée, droite et austère, telle qu'elle était sortie de la tempête traversée : une autre pour laquelle il n'avait plus aucune raison d'exister.

Où allait-il, où s'était-il fourré? Il regarda avec égarement les maisons silencieuses, obscures; il regarda les mornes réverbères veillant dans le silence; il s'arrêta et fut sur le point de tomber; il s'appuya au mur, les yeux fixés sur l'un des réverbères; tel un insensé, il observa la flamme immobile, puis en dessous, le cercle de lumière sur le trottoir; il leva les yeux vers la rue; mais pourquoi chercher à se ressaisir, si tout était fini? Où devait-il aller? Chez lui? Et pourquoi? Il devait continuer à vivre, n'est-ce pas? et pourquoi? Là-bas dans le vide et l'oisiveté, à Cargiore, pendant des années, des années, des années...

Que lui restait-il désormais qui pût donner quelque sens, quelque valeur à sa vie? Plus d'affections qui ne représentent pour lui un insupportable devoir : que ce soit pour son fils ou pour sa mère. Lui n'éprouvait plus le besoin de ces sentiments-là; peut-être sa mère et son enfant l'éprouvaient-ils? mais que pouvait-il faire pour eux? Vivre, n'est-ce pas? Vivre pour que sa vieille maman ne meure pas de chagrin... Quant à son enfant, si lui et la grand-mère mouraient, il lui resterait toujours sa mère; et ce serait mieux pour lui et pour elle aussi. Avec son enfant auprès d'elle, elle serait bien obligée de penser à lui, au père, à celui qui avait été son mari; et de cette façon lui continuerait à exister pour elle, avec son fils, par son fils.

Ah, comment aller à pied de Giaveno à Cargiore, épuisé comme il l'était? Sa mère était sûrement debout à l'attendre, avec Dieu sait quelles tristes pensées devant sa disparition... Tous ces derniers jours, il avait été comme fou; depuis qu'il avait su que Silvia allait venir à Turin. Sa mère l'avait également appris par Prever à qui quelqu'un l'avait dit : probablement le docteur Laïs qui avait dû lire la nouvelle dans les journaux.

Et sa mère était entrée dans sa chambre pour le conjurer de ne plus descendre en ville ces jours-ci. Ah la pauvre! la pauvre! Quel spectacle il lui avait offert! Il s'était mis à crier, vraiment comme un fou, qu'il voulait qu'on le laisse tranquille, qu'il n'avait pas besoin de tutelle, qu'il désirait ne plus être étouffé par toutes ces prévenances et toutes ces craintes, ni abruti par tous ces conseils. Et pendant trois jours il n'était même plus descendu pour déjeuner ou pour dîner, tapi dans sa chambre, sans vouloir entendre ni voir personne.

C'en était assez maintenant. Il l'avait revue et avait abandonné tout espoir; que lui restait-il à faire? Retourner vers son fils, chez sa mère et c'est tout... tout, pour toujours.

Il se remit en route, se reprit et se dirigea vers la gare du tram à vapeur qui devait le conduire à Giaveno; il arriva tout juste pour le dernier départ.

Il descendit à Giaveno aux environs de minuit et prit la route de Cargiore. Tout n'était que silence sous la lune, dans la fraîche et douce nuit de mai. Plus que de l'étonnement devant cette solitude muette et figée dans la faible clarté lunaire, il éprouva une étrange angoisse en face de la beauté mystérieuse et fascinante de la nuit, toute ponctuée d'ombre de lune et résonnant de trilles argentins.

Par moments, certains murmures secrets de l'eau et des feuillages rendaient cette angoisse plus profonde et plus vigilante. Il avait l'impression que ces murmures ne voulaient pas qu'on les entende et qu'ils ne voulaient pas non plus entendre le son de ses pas; il marcha plus légèrement. Tout à coup, derrière une grille, un chien aboya férocement contre lui, ce qui le fit sursauter, trembler et frissonner de peur. Aussitôt d'autres chiens se mirent à aboyer, tout à côté, puis plus loin, protestant contre son passage à pareille heure. Lorsqu'il eut retrouvé son calme, il remarqua encore davantage l'extrême fatigue qui alourdissait ses membres et il lui revint à l'esprit ce qui en était la cause; il pensa à l'interminable chemin qu'il avait devant lui et du même coup la beauté de la nuit s'obscurcit, la fascination s'évanouit et s'enfonça dans le vide ténébreux de sa douleur. Il marcha, marcha pendant plus d'une heure, sans même penser à s'arrêter un instant pour reprendre son souffle; à la fin, n'en pouvant plus, il s'assit sur le bord de la route : il était complètement brisé et n'avait même plus la force de relever la tête. Petit à petit, il se mit à percevoir la sombre rumeur du Sangone, en bas dans la vallée, puis le murmure des jeunes feuilles de châtaigniers et la dense fraîcheur de la plaine boisée, enfin tout près de lui le friselis d'un ruisseau; sa bouche le brûlait. Il se plaignit, comme pour se faire pitié à lui-même et à son âme sombre et endurcie : il se vit seul sur la route, dans la nuit, si las et si désespéré qu'il éprouva un cuisant besoin de réconfort. Il se releva pour arriver plus vite vers celle qui était désormais la seule à pouvoir le lui dispenser. Mais il lui fallut encore marcher plus d'une heure avant de découvrir la flèche octogonale de l'église, pointée vers le ciel comme un doigt menaçant. Quand il y arriva et qu'il tourna son regard vers sa maison, il vit avec stupeur que trois des fenêtres étaient éclairées. Il s'attendait bien à en trouver une d'allumée, bien sûr; mais pourquoi autant?

Dans le noir, assis sur l'escalier devant la porte, il trouva Prever pleurant à chaudes larmes.

— Ma mère? lui cria-t-il.

Prever se leva, la tête basse, il lui tendit les bras :

— Rino... Rino... gémit-il avec des sanglots, sa longue barbe tout ébouriffée.

— Rino?... mais comment?... qu'est-ce qu'il a?...

Et, s'arrachant rageusement des bras du vieil homme, Giustino courut à la chambre de son enfant, en continuant à crier :

— Qu'est-ce qu'il a? Mais qu'est-ce qu'il a?

Il resta figé sur le seuil devant le désordre de la pièce.

On venait à peine de sortir le bébé d'un bain froid

et la grand-mère le tenait sur ses genoux, enveloppé dans un drap. Le docteur Laïs était là. Graziella et la nourrice pleuraient. L'enfant ne pleurait pas : il tremblait de la tête aux pieds, avec sa petite tête bouclée toute trempée par l'eau, les yeux fermés, son petit visage en feu, presque écarlate, déjà enflé.

Sa mère leva à peine les yeux et Giustino se sentit transpercé par ce regard.

— Qu'est-ce qu'il a? Qu'est-ce qu'il a? demanda-t-il au docteur d'une voix tremblante. Que s'est-il passé... comme ça... tout à coup?

— Eh, depuis deux jours..., fit le docteur.

— Deux jours?

Sa mère le regarda une seconde fois en levant à peine les yeux.

— Moi, je ne savais pas... je ne savais rien, balbutia Giustino s'adressant au médecin, comme pour s'excuser. Mais comment? Qu'a-t-il donc? Dites-le-moi! Que s'est-il passé? Que s'est-il passé!

Laïs le prit par le bras, lui fit un signe de tête et l'emmena dans la pièce voisine.

— Vous venez de Turin, n'est-ce pas? Vous étiez au théâtre?

— Oui, bredouilla Giustino en le regardant, abasourdi.

— Eh bien, reprit Laïs, hésitant. Si la mère est là-bas...

— Quoi?

— Je pense que... qu'il serait bon, peut-être... de la prévenir...

— Mais alors, s'écria Giustino, alors Rino... mon petit...

De la pièce voisine trois sanglots lui répondirent, puis dans son dos un quatrième, celui de Prever qui venait de rentrer. Giustino se retourna pour s'aban-

donner dans les bras du vieil homme et éclater lui
aussi en sanglots.

Laïs retourna dans la chambre de l'enfant qu'on
avait reposé sur son lit : plongé dans une profonde
léthargie, il semblait aux dernières extrémités. Il était
de nouveau brûlant. Giustino entra, vainement retenu
par Prever.

— Je veux savoir ce qu'il a! Je veux savoir ce qu'il
a! cria-t-il au docteur, en proie à une rage féroce.

Laïs en prit ombrage et lui cria à son tour :

— Ce qu'il a? Une fièvre pernicieuse!

Sa voix et son air dur disaient clairement : « Vous
revenez du théâtre et vous avez le front de me demander à moi, sur ce ton, ce qu'a votre enfant! »

— Mais comment? en trois jours?

— En trois jours, bien sûr! Quoi d'étonnant? C'est
bien pour cela que c'est une fièvre pernicieuse!... On
a tout fait... J'ai tenté...

— Mon petit Rino... mon Rino... oh mon Dieu, docteur, mon Riri!

Et Giustino se jeta à genoux près du petit lit, pour
toucher de son front la menotte brûlante de l'enfant
et, au milieu de ses sanglots, il pensa qu'il n'avait
jamais, jamais donné tout son cœur à ce pauvre petit
être qui s'en allait et qui avait vécu près de deux ans
en marge de son âme à lui, en marge de celle de sa
mère et qui n'avait trouvé de refuge que dans celle de
sa grand-mère... Et lui qui un instant plus tôt avait
pensé le donner à sa mère! Mais elle ne le méritait
pas, elle non plus, si lui ne le méritait pas! Et voilà :
le petit s'en allait puisque aucun d'eux ne le méritait.

Le docteur Laïs l'obligea à se relever et, avec une
douce violence, il l'emmena de nouveau dans la pièce
à côté.

— Je reviendrai dès qu'il fera jour, lui dit-il. Si vous

voulez faire un télégramme pour sa mère... Ce qui me semble juste... Je peux, si vous le voulez, me charger de le faire expédier avant de revenir. Voici, écrivez ici.

Il lui tendit une page de son carnet et sa plume.

Et lui écrivit : « *Viens immédiatement, ton fils est mourant. Giustino.* »

La chambre était pleine de fleurs; plein de fleurs aussi le lit sur lequel reposait le petit cadavre, sous son voile bleuté; quatre cierges brûlaient aux angles, péniblement, comme si les flammes avaient du mal à respirer dans cet air surchargé de parfums. Le petit mort lui-même en semblait oppressé : cireux, les globes de ses yeux durcis sous ses paupières livides.

Toutes ces fleurs réunies n'étaient même plus odorantes : elles avaient empoisonné l'air confiné de la petite chambre; elles étourdissaient et donnaient la nausée. Et l'enfant sous son voile bleu, irrémédiablement abandonné à ce parfum empoisonné, immergé en lui, prisonnier, ne pouvait plus être regardé que de loin, à la lueur de ses quatre cierges dont la chaleur dorée rendait presque visible et impénétrable la stagnation de ces entêtantes senteurs.

Il n'y avait que Graziella qui restait près de la porte à contempler le petit cadavre, avec des yeux rougis par les larmes, quand, vers onze heures, comme un vent subit parcourant l'escalier, au milieu des gémissements, des froissements de vêtements et des sanglots qui reprenaient en bas au rez-de-chaussée, Silvia, soutenue par le docteur Laïs, fit irruption dans la chambre : dès qu'elle eut passé le seuil, elle s'arrêta brusquement, tendant les mains en avant comme pour se protéger de ce spectacle et ouvrant la bouche pour un cri, un autre cri et puis encore un cri qui ne purent sortir de sa gorge. Le docteur Laïs la sentit défaillir dans ses bras, il cria :

– Un siège!

Graziella l'apporta; tous deux la firent asseoir en la soutenant et Laïs, bondissant vers la fenêtre, s'exclama :

– Mais vraiment, comment faites-vous pour rester ici! C'est irrespirable là-dedans! De l'air! de l'air!

Puis il s'empressa de retourner vers Silvia qui, les mains sur son visage, la tête ployée sous une condamnation qui ajoutait au poids de la douleur celui du remords et de la honte, était secouée de violents sanglots. Elle pleura ainsi pendant un moment, puis elle releva la tête, la soutenant de ses deux mains écartées autour de ses yeux, puis elle regarda le petit lit; elle se leva, s'en approcha, disant au docteur qui voulait l'en empêcher :

– Non... non... laissez-moi... laissez-moi le voir.

Elle le regarda d'abord à travers son voile, puis sans le voile, étouffant ses sanglots, retenant son souffle pour prendre intensément conscience de la mort de l'enfant qu'elle ne reconnaissait plus : et comme elle ne pouvait résister davantage à cette interruption de la vie en elle, elle se pencha pour embrasser le front du petit cadavre et elle gémit :

– Froid... froid...

Elle caressa doucement sa tête, ses jolies boucles blondes.

Le docteur Laïs l'obligea à s'éloigner du petit lit. Elle aperçut Graziella qui pleurait, mais à travers ces larmes versées pour l'enfant, elle surprit un regard qui lui était hostile; elle n'en éprouva pas de dépit, au contraire elle fut touchée par la haine de cette vieille femme qui était un acte d'amour pour son petit; et se tournant vers le docteur :

— Qu'est-il arrivé? Qu'est-il donc arrivé?

Laïs la conduisit dans la pièce voisine, dans celle-là même où elle avait dormi durant les mois de son dernier séjour. Les pleurs qui dans la chambrette de l'enfant lui étaient montés aux yeux, comme arrachés par la violence de ce spectacle, jaillissaient à présent naturellement : là, elle sentit son cœur déchiré par les vivants souvenirs de la petite créature, là, elle se sentit de nouveau mère, vraiment, avec son âme d'alors, lorsque la nourrice lui apportait chaque matin au lit le bébé tout rose et tout nu, à peine sorti de son bain, et qu'elle pensait, en le serrant sur son sein, qu'il lui faudrait bientôt se séparer de lui...

Pendant ce temps Laïs lui parlait de la maladie subite, de tout ce qu'il avait fait pour le sauver et il lui racontait que le père lui-même avait été frappé à l'improviste par ce malheur, puisque le soir précédent il était au théâtre, pour assister à la représentation de son drame, sans soupçonner que l'enfant fût aussi gravement malade.

Silvia leva la tête, parcourue d'un frisson à cette nouvelle :

— Hier soir, au théâtre? Mais comment n'a-t-il pas su...

— Eh, madame, à l'annonce de votre venue à Turin... (et de la main il fit un geste qui signifiait : on aurait dit qu'il avait perdu l'esprit). Sa mère ne lui en a rien dit en le voyant dans cet état, ajouta-t-il. Rien ne laissait supposer que ce soit quelque chose d'aussi grave... Il fait pitié, croyez-moi, il fait vraiment pitié. A peine arrivé, hier dans la nuit, vers les deux heures, venant à pied de Giaveno, il a trouvé son enfant moribond.

C'est moi qui lui ai suggéré de vous prévenir par télégramme, et c'est même moi qui l'ai expédié, le télégramme, pendant que l'enfant, hélas... Il est mort vers six heures... Écoutez, vous entendez?

En bas, dans l'escalier, retentirent brusquement les sanglots de Giustino, au milieu d'un bruit de pas confus et des cris de ceux qui cherchaient sans doute à le retenir.

Silvia se leva brusquement, bouleversée, et se retira dans un coin, comme pour se cacher.

Soutenu par don Buti, par Prever et par sa mère, Giustino apparut sur le pas de la porte : on aurait dit un fou : les vêtements et les cheveux en désordre, le visage baigné de larmes, il regarda le docteur d'un air farouche, puis il dit :

— Où est-elle?

Dès qu'il la vit, son ventre et sa poitrine se contractèrent, ses jambes et son menton se mirent à trembler d'un léger frémissement, profond, croissant jusqu'à ce que ses pleurs, déformant petit à petit ses traits, gargouillent au fond de sa gorge nouée; mais comme Prever et don Buti cherchaient à l'enlever de là, il s'arracha furieusement à eux :

— Non, ici! cria-t-il.

Et il resta un moment comme ça, libre, hésitant; puis il se décida, il se précipita sur elle et l'étreignit furieusement.

Silvia ne bougea pas un doigt; elle se raidit pour résister à la torture que lui causait ce mouvement désespéré, elle ferma les yeux, par pitié, puis elle les rouvrit pour rassurer la mère, lui dire qu'elle n'avait rien à craindre d'elle puisque, justement, elle ne l'embrassait pas mais se laissait seulement embrasser, par pitié, et que cette pitié, elle saurait la contrôler.

— Tu vois, tu vois? sanglotait Giustino sur son sein,

en la serrant de plus en plus fort, il est parti... Riri est parti, parce que nous n'étions pas là... toi tu n'étais pas là... et moi non plus je n'étais pas là... et alors le pauvre petit s'est dit : « Mais qu'est-ce que je fais ici, moi ? », et il s'en est allé... S'il te voyait ici, maintenant... Viens, viens ! S'il te voyait ici !

Et il la tira par la main jusqu'à la chambre de l'enfant, comme si sa venue à elle et la joie qu'il en éprouvait pouvaient miraculeusement rappeler leur enfant à la vie.

— Riri... Ah, Riri... ah, mon Riri...

Et il tomba de nouveau à genoux devant le petit lit, enfouissant son visage dans les fleurs.

Silvia se sentit défaillir ; le docteur Laïs accourut pour la soutenir et la ramena dans la chambre voisine. Giustino fut lui aussi arraché au petit lit par don Buti et Prever qui le ramenèrent en bas.

— Silvia ! Silvia ! continuait-il à appeler, sans plus chercher à échapper à ses deux amis, maintenant qu'il avait revu son enfant mort.

En entendant ainsi son nom, de plus en plus loin, Silvia se sentit comme appelée du fond de la vie qu'elle avait menée ici, un an plus tôt : dans le bonheur d'alors il y avait déjà l'obscur pressentiment de ce malheur ; et maintenant elle entendait son nom, de très loin, entre des pleurs : *Silvia... Silvia...* Ah, si elle avait pu s'entendre appeler de cette façon, elle aurait trouvé la force de résister à toutes les tentations ; elle serait restée là avec son petit, dans ce nid paisible au milieu des montagnes, et son petit ne serait pas mort, et aucune des horribles choses qui lui étaient arrivées ne se seraient passées. La plus horrible de toutes... ah, celle-là ! Aujourd'hui encore, avec d'insoutenables images, elle sentait sa chair brûler de honte au souvenir de cette unique étreinte, tentée pour ainsi dire « à froid »

en raison d'une inéluctable et terrible nécessité, là-bas
à Ostie, et restée déplorablement inachevée; elle se
sentait définitivement souillée par cela, plus que si elle
avait mille fois péché avec les jeunes amants que l'opi-
nion publique lui avait attribués et lui attribuait encore.
Le souvenir visqueux de cette unique étreinte, de cette
étreinte manquée, lui avait inspiré une insurmontable
nausée, une horreur dans laquelle se noierait désormais tout désir amoureux. Elle était certaine que Giustino, si elle le voulait, s'arracherait aux bras de sa
mère, sans le moindre amour-propre, pour revenir vers
elle. Mais non, non : elle ne voulait pas; elle ne devait
pas, pour lui comme pour elle! Surtout maintenant
que le dernier lien qui existait entre eux avait été brisé
par la mort; et lui se débattait vainement entre les
bras de ceux qui tentaient de le retenir. Le docteur
Laïs avait été appelé pour leur venir en aide. Plus loin,
son enfant gisait au milieu des fleurs. Il y avait beaucoup de gens qui montaient le voir : des femmes du
village, des vieux, des jeunes gens, et tous apportaient
des fleurs, encore d'autres fleurs... Un peu plus tard le
docteur Laïs, tout échauffé, tout haletant, remonta chez
elle avec une feuille de papier à la main, le brouillon
d'un télégramme que le mari, en bas, criant et se
débattant, avait absolument voulu écrire. Et il souhaitait que lui, le docteur Laïs, après en avoir pris
connaissance, aille aussitôt l'expédier.

— Un télégramme? demanda Silvia, effarée.

— Oui, le voici.

Et Laïs le lui tendit.

C'était un télégramme pour la compagnie Fresi. Les
quelques mots qu'il comportait étaient rendus presque
illisibles par les larmes qui étaient tombées dessus. Il
y faisait part de la mort de l'enfant, demandant que
l'on interrompît les représentations de la pièce, avec

une annonce préalable au public du grand deuil de
l'auteur. Signé : *Boggiolo*.

Silvia le lut et, sous les yeux du docteur qui attendait,
elle resta perplexe, absorbée et étonnée.

— Faut-il l'envoyer?

Voilà : après cet embrassement, lui se sentait déjà
redevenu son mari.

— Pas comme ça, non, répondit-elle au docteur. Sup-
primez l'annonce au public et si vous tenez à vous
déranger, envoyez-le quand même, mais à mon nom,
je vous prie...

Le docteur Laïs s'inclina.

— Je comprends, dit-il. N'ayez crainte, je ferai comme
cela.

Et il sortit.

Mais une demi-heure plus tard, Giustino réappa-
raissait l'air égaré, en compagnie d'un journaliste, ce
même jeune journaliste venu de Turin un an plus tôt
« à la découverte de l'auteur de *La nouvelle colonie* ».

— La voici! La voici! dit-il en le faisant entrer dans
la chambre; et, se tournant vers Silvia :

— Tu le connais, n'est-ce pas?

Le journaliste, gêné de l'impatience désordonnée et
presque rieuse de Boggiolo, bien que le pauvre homme
eût le visage bouilli par les larmes, s'inclina en tendant
la main à Silvia :

— Je suis désolé, chère madame, de vous retrouver
dans un moment si différent du premier. J'ai appris
au théâtre que vous étiez accourue ici... Je ne m'at-
tendais pas à ce que...

Giustino l'interrompit en le saisissant par le bras :

— Hier soir à Turin, pendant qu'on jouait le drame,
se mit-il à lui dire avec une voix et des mains tremblantes, mais en le regardant droit dans les yeux, comme
s'il voulait lui faire la leçon, l'enfant mourait ici, et

nous ne le savions ni elle ni moi, vous comprenez? Et elle, poursuivit-il en montrant Silvia du doigt, elle? savez-vous quand elle est venue ici pour la première fois? Pour la naissance de notre enfant! Et savez-vous quand est né notre enfant? Le soir même du triomphe de *La nouvelle colonie* et c'est pour cela que nous l'avons appelé Vittorio, Vittorino... Et maintenant, elle revient pour sa mort! Et quand se passe cette mort? Précisément pendant qu'à Turin on joue le nouveau drame! Voyez un peu, voyez la destinée... Il naît et il meurt, comme ça... Venez, venez par ici, que je vous le fasse voir...

Repris par la passion de sa profession, dans l'état où il était, il faisait presque peur. Le jeune journaliste le regardait sans en avoir l'air, ébahi.

– Le voici! Le voici notre cher petit ange! Voyez comme il est beau, au milieu de toutes ces fleurs! Ce sont les tragédies de la vie, cher monsieur, des tragédies poignantes... Ce n'est même pas la peine d'aller les chercher dans des îles lointaines, au milieu des sauvages, les tragédies de la vie! Si je dis ça, c'est pour le public, vous savez? Lui qui se refuse à comprendre certaines choses... Vous, vous les journalistes, vous devriez bien expliquer au public que si un écrivain peut aujourd'hui se mettre tout entier dans une tragédie... disons, intellectuelle, une tragédie sauvage qui plaît immédiatement par sa nouveauté, le même auteur peut également être saisi par cette tragédie-là, celle de la vie, celle qui broie un pauvre enfant et avec lui le cœur du père et de la mère, vous comprenez? C'est ça, c'est ça que vous devriez expliquer au public, lui qui reste froid devant la tragédie d'un père qui a une fille hors de son foyer, d'une femme qui sait qu'elle ne réussira à reprendre son mari qu'à la seule condition de prendre avec elle la fille en question et qui s'en va, s'en va là-bas, chez la maîtresse pour se la faire donner. C'est là qu'elles sont, les tragédies... les tragédies,... les tragédies de la vie, cher monsieur... Cette misérable femme qui, croyez-moi, ne peut rien faire... non... qui ne sait faire valoir tout ce qu'elle fait... moi, moi je le comprends, moi qui connais bien ces choses-là... mais en ce moment ma tête me fait si mal, très mal, croyez-moi, elle me fait très mal... Trop d'émotions... trop, trop... j'aurais tellement besoin de dormir... C'est la fatigue, vous savez? qui me fait parler comme ça... Il faut absolument que j'aille dormir... je ne tiens plus debout... je ne tiens plus debout...

Et il s'en alla, voûté, la tête entre les mains, répétant : — Je ne tiens plus debout... je ne tiens plus debout...

— Le pauvre! soupira le journaliste, en retournant avec Silvia dans l'autre pièce. Dans quel état est-il!

— Par pitié, s'empressa de lui dire Silvia, ne dites rien, n'en dites rien dans les journaux...

— Mais madame, que croyez-vous donc? interrompit ce dernier en tendant les deux mains.

— Pour moi le déchirement est double, reprit Silvia suffoquant presque. D'abord un véritable coup de massue, et maintenant cette autre torture...

— Il fait réellement pitié.

— Oui, et c'est justement à cause de cette pitié que je veux m'en aller, je veux m'en aller...

— Si vous voulez, madame, j'ai ici...

— Non, non : demain, demain... tant que mon enfant sera là, je serai là. Mon oncle aussi est enterré ici. Dire que ça me faisait si mal de penser que ce cher vieil homme était là, dans une tombe qui n'était pas à lui... Les morts, je veux bien, n'ont plus entre eux ni amis ni ennemis. Mais maintenant il aura avec lui son petit-neveu, il ne sera plus seul dans cette tombe étrangère.

330

Demain, je lui donnerai mon petit, et dès que ce sera fini, je partirai...

— Voulez-vous que je revienne vous prendre demain ? Ce serait un plaisir pour moi.

— Merci, dit Silvia. Mais je ne sais pas encore quand...

— Je me renseignerai, n'en doutez pas. A demain.

Et le jeune journaliste s'en alla, tout content. Silvia ferma les yeux, les lèvres serrées par l'amertume, plus que par le mépris, et elle secoua la tête pendant un instant. Peu après, Graziella, les yeux baissés, lui tendit un reconstituant ; mais elle ne voulut pas même y tremper les lèvres. Plus tard elle eut à subir le supplice d'une visite : celle de la femme du docteur, plus que jamais ruisselante de charmes. Tandis que celle-ci cherchait à la réconforter bêtement, elle, fatiguée et désorientée comme elle l'était, découvrit par hasard, en tournant les yeux dans un coin de la chambre, une nouvelle raison de pleurer : sur la commode il y avait les jouets de Riri qui semblaient se parler entre eux : un pauvre cheval de carton bouilli fixé sur une planchette à quatre roues, une trompette en fer-blanc, un petit bateau, un pantin avec des grelots. Le petit cheval, avec sa queue pelée, une oreille abîmée et une roue manquante, était le plus mélancolique de tous. Le petit bateau, avec ses voiles tendues, tournait sa poupe vers elle et il lui semblait loin, loin comme un vrai bateau sur une mer lointaine, une mer de rêve ; et il partait ainsi, toutes voiles tendues sur cette mer de rêve avec la petite âme de Riri émerveillée, perdue... Mais non ! Le petit pantin lui disait en riant que ce n'était pas vrai, que le dessus de la commode n'était pas la mer et que la belle petite âme de Riri ne naviguait plus sur elle.

Il les avait abandonnés, Riri, pour une chose très sérieuse, une chose qui paraissait invraisemblable pour un enfant : mourir ! Le cheval, tout boiteux et tout pelé qu'il était, subissant le sort de tous les jouets, semblait hocher la tête, ne voulant pas y croire. Et si la trompette avait essayé de le sortir de son sommeil, là-bas au milieu de toutes ses fleurs ?... Mais la trompette était cassée, elle aussi, elle n'avait plus de son... La bouche de Riri ne parlait plus, elle non plus... ses petites mains ne bougeaient plus, ses jolis yeux ne se rouvriraient plus... petit jouet brisé, lui aussi, Riri...

Qu'avaient-ils bien pu voir, ces petits yeux de deux ans ouverts sur le spectacle d'un monde aussi grand. Qui se souvient des choses vues avec ses yeux de deux ans ? Et voilà que ces petits yeux, qui avaient regardé les choses sans en garder le souvenir, s'étaient fermés pour toujours. Dehors il y avait tant de choses à voir : les prés, les montagnes, le ciel, l'église ; Riri avait quitté ce grand monde dont rien ne lui avait appartenu si ce n'est le petit cheval de bois qui sentait la colle, le petit bateau aux voiles tendues, la trompette en fer-blanc et le pantin qui riait en secouant ses grelots. Et il n'avait pas connu le cœur de sa maman. Riri...

Le soir tombait ; la femme du docteur s'en alla et Silvia resta seule dans l'énorme silence de toute la maison.

Elle se rapprocha de la chambre mortuaire : il n'y avait là que Graziella et la nourrice ; l'une somnolait sur sa chaise et l'autre récitait le rosaire. Silvia fut brusquement tentée de les envoyer dormir toutes deux, de rester seule avec l'enfant, de bien fermer la fenêtre et la porte, de s'étendre à côté de lui pour se laisser tout entière envahir par le froid de la mort et le poison des fleurs. Étourdie par leur parfum qui avait rendu sa tête lourde comme du plomb, elle se sentit vaincue par une extrême lassitude des choses de la vie, dans l'obscur silence de cette demeure écrasée par le cauchemar de la mort. Elle se mit à la fenêtre et elle eut l'étrange impression que son âme était restée là, dehors, pendant tout ce temps et qu'elle la retrouvait à présent avec une stupeur et un soulagement infinis. C'était cette même âme qui avait admiré de là-haut le spectacle d'une autre nuit de lune semblable à celle-ci. Mais il y avait à présent, dans la douceur de l'apaisement, un plus urgent besoin de se détacher de tout, et dans sa stupeur un désir plus pressant d'être réveillée de ces songes éternels par des souffles nouveaux, des souffles plus puissants. Elle regarda la lune suspendue au-dessus de l'une des grandes montagnes, et dans la calme et très pure lumière qui élargissait le ciel, elle découvrit, elle but les quelques étoiles qui surgissaient comme les sources d'une lumière encore plus vivante : elle baissa les yeux vers la terre et revit au fond les montagnes bleutées qui respiraient dans cette lueur, elle revit les arbres muets, les prés bruissant d'eau sous le limpide silence de la lune; et tout lui parut irréel et dans cette irréalité son âme s'enfonçait, devenue la clarté de l'aube et le silence et la rosée.

Mais voici que petit à petit, en face de cette limpide irréalité de rêve, elle était assommée comme par une ombre énorme venue de son esprit, par l'obscur et profond sentiment de la vie, composé de tant d'impressions inexprimables, de souffles, de tourbillons et de chevauchements de plus denses ténèbres au sein de cette ombre. En marge de toutes les choses qui donnaient un sens à la vie des hommes, il y avait dans la vie des choses un autre sens que les hommes ne pouvaient saisir : c'est ce que disaient ces astres avec leur lumière, ces herbes avec leur odeur, ces eaux avec leur murmure : un sens secret déconcertant. Et il fallait aller au-delà de toutes ces choses qui donnaient un sens à la vie des hommes, pour pénétrer dans les arcanes de la vie des choses. Au-delà des mesquines obligations que se créaient les hommes, voici que d'autres sombres et gigantesques nécessités se profilaient dans l'écoulement fascinant du temps, comme ces grandes montagnes, là, dans l'enchantement de la verte et silencieuse aube lunaire. C'est sur elles qu'elle devait désormais se fixer, les affronter avec les yeux inflexibles de sa raison, donner la parole à tout ce que son esprit n'avait osé exprimer, à tout ce qui jusqu'à maintenant lui avait fait peur, abandonner la vanité des misérables gestes de la vie quotidienne, la vanité des hommes qui, sans s'en apercevoir, se laissent emporter par l'immense tourbillon de la vie.

Elle resta toute la nuit à la fenêtre, jusqu'à ce que l'aube glacée vienne peu à peu décomposer et figer les aspects vaporeux du rêve précédent. Et dans cette raideur transie des choses touchées par la lumière du jour, elle sentit la divine fluidité de son être se bloquer, elle aussi; elle reçut le choc de la réalité crue, de la dure et monstrueuse force de la matière, de la férocité puissante, avide, destructrice de la nature, sous l'œil implacable du soleil qui apparaissait.

Cette monstruosité et cette férocité allaient reprendre son pauvre enfant pour le refaire terre sous la terre.

Voici qu'on apportait le cercueil. La cloche de l'église tintait dans la lumière du jour nouveau.

Pour un petit mort qui attend sur son lit le moment d'être enseveli, combien dure une journée? que dure l'attente de la lumière disparue depuis la veille? Cette lumière qui le retrouve plus enfoncé dans les ténèbres de la mort, plus éloigné déjà dans la douleur de ceux qui restent. Mais bientôt la douleur se rapprochera et elle hurlera à l'horrible spectacle du cadavre que l'on enferme dans la bière toute prête; puis tout de suite après l'enterrement, elle recommencera à s'éloigner, à se remettre en hâte de ce cruel et bref rapprochement, pour disparaître peu à peu dans le temps où, par moments seulement, la mémoire s'efforcera de la rejoindre : elle la découvrira tout au fond et se retirera oppressée et lasse, rappelée par un soupir de résignation.

Giustino avait dormi jusqu'à ce moment-là d'un sommeil de plomb. Que lut-il sur le visage de Silvia, qui semblait devenu livide à la pâleur de la lune qu'elle avait contemplée durant toute la nuit? En face d'elle, il était tout désemparé : il eut à nouveau de terribles sursauts de larmes qui lui serraient le ventre et la poitrine, mais il ne tenta plus de l'embrasser; il se jeta par terre, sur le petit cadavre de l'enfant déjà installé dans sa bière et recouvert de fleurs. Prever l'en arracha et Graziella et la nourrice emmenèrent également la grand-mère. Personne ne se soucia d'elle qui voulut avoir le courage d'assister à tout jusqu'à la fin, après avoir embrassé la mort sur le petit front dur et glacé de son fils. Le couvercle du cercueil était déjà fermé quand arriva le jeune journaliste; elle fut un peu troublée par les attentions qu'il avait pour elle, mais elle refusa de s'éloigner.

– Maintenant... Maintenant tout est fait, lui dit-elle. Merci, laissez-moi! Maintenant j'ai tout vu... Il n'y a plus rien à voir... Un cercueil et mon amour de mère, là...

Un trop-plein de larmes lui monta à la gorge et jaillit de ses yeux. Elle le contint presque rageusement avec son mouchoir.

Giustino soutenu par Prever, au milieu des gens qui s'étaient rassemblés devant la maison pour le convoi funèbre, dès qu'il vit derrière la bière le jeune journaliste aux côtés de Silvia, Giustino comprit qu'après les obsèques elle ne reviendrait plus à la maison. Il dit alors à Prever et à tous ceux qui l'entouraient :

— Attendez, attendez !...

Et il rentra dans la maison. Pour lui la mort n'était pas tant dans ce petit cercueil que dans l'attitude de Silvia, dans son départ définitif. Ce qui de lui était mort dans son enfant était bien peu en comparaison de ce qui mourait en lui dans cette femme qui s'éloignait : les deux douleurs étaient pour lui inséparables, une seule et même douleur. En déposant son enfant dans la tombe, il devait aussi déposer autre chose entre ses mains à elle.

Un instant plus tard on le vit redescendre avec un tas de papiers sous le bras. Il les garda avec lui et, s'appuyant sur Prever, il suivit le convoi jusqu'à l'église et jusqu'au cimetière. Quand tout fut terminé, il s'arracha du bras de Prever et s'approcha en vacillant de Silvia qui s'apprêtait à monter dans l'automobile du jeune journaliste.

— Tiens, lui dit-il, en lui tendant les papiers, tiens... Moi maintenant... qu'est-ce que... qu'est-ce que j'en ferais ? Ils peuvent te servir, à toi... Ce sont des adresses de traducteurs... des remarques à moi... des notes, des comptes, des contrats... des lettres... Ça peut te servir... pour ne pas être exploitée... Dieu sait... Dieu sait ce qu'ils doivent te voler !... Tiens... et... Adieu ! Adieu ! Adieu !

Et il se jeta en sanglotant dans les bras de Prever qui s'était approché.